中國本草圖錄

卷八

蓋載之三墳者也其二百六十五

百二十種爲君主養命以應天無

老延年之說中藥一百二十種爲

有遏病補虛益損之用下藥一百

可久服故有除寒熱邪氣破積聚

尹湯液之與本乎神農仲景傷寒

中國本草圖錄

卷八

商務印書館（香港）有限公司
人民衞生出版社合作出版

中國本草圖錄　卷八

全書主編──蕭培根

本卷主編──裴盛基　李延輝

編寫──《中國本草圖錄》編寫委員會

責任編輯──孫祖基　江先聲

編輯顧問──李甯漢

圖片編輯──嚴麗娟

裝幀設計──王鑑豐

出版──商務印書館(香港)有限公司

　　　　香港鰂魚涌芬尼街2號D僑英大廈

　　　　人民衛生出版社

　　　　北京天壇西里10號

製版──亞洲製版公司

　　　　香港柴灣豐業街10號業昌中心7字D座

印刷──中華商務彩色印刷有限公司

　　　　香港九龍炮仗街75號

版次──1990年6月第1版第1次印刷

　　　　ⓒ1990 商務印書館(香港)有限公司

　　　　ISBN 962 07 3085 2

　　本卷在編寫過程中，得到中國科學院昆明植物研究所陳介教授、李恒教授及王慷琳、張桂林、沈佩瓊、宋傳德、楊親二、朱華等同志的支持和幫助，謹此一併致謝。

本卷主編的話

《中國本草圖錄》卷八收載中國傳統藥物五百種，含植物藥四百五十七種，動物藥四十三種；其中絕大部分為中國西部地區少數民族傳統藥物，尤以藏族藥物、傣族藥物所佔比例最多。因此，本卷可以認為是中國少數民族傳統藥物的專門卷冊。

中國是一個多民族的國家，在五十六個民族中，有三十餘個少數民族集中分佈在西部地區，包括雲南、四川、西藏、貴州、甘肅、青海、寧夏、新疆等省區。每一個民族，在其歷史發展過程中，都形成和發展了各自的醫藥文化，以確保其民族社會的生存和發展。這種發展並非孤立發生，而是相互影響、相互交流借鑒的。本卷收載的許多民族藥物，從藥物名稱來源、使用部位、採收加工、性味功能、臨床應用等不同方面，都反映出民族藥物與中醫中藥的變異和不同。

本卷收載的四百餘種民族藥中，有藏藥二百二十一種，佔總數的百分之十四。藏醫藥是中國五大民族藥種之一（或稱為五大民族醫藥系統之一），具有獨特的醫藥理論和用藥方法，體現出高原民族對其自然環境和藥物資源認識與利用的豐富經驗。

本卷所用藏醫專用病名解釋如下：

"龍病"：意為風、氣或氣分。相似於現代醫學的神經、血循環的功能疾患。其性輕、動，兼糙、寒、細、硬；功能主呼吸、分泌、血循環、活力與思維。人體失調(偏盛、偏衰、敗壞三類)時為"龍病"，常見心血管、神經精神、內分泌、呼吸等系統病徵。

"赤巴病"：意為熱病，近於現代醫學的代謝和酶的功能病患。其性熱、銳、潤、溫、清、臭；主消化，產熱能，維持體溫，生血，壯膽量與強智慧。失調時為"赤巴病"，常見為溫熱病，黃疸，口苦，胸痛，煩躁等肝膽病患。

"培根病"：意為痰、津或涎分，近於現代醫學的同化與分泌功能疾患。其性寒、潤、重、鈍、柔、穩、黏。主保持體液，潤滑關節，辨認氣味，養神智。失調時徵見：寒氣病，消化病，泌尿生殖系統病。涎分，相當於中醫六氣中的寒、濕二氣。

"黃水病"：指存留於關節、"眼"、皮肉間的赤黃色稀薄黏液。病見皮膚瘙癢，起疹，關節風濕痛，體內積水，膿腫等；重者膚色發黑，頭髮、鬚眉日漸脫落。

"木保病"：意為雜症，主要症狀為肝、胃疼痛，涉及背痛，有時頭痛，初時泛酸，繼而嘔吐膽汁，後期吐血與咖啡色狀物。含多種類型。

"多血症"即高山多血症，常見由高原缺氧引起。徵見缺氧體徵以及紅細胞與血色素增高。又釋為壞血病，但與現代醫學所指缺乏維生素 C 的壞血病不同。

"血熱"：指心區突然疼痛，咳嗽，痰中帶血，目赤，口乾，體熱，鼻衄。

本卷的編寫雖然做了多方面的努力，欠妥或錯誤之處在所難免，敬請讀者提出寶貴意見。

裴盛基　李延輝

一九九〇年二月於昆明

編 寫 說 明

1. 《中國本草圖錄》收載中草藥(包括植物、動物、礦物)五千種,分十冊出版。全書採用彩色照片拍攝中草藥的生態環境、生長狀態(活植物、活動物體態),礦物則拍攝藥材形狀。

2. 每種中草藥附有簡要的文字描述,目的在於彌補彩照的不足,並使讀者對該中草藥有一個概括的認識。

3. 本書編排以植物(動物)科為順序;植物科以恩格勒系統為編排依據。科屬內的中草藥則按植物(動物)的拉丁學名的字母順序依次排列。

4. 書前的目錄備列中草藥所屬的植物(動物)的科及科內各中草藥。書後則分別附有中草藥及所屬植物(動物)的中名索引及拉丁學名索引。

5. 正名一般祇採用中草藥的常用名稱。若一種中草藥為多來源或來自同屬多種植物(或動物),如黃連、貝母、天南星、前胡等,正名參照基源動植物名取名為三角葉黃連(黃連)、白花前胡(前胡)等,括號內附常用的中草藥名稱。如此藥為民間藥,則應採用民間藥名稱。若無中草藥名稱,可採用此藥的植物名或動物名。

6. 本書文字描述包括:**來源、形態、分佈、採製、成分、性能、應用、文獻**及**附註**等項目。

7. **來源**是記載中草藥所屬的植物(動物)科的中名,植物(動物)名稱及其拉丁學名,藥用部分。礦物藥則記述其礦物來源的名稱或學名。

8. **形態**一項是概述中草藥的原植物(或原動物)的全貌的形態特徵(尤詳於藥用部分)。若為礦物藥,則祇描述藥材性狀。

9. **分佈**是描述該植物(動物)在野生狀態下的生態環境或栽培狀況,或其棲息環境及習性等。分佈是指野生植物(動物)在中國境內的自然分佈。由於篇幅限制,若分佈的省區太多,可採用大區描述,如東北、華北、華東、中南、西北、西南等,也可寫長江以南等。

10. **採製**是描述該中草藥的採集季節,加工方法(如曬乾、陰乾、鮮用、切片、切段等),或特殊的炮製加工等方法。

11. **成分**祇記載該中草藥所含的主要成分或有活性成分,對一般次要的化學成分,可不予全部記載,而且也以該中草藥的藥用部位為主,非藥用部位的成分則或略而不述。

12. **性能**是先描述該中草藥的性味(先寫味,後寫性),再述其功能。功能祇描述該中草藥的主要作用。對有些有毒的中草藥,按毒性的大小,寫明小毒、有毒、大毒等,以便引起注意。

13. **應用**祇描述該中草藥沿用以治療的主要病症,也可能是與其他藥物配伍的效用。用法一般指內服或外用或其他用法。文中描述"用於"云云即指內服。用量是指成人每日的常用量。

14. **文獻** 一項是供進一步查閱該中草藥的詳細資料而編注的;如別名、成分、藥理等內容,可在文獻中查閱。為節省篇幅,常用文獻多採用簡稱。如《大辭典》上,865,即《中藥大辭典》上冊第865條。各卷所引用的文獻的書目資料,可於每卷後面所附的"參考書目"中找到。

目　　錄

3593. 狹距紫菫
3594. 巖黃黃
3595. 銅棒錘
3596. 黑頂黃菫
3597. 蛇果黃菫
3598. 瑞金巴
3599. 北紫菫
3600. 糙果紫菫
3601. 三裂紫菫
3602. 山黃連

十字花科
3603. 寬果叢菔
3604. 雞掌七
3605. 高薳菜

景天科
3606. 柴胡紅景天
3607. 圓齒紅景天
3608. 長圓紅景天
3609. 長鞭紅景天
3610. 條葉紅景天
3611. 大株紅景天

虎耳草科
3612. 滇西金腰
3613. 雲梅花草
3614. 三脈梅花草
3615. 巖陀
3616. 松蒂
3617. 江陽大兀
3618. 大花虎耳草
3619. 色蒂
3620. 黑蕊虎耳草
3621. 山地虎耳草
3622. 垂頭虎耳草
3623. 紅虎耳草
3624. 西南虎耳草
3625. 藏中虎耳草

薔薇科
3626. 黏龍牙草
3627. 木帚子
3628. 鈍葉枸子
3629. 紫果枸子
3630. 小葉金老梅
3631. 西南草莓
3632. 人參果

3633. 金露梅花
3634. 銀露梅
3635. 狹葉委陵菜
3636. 光核桃
3637. 多花薔薇
3638. 西康薔薇
3639. 粉枝莓
3640. 紫泡
3641. 珍珠桿
3642. 繡線菊

牛栓藤科
3643. 紅葉藤

豆科
3644. 蛟龍木
3645. 無莖黃芪
3646. 麗江窄翼黃芪
3647. 多花黃芪
3648. 西康黃芪
3649. 單蕊黃芪
3650. 短苞黃芪
3651. 雲南黃芪
3652. 木豆
3653. 雲南錦雞兒
3654. 西藏錦雞兒
3655. 含羞決明
3656. 紫花雀兒豆
3657. 餓螞蝗
3658. 喜馬拉雅米口袋
3659. 高山米口袋
3660. 雲南米口袋
3661. 滇巖黃芪
3662. 馬鹿花
3663. 老鴉花藤
3664. 雲南棘豆
3665. 苦葛
3666. 草紅藤
3667. 苦刺花
3668. 灰葉
3669. 密馬

牻牛兒苗科
3670. 曲嘴老鸛草
3671. 蘿蔔根老鸛草
3672. 紫萼老鸛草

芸香科
3673. 單葉吳茱萸
3674. 小芸木
3675. 飛龍掌血

楝科
3676. 亞羅椿

遠志科
3677. 紫飯豆

大戟科
3678. 毛銀柴
3679. 草沉香
3680. 疣果大戟
3681. 大狼毒

黃楊科
3682. 黃楊木

冬青科
3683. 綠櫻桃

衛矛科
3684. 燈油藤

無患子科
3685. 金絲苦楝

清風藤科
3686. 小花清風藤

鼠李科
3687. 下果藤
3688. 西藏貓乳
3689. 鐵馬鞭
3690. 對節刺

梧桐料
3691. 野芝蔴根
3692. 藏牙草

山茶科
3693. 紅香樹
3694. 野油茶

堇菜科
3695. 戟葉堇菜

西番蓮科
3696. 羊蹄暗消

秋海棠科
3697. 紅半邊蓮

胡頹子科
3698. 角花胡頹子
3699. 雲南沙棘

瑞香科

3700. 山皮條

紅樹科
3701. 竹節樹

野牡丹科
3702. 螞蟻花
3703. 大蘱子

柳葉菜科
3704. 毛草龍

傘形科
3705. 匐枝柴胡
3706. 滇柴胡
3707. 細葛縷子
3708. 環根芹
3709. 香白芷
3710. 軟毛獨活
3711. 黃藁本
3712. 水芹菜
3713. 美麗稜子芹
3714. 棉參
3715. 藥茴香
3716. 紫莖稜子芹

乙、合瓣花亞綱

紫金牛科
3717. 珍珠傘
3718. 包瘡葉
3719. 觀音茶

報春花科
3720. 紅花點地梅
3721. 匙葉點地梅
3722. 直立點地梅
3723. 刺葉點地梅
3724. 巴塘報春
3725. 海仙報春
3726. 報春花
3727. 黃花報春
3728. 三月花
3729. 高穗花報春
3730. 癭子草

藍雪科
3731. 小藍雪
3732. 紫雪花

山礬科
3733. 白檀根

3734. 珠仔樹

木犀科
3735. 夾竹桃葉素馨
3736. 紅花木樨欖

馬錢科
3737. 長穗醉魚草

龍膽科
3738. 喉毛花
3739. 中甸喉毛花
3740. 藍龍膽
3741. 頭花龍膽
3742. 七葉龍膽
3743. 小齒龍膽
3744. 粗壯龍膽
3745. 雜色龍膽
3746. 條紋龍膽
3747. 雲南龍膽
3748. 狹萼扁蕾
3749. 大花扁蕾
3750. 濕生扁蕾
3751. 大花側蕊
3752. 大鐘花
3753. 美麗獐牙菜
3754. 黃花獐牙菜
3755. 膜邊獐牙菜
3756. 雞腸風
3757. 黃秦艽

夾竹桃科
3758. 老虎刺
3759. 巖山枝

蘿藦科
3760. 毛車藤
3761. 白花牛角瓜
3762. 羣虎草
3763. 朱砂藤
3764. 西藏牛皮消
3765. 斷節參
3766. 生藤

旋花科
3767. 月光花
3768. 虎掌藤

紫草科
3769. 密花滇紫草
3770. 多枝滇紫草

馬鞭草科
3771. 毛球猺
3772. 腺茉莉
3773. 白靈藥
3774. 小葉荊
3775. 疏序黃荊
3776. 布荊

唇形科
3777. 止痢蒿
3778. 白苞筋骨草
3779. 齒苞筋骨草
3780. 吉籠草
3781. 萼果香薷
3782. 黃花香薷
3783. 綿參
3784. 穗花荊芥
3785. 圓齒荊芥
3786. 白毛扭連錢
3787. 銀紫丹參
3788. 靈藍香
3789. 褐毛丹參
3790. 紅褐甘西鼠尾
3791. 黏毛鼠尾

茄科
3792. 三分三
3793. 麗山莨菪
3794. 中亞天仙子
3795. 茄參

玄參科
3796. 革葉兔耳草
3797. 鋸齒草
3798. 長舟馬先蒿
3799. 全緣馬先蒿
3800. 長筒馬先蒿
3801. 華麗馬先蒿
3802. 毛盆馬先蒿
3803. 中甸長果婆婆納
3804. 一支香
3805. 穗花玄參

紫葳科
3806. 野蘿蔔
3807. 單葉波羅花
3808. 土地黃

3809. 中華角蒿

列當科
　3810. 千斤墜
　3811. 滇列當

苦苣苔科
　3812. 螞蝗七
　3813. 大花珊瑚苣苔
　3814. 巖枇杷

車前科
　3815. 蛤蟆葉

茜草科
　3816. 愛地草
　3817. 黑節草
　3818. 涼喉茶
　3819. 石老虎
　3820. 丁香花
　3821. 葉天天花
　3822. 金線草
　3823. 活血丹
　3824. 水錦樹

敗醬科
　3825. 大花甘松

川續斷科
　3826. 大頭續斷
　3827. 細葉刺參
　3828. 白毛刺參
　3829. 土敗醬

桔梗科
　3830. 雲南沙參
　3831. 細萼沙參
　3832. 天藍沙參
　3833. 川藏沙參
　3834. 昆明沙參
　3835. 巖蘭花
　3836. 珠子參
　3837. 大萼黨參
　3838. 高山黨參
　3839. 臭參
　3840. 馬鬃參
　3841. 中甸藍鐘花
　3842. 黃鐘花
　3843. 光葉黃鐘花
　3844. 小白棉
　3845. 脹萼藍鐘花

3846. 麗江黃鐘花
3847. 木空菜

菊科
　3848. 刀口藥
　3849. 黏毛香青
　3850. 旋葉香青
　3851. 纖枝香青
　3852. 紅花乳白香青
　3853. 打火草
　3854. 四川香青
　3855. 臭蒿
　3856. 唐古特青蒿
　3857. 白頭草
　3858. 巴塘紫菀
　3859. 寒風參
　3860. 灰毛柔軟紫菀
　3861. 鬚彌紫菀
　3862. 燈掌花
　3863. 野冬菊
　3864. 緣毛紫菀
　3865. 東俄洛紫菀
　3866. 滇藏紫菀
　3867. 火油草
　3868. 藏藥天名精
　3869. 貢山薊
　3870. 灰薊
　3871. 狹葉垂頭菊
　3872. 鐘花垂頭菊
　3873. 露肖
　3874. 向日葵垂頭菊
　3875. 側莖垂頭菊
　3876. 紅花垂頭菊
　3877. 紫莖垂頭菊
　3878. 口瘡葉
　3879. 厚葉川木香
　3880. 紫舌厚喙菊
　3881. 厚喙菊
　3882. 地膏藥
　3883. 水朝陽花
　3884. 戟葉火絨草
　3885. 堅幹火絨草
　3886. 毛香火絨草
　3887. 大黃橐吾
　3888. 滇紫菀

3889. 山紫菀
3890. 一碗水
3891. 東俄洛橐吾
3892. 黃帚橐吾
3893. 小舌菊
3894. 小葉帚菊
3895. 禾葉風毛菊
3896. 長毛風毛菊
3897. 綿頭雪蓮花
3898. 長葉風毛菊
3899. 麗江風毛菊
3900. 水母雪蓮花
3901. 羽裂風毛菊
3902. 槲葉雪蓮花
3903. 蛇眼草
3904. 紫苞風毛菊
3905. 三指雪蓮花
3906. 一枝黃花
3907. 滇苦蕒菜
3908. 金沙絹毛菊
3909. 蓮狀絹毛菊
3910. 空桶參
3911. 雪條參
3912. 花鈕扣草
3913. 小銅錘
3914. 天文草
3915. 滇康合頭菊
3916. 短喙蒲公英
3917. 大頭蒲公英
3918. 川甘蒲公英
3919. 川藏蒲公英
3920. 錫金蒲公英
3921. 西藏蒲公英
3922. 九頭妖

單子葉植物綱

禾本科
　3923. 穬麥蘗

莎草科
　3924. 假燈草

天南星科
　3925. 觀音蓮
　3926. 旱生南星
　3927. 八仙過海

3501 青稞黑粉菌

來源 黑粉菌科真菌青稞黑粉菌 Ustilago nuda (Jens.) Rostr. 的孢子堆。

形態 黑粉菌侵入寄主(麥類植株)花序的各小穗,每個小穗發育成一個孢子堆,裏面的黑色粉末即冬孢子。孢子堆長 7～12mm,寬 3.5～6mm;冬孢子呈球形至近球形,長 5～9μm,寬 4～7μm,黑色,有時一邊色稍淡,有細刺。

分佈 生於大麥、小麥、青稞穗上。全國廣佈。

採製 夏季採收。

性能 止血,止痛,縮宮。

應用 用於子宮出血,偏頭痛,胃寒疼痛,胃寒腹脹。

文獻 《迪慶藏藥》上,121。

3502 灰包

來源 灰包科植物多形灰包 Lycoperdon polymorphum Vitt. 的擔子果。

形態 擔子果近球形或梨形,直徑 15～35cm,深土黃色,成熟後青褐色,表面粗糙,有顆粒狀突出物,成熟後頂部破裂,散出孢子。擔子果基部有不孕的短柄,長 5～10mm。孢子小,圓球形,淡青褐色,光滑,直徑 3.5～4.5μm,通常含 1 油滴;孢絲青褐色,有分枝。

分佈 生於土坡或草地上。分佈於雲南、西藏、青海等地。

採製 夏秋採集,曬乾。

性能 辛,平。清熱解毒,利咽,止血。

應用 用於扁桃體炎,喉痛,嘶啞,咯血,吐血,鼻衄,創傷出血,燙傷。用量 3g。

文獻 《迪慶藏藥》上,109。《滙編》上,80。

3503 紫色頹馬勃

來源 馬勃科植物紫色頹馬勃 Calvatia cyathiformis (Boss) Morg. 的擔子果。

形態 擔子果陀螺形，高 6～10 cm，直徑 5～8cm，不孕基部發達。包被薄，兩層，光滑，幼時呈白色，後呈紫褐色，在上部的外層常裂成小塊脫落，成熟後上部破裂露出暗紫褐色孢體。孢子及孢絲散失後遺留的不孕基部呈杯形；孢子球形，直徑 4～5μm，表面有小刺，紫色；孢絲長，褐色，分枝有橫隔，交織，粗 2～5μm。

分佈 生於針闊葉林下或草地上，單生或羣生。分佈於西北、華北、華東、華南、西南及遼寧。

採製 夏秋採集。

成分 含肉白氨酸、乾酪氨酸、尿素、麥角甾醇、類脂體及馬勃素。

性能 辛，平。清熱解毒，利咽，止血。

應用 用於扁桃體炎，喉痛，嘶啞，咯血，吐血，鼻衄，創傷出血，燙傷。

文獻 《迪慶藏藥》上，109。

3504 石花

來源 石蕊科植物石花 Parmelia tinctorum Despr. 的葉狀體。

形態 葉狀體近圓形，直徑 50～150mm，稀達 300mm，上面灰白色，邊緣分裂成多數不規則淺裂片，先端圓，邊緣有粉芽，較粗糙，有假根。子器少，杯狀，直徑約 10mm，有短梗；孢子橢圓形，1 室，無色。

分佈 生於石上（不同於樹上生者）。分佈於雲南。

採製 全年可採，從石上刮取，洗淨曬乾。

成分 含紅粉苔酸約 10.4% 及荔枝素等。

性能 甘，平。清熱止血。

應用 用於崩漏，無名腫毒。外用適量，用菜油調敷患處。

文獻 《迪慶藏藥》上，106。《滙編》下，200。

3505 金雞尾

來源 鳳尾蕨科植物指狀鳳尾蕨 Pteris dactylina Hook. 的根莖或全草。

形態 植株高 20～40cm，根狀莖橫臥或斜升，被褐棕色小鱗片。柄草褐色，細長，光滑；葉片為指狀複葉，羽片 5～7 片，長線形，先端長漸尖，不育葉邊緣具銳鋸齒，中部一片羽片較長，長可達 19cm，寬約 4mm。葉草質，乾後綠色；葉脈單一，較少分叉，不達葉邊，頂端具水囊。孢子囊羣線形，着生於葉緣內聯結脈上，為反捲的膜質葉緣所覆蓋，有隔絲；孢子囊的環帶有 16～34 個增厚細胞。

分佈 生於山坡灌叢下巖石上。分佈於雲南、四川、西藏、貴州。

採製 全年可採，曬乾。

性能 淡、澀，平。解熱，利尿。

應用 用於小兒急驚風，水腫，狂犬咬傷，腸炎，痢疾。用量 6～30g。

文獻 《大辭典》上，2873。

3506 大半邊旗

來源 鳳尾蕨科植物大半邊旗 Pteris dissitifolia Bak. 的全草。

形態 植株高 50～120cm，根莖橫走，頂端及葉柄基部有鑽形鱗片，能育葉長圓狀披針形，長 45～100cm，二回羽狀深裂或半羽狀深裂，羽片卵狀披針形，裂片寬 8～12cm，基部裂片最長，向上漸短，邊緣僅不育葉頂部有鋸齒，側脈通常分叉。孢子囊羣沿羽片頂部以下分佈。

分佈 生於山坡林下石縫中。分佈於雲南、廣西南部。

採製 全年可採，曬乾。

性能 辛，涼。止血生肌，解毒消腫。

應用 用於外傷出血，跌打損傷，痢疾。用量 10～15g；研粉灑或煎水洗患處。

文獻 《廣西藥用植物名錄》一，15。

3507 大葉井口邊草

來源 鳳尾蕨科植物大葉井口邊草 Pteris nervosa Thunb. 的全草。

形態 多年生草本，高 60～100cm，根莖柱狀橫走，被深褐色條狀披針形鱗片。葉多數叢生，葉柄長 20～40cm，羽狀複葉二型；營養葉卵形，長達 40cm，寬約 25cm，羽片 2～6 對，最下部羽片常分裂成 2 條形裂片；羽片條狀披針形，長 10～25cm，寬 1～2cm，邊緣有細鋸齒，側脈稍橫而平行，細而密，單一或分叉；孢子葉較小僅先端有鋸齒。孢子囊羣着生羽片邊緣，囊羣蓋狹長，灰色，膜質。

分佈 生於溪邊或陰濕的石堆縫隙中。分佈於陝西、湖北、湖南、四川和雲南。

採製 全年可採，鮮用或曬乾。

性能 淡，涼。清熱解毒，利濕消腫。

應用 用於黃疸型肝炎，急性膽囊炎，扁桃體炎，支氣管炎，痢疾，泌尿系感染，腎炎水腫。用量 15～30g。燒、燙傷用鮮品適量搗爛或用乾品研粉敷患處。

文獻 《滙編》下，35。

3508　鐵角鳳尾草

來源　鐵角蕨科植物鐵角蕨 Asplenium trichomanes L. 的帶根全草。

形態　多年生草本，高 13～35cm。根莖短，密被粗篩孔狀鱗片。葉簇生；葉柄長 3～10cm，褐色或黑褐色，有光澤，一回羽狀複葉，小葉線狀披針形，長 10～25cm，寬約 1.2～1.5cm，兩端稍漸狹；羽片疏生，20 對左右，有極短小柄，斜卵形或扇狀橢圓形，長 5～6mm，先端鈍，前緣有細齒，基部廣楔形；葉稍呈草質，表面濃綠色。孢子囊羣線形，每羽片上有 6～8 枚，與中脈略成斜交，囊羣蓋同形。

分佈　生於山溝中石上。分佈於雲南、四川、湖北、湖南、江西、廣東、廣西。

採製　秋季採收，切碎曬乾。

性能　淡，平。清熱，滲濕，止血，散瘀。

應用　用於痢疾，淋病，白帶，月經不調，瘡癤疔毒，跌打腰痛。用量 9～12g。

文獻　《大辭典》下，3838。

3509　硬一把抓

來源　中國蕨科植物棕毛粉背蕨 Aleuritopteris ruta (Don) Ching 的全草。

形態　草本，高 20～35cm。根狀莖直立，從葉柄向上到羽軸和主脈下面都有鑽形鱗片及茸毛，羽片上面伏生紅棕色有節的毛；葉簇生，葉柄和葉軸栗黑色，葉片長圓形，長 12～20cm，基部三回羽裂，頂部一回羽裂，裂片全緣。孢子囊羣生於小脈頂端，囊羣蓋膜質，斷裂，邊緣撕裂而有睫毛。

分佈　生於石山或巖石縫中。分佈於雲南、貴州。

採製　全年可採，曬乾。

性能　益氣升提，清熱解毒。

應用　用於子宮脫垂，脫肛，小兒疳積。用量 10～15g。咽喉腫痛，本品 20g，重樓 5g，曬乾研末，每次內服 1.5g。

文獻　《元江哈尼族藥》，196。

3510　暗鱗鱗毛蕨

來源　鱗毛蕨科植物暗鱗鱗毛蕨 Dryopteris cycadina (Fanch. et Sav.) C. Chr. 的根莖。

形態　多年生草本，高約 1m，根莖直立與葉柄基部，密生棕褐色闊披針形鱗片。葉簇生，柄長 25～45cm，葉柄及葉軸密被暗黑色近鑽狀鱗片。葉片長圓狀披針形，長 40～65cm，中部寬約 15～23cm，羽片條狀披針形，長約 10cm，寬約 2cm，邊緣淺裂達 ⅓ 或呈鋸齒，側脈羽狀。孢子囊羣生於上部羽片，主脈的兩側各 2～3 行；囊羣蓋圓腎形。

分佈　生於林下或灌叢中。分佈於長江以南各省區。

採製　秋季採挖，曬乾。

成分　含黃綿馬酸 2.25%。

性能　苦，涼。清熱解毒，止血，殺蟲。

應用　用於預防麻疹，流行性乙型腦炎，流行性感冒，痢疾，子宮出血，鈎蟲病，蛔蟲病。用量 6～15g。

文獻　《滙編》上，506。《迪慶藏藥》上，102。

3511　漸尖槲蕨

來源　槲蕨科植物漸尖槲蕨 Drynaria sinica Diels var. intermedia Ching et al. 的根莖。

形態　植株高 25～60cm。根狀莖上的鱗片棕色，線狀披針形，先端毛髮狀，邊緣有鋸齒。發育葉片長圓披針形，羽狀深裂幾達羽軸；裂片 16～20 對，間隔較闊，披針形，先端漸尖，中肋兩面近光滑；具極疏的剛毛，長約 5～6cm，寬約 1～1.5cm。孢子囊在中肋兩側各排成整齊的 1 行，靠近中肋。

分佈　生於高山巖石上。分佈於雲南、四川、西藏、青海、甘肅、陝西。

採製　秋季採集，切碎曬乾。

性能　苦，溫。補腎，癒傷，活血止痛，解毒。

應用　用於跌打，筋骨疼痛，耳鳴，脫髮，胎衣不下，肉食或食物中毒。

文獻　《迪慶藏藥》上，111。

3512　大瓦韋

來源　水龍骨科植物大瓦韋 Lepisorus macrosphaerus (Bak.) Ching 的全草。

形態　植株高 25～65cm。根狀莖橫走，外面密生鱗片，棕褐色，鱗片卵形，鈍頭，全緣。葉遠離，厚紙質或革質，下面被稀疏鱗片；葉柄長 5～15cm，以關節着生於根狀莖上；葉片披針形，長 20～50cm，寬 2.5～3.5cm，先端漸尖，向基部漸狹，楔形，下延，有軟骨質的狹邊，乾後反捲。葉脈明顯。孢子囊羣大，通常近葉緣着生，幼時有盾狀隔絲覆蓋。

分佈　生於石上或樹上。分佈於雲南、貴州、四川、廣西、江西、湖南、浙江。

採製　全年可採，切碎曬乾。

性能　苦，微寒。清熱解毒，利水通淋，散瘀消腫。

應用　用於小便不利，尿結石，腎炎，手顫動，尿道炎，水腫，疔瘡，癰腫，熱結便秘。

文獻　《貴州中草藥名錄》，56。《雲南藥用植物名錄》，20。

3513　雞翅膀尖

來源　水龍骨科植物陝西假瘤蕨 Phymatodes shensiensis (Christ) Ching 的根狀莖。

形態　植株高 7～22cm。根狀莖細長橫走，鱗片卵狀披針形，漸尖頭，盾狀着生，中央着生點黑色。葉遠離，薄紙質，卵形，長 5～10cm，寬 4～7cm，基部深心形，羽狀深裂；裂片 3～7，長圓形至卵形，先端鈍，基部下延成狹翅。網脈明顯，孢子囊羣圓形，近主脈着生。

分佈　附生於石上或樹上。分佈於雲南、四川、山西、陝西。

採製　全年可採，切碎曬乾。

性能　辛、鹹、澀，溫。調氣除濕，通淋消腫。

應用　用於小兒冷氣腹痛，風濕腳氣，水腫。用量 9～15g。

文獻　《滙編》下，728。《雲南省中藥資源普查名錄》一，76。

3514　書帶蕨

來源　書帶蕨科植物書帶蕨 Vitta-ria flexuosa Fee 的全草。

形態　多年生附生草本。根莖短而橫走，連同葉柄基部密生黑褐色鱗片，鱗片披針形，頂部纖維狀。葉叢生，近無柄，葉片條形，長30～40cm，寬 4～8mm，基部漸狹下延，中脈在上面凹下，在下面稍隆起，側脈稀疏，斜上組成斜長綱眼。孢子囊羣線形，着生於邊脈上，遠離中脈，幼時為反捲的葉緣覆蓋，成熟時露出。

分佈　生於陰蔽的巖石上或附生於大樹上。分佈於華東、華南和西南。

採製　全年可採，曬乾。

應用　用於小兒驚風，婦女乾血癆，退目瞖。用量 30～90g。跌打接骨，鮮品適量搗敷或乾粉加水調敷患處。

文獻　《大辭典》上，1155。

3515　刺柏

來源　柏科植物刺柏 Juniperus formosana Hayata 的枝葉或果與樹脂。

形態　小喬木。樹皮褐色，長條薄片狀開裂，老時脫落；小枝三稜形至近圓柱形。葉為三葉交叉輪生，條狀披針形，長 8～15mm，寬約1.5mm，先端漸尖，上面稍凹，中脈微隆起，綠色，具縱鈍脊，兩側各有一條白色的氣孔帶。球果近球形或寬卵圓形，直徑 6～9mm，被白粉，成熟時淡紅褐色。種子具3～4 稜脊，頂端尖，近基部有 3～4 個樹脂槽。

分佈　生於山地林中。分佈於華東、中南、西南、西北地區。

採製　秋季採收果，曬乾。6～8月採枝葉。樹脂全年可採。

性能　甘，涼。利尿，瀉火。果：辛、苦。開閉利膽。

應用　用於腎炎，淋病，浮腫，風濕，炭疽病。果治腎炎，膀胱病，尿澀，骨熱，痛風，肝膽病，脾病。樹脂治瘡。

文獻　《迪慶藏藥》上，218。《晶珠本草》，66。

3516　高山柏

來源　柏科植物高山柏 Sabina squamata (Buch.-Ham.) Antoine 的枝葉或果與樹脂。

形態　高 1～3m 的灌木或成匍匐狀。三葉交叉輪生，披針形或窄披針形，長 5～10mm，腹面微凹，帶白粉，下面稍凸具鈍縱脊，沿脊或下部有細槽。球果卵圓形或近球形，成熟後黑色或藍黑色，無白粉，內有種子 1 粒。種子卵圓形或錐狀球形。

分佈　生於高山草坡。分佈於雲南、貴州、四川、西藏、甘肅、陝西。

採製　6～8 月採枝葉，秋季採收果。樹脂全年可採。

性能　枝葉：甘，涼。利尿，瀉火。果：辛、苦。開閉利膽。

應用　枝葉：用於腎炎，淋病，浮腫，風濕，炭疽病。果：用於腎病，膀胱病，尿澀，骨熱，痛風，肝膽病，脾病。樹脂治瘡。

文獻　《迪慶藏藥》，218。《晶珠本草》，66。

3517　方枝柏

來源　柏科植物方枝柏 Sabina saltuaria (Rehd. et Wils.) Cheng et W.T. Wang 的枝葉及果實。

形態　喬木，樹冠塔形。鱗葉枝四稜，鱗葉交叉對生成 4 列，緊密，葉片菱狀卵形，長 1～2mm，先端微內曲，背面近基部有圓或卵形而微凹的腺體，不成腺槽，雌雄同株。球果卵圓形或近球形，長 5～8mm，成熟時黑或藍黑色，無白粉。內含 1 粒種子，種子卵圓形，上部稍扁。

分佈　生於高山針闊葉混交林中。分佈於雲南、四川、西藏。

採製　6～8 月採枝葉，秋季採果，曬乾。

性能　枝葉：甘，涼。利尿，瀉火。果：辛、苦。開閉利膽。

應用　枝葉：用於腎炎，淋病，浮腫，風濕，炭疽病。果治腎病，膀胱病，尿澀，骨熱，痛風，肝膽病，脾病。樹脂治瘡。

文獻　《迪慶藏藥》，218。《晶珠本草》，66。

3518　崑崙多子柏

來源　柏科植物崑崙多子柏 Sabina vulgaris Antoine var. jarkendensis (Kom.) C.Y. Yang 的枝葉及果實。

形態　喬木。生鱗葉的枝排列較疏，一年生小枝較粗壯，圓柱形。鱗葉交叉對生，近菱形，背部中央有明顯的腺體。着生球果的鱗葉枝不彎曲，球果形狀各式，多為不規則倒三角狀球形，長 5～8mm，被白粉，成熟後藍黑色，內有 2～5(多為 3～4)粒種子。

分佈　生於高山針葉林或混交林中。分佈於雲南、西藏、新疆。

採製　春夏採技葉，秋季採果。曬乾。

性能　苦，平。驅風鎮靜，活血止痛。

應用　用於風濕性關節炎，類風濕性關節炎，布氏杆菌病，皮膚搔癢病。枝葉煮水外洗患處。果治小便不利，迎風流淚，視物不清，頭痛。用量 2～3 粒。

文獻　《大辭典》下，3880。

3519　滇藏方枝柏

來源　柏科植物滇藏方枝柏 Sabina wallichiana (Hook. et Thoms.) Kom. 的枝葉及果實。

形態　高 1～2m 灌木，稀喬木，枝四稜。鱗葉長約 12mm，交叉對生，排列緊密，背上部拱凸有鈍脊，下部(或中部)有窄橢圓形至卵形凹下的腺體，乾後成槽；刺葉僅於幼枝出現，三葉輪生，長 4～7mm。雌雄異株，球果近球形，長 6～9mm，成熟時黑褐色，種子 1，稀 2，卵圓形或錐狀球形，稍扁。

分佈　生於高山杜鵑灌叢或冷杉林下。分佈於雲南、西藏。

採製　6～8月採枝葉，秋季採果。

性能　枝葉：甘，涼。利尿，瀉火。果：辛、苦。開閉利膽。

應用　枝葉用於腎炎，淋病，浮腫，風濕，炭疽病。果治腎病，膀胱病，尿澀，骨熱，痛風，肝膽病，脾病。樹脂治瘡。

文獻　《迪慶藏藥》，218；《晶珠本草》，66。

3520　山嶺麻黃

來源　麻黃科植物山嶺麻黃 Ephedra gerardiana Wall. ex Stapf 的地上部分。

形態　矮小灌木，高 5～15cm。木質莖成根狀莖，埋於土中，先端有短的分枝，伸出地面成節結狀，通常有多數綠色小枝；小枝短，直伸向上或微曲，通常僅 1～3 節，節間長 1～1.5cm，縱槽明顯。葉鞘狀，2 裂，長 3mm，下部約 1/3 合生。雄球花單生於小枝中部的節上，具 2～3 對苞片，雄花具雄蕊 8，花絲合生；雌球花單生，近無梗或有短梗，苞片 2～3 對，約 1/4 合生。雌球花成熟時肉質紅色。

分佈　生於高山乾旱山坡。分佈於雲南、四川、西藏。

採製　8～9 月採集。切碎曬乾。

性能　辛、苦，涼。效躁，清心，利水，止血，止喘。

應用　用於身熱，感冒，月經過多，外傷流血，脾、肝之新舊熱症及血熱。

文獻　《迪慶藏藥》上，206。

3521　單子麻黃

來源　麻黃科植物單子麻黃 Ephedra monosperma Gmel. ex C.A. Mey. 的綠色莖和枝。

形態　草本狀矮小灌木，高 5～15cm；木質莖短小，多分枝，常有節結狀突起；綠色小枝常微曲，細弱，徑約 1mm，節間長 1～2cm，葉鞘狀，2 裂，長 2～3mm，下部 1/3 ～ 1/2 合生。雄球花生於小枝上下各部，單生枝頂或對節上，多成複穗狀，苞片 3～4 對，雄蕊的花絲全部合生；雌球花無梗，苞片 3 對，基部合生，成熟時肉質，紅色，微被白粉。

分佈　生於高山草坡。分佈於黑龍江、河北、山西、內蒙古、寧夏、新疆、青海、甘肅、西藏、四川、雲南。

採製　9～11 月割取地上部分，曬乾。

性能　辛、微苦，溫。發汗，平喘，利尿。

應用　用於風寒感冒，發熱無汗，咳嗽，水腫。用量 1.5～6g。

文獻　《綱要》一，30。

3522 十八症

來源 胡椒科植物光軸苧葉蒟 Piper boehmeriaefolium (Miq.) C. DC. var. tonkinenese C. DC. 的根或全株。

形態 直立亞灌木或有時呈攀援狀，高約 80cm，全株無毛。葉薄紙質，有透明腺點，乾時常呈黑色，橢圓形、卵狀長圓形或近卵形，長 10～16cm，寬 4～6cm，兩側不對稱，葉柄長 5～7mm。花單性，雌雄異株；穗狀花序，雄花序長 10～22cm，總花梗長約 1cm；苞片近圓形，有時頂端突尖，具柄，盾狀。雌花序長 8～11cm，結果時長達 16cm；總花梗長 15～20mm。

分佈 生於密林下或山谷中。分佈於雲南、廣東。

採製 全年可採，曬乾。

性能 辛，溫。祛風散寒，散瘀止痛。

應用 用於感冒，風濕筋骨痛，跌打腫痛，痛經，閉經，胃寒疼痛。外用治毒蛇、蜈蚣咬傷。用量 6～9g。外用適量研粉調敷。

文獻 《滙編》下，5。

3523 複毛胡椒

來源 胡椒科植物複毛胡椒 Piper bonii C. DC. 的全株。

形態 攀援藤本。枝粗壯，被絨毛，乾時變黑褐色。葉卵形或卵狀披針形，長 4.5～9cm，寬 2.2～5cm，基部稍不等，表面無毛或脈基被微毛，背面被絨毛，脈上尤甚；葉脈 7 條，最上 1 對互生；葉柄被絨毛，長 4～6mm。花單生，雌雄異株，穗狀花序，雄花序長 6～11cm，直徑約 2mm，總花梗長 5～10mm，被絨毛。苞片圓形，具柄，盾狀。雌花序長約 8cm。漿果倒卵形，離生，長約 2mm。

分佈 生於低山溝谷林中。分佈於雲南、廣西。

採製 全年可採，曬乾或鮮用。

性能 辛，熱。祛風除濕。

應用 用於風濕關節痛，跌打損傷，胃病，牙齒痛，齲齒。

文獻 《廣西藥用植物名錄》，90。

附註 據調查資料。

3524 石南藤

來源 胡椒科植物 Piper martinii C. DC. 的全株。

形態 攀援藤本。枝有縱稜，乾時變黑色。葉卵狀披針形或狹橢圓形，長 5～14cm，寬 3～5cm，基部漸狹，兩側稍不等，葉脈 7 條，最上一對互生。花單性，雌雄異株，穗狀花序與葉對生。雄花序通常遠長於葉片，有時可達葉片的 2 倍；總花梗長為葉柄的 2.5～3 倍；苞片圓形，近無柄，盾狀。雌花序長 1.5～3cm，於果期延長可達 6cm；總花梗長於葉柄。漿果幼時頂端錐尖，成熟時近球形。

分佈 生於密林或疏林中溪澗邊。分佈於雲南、貴州、廣西、廣東。

採製 全年可採，曬乾。

性能 辛，熱。祛風除濕，散瘀消腫，止痛。

應用 用於風濕，跌打，腫痛，關節痛，疳積。

文獻 《綱要》一，193。

3525 山黃麻

來源 榆科植物山黃麻 Trema orientalis (Linn.) Bl. 的根、葉、莖皮。

形態 落葉小喬木,樹皮光滑,灰白色,小枝有短毛。葉紙質,斜卵狀長橢圓形或長橢圓狀披針形,長 6～15cm,寬約 2～6cm,基部歪心形,表面散生粗毛,背面密布銀白色伏狀毛茸,主脈 3 條。聚傘花序腋生,花雜性或兩性;雄花具花被與雄蕊各 5 枚,花被黃綠色;子房無柄,柱頭 2 枚,有毛。核果,闊橢圓形,成熟時褐色。

分佈 生於路邊林緣。分佈於華南、西南。

採製 全年可採,曬乾。

性能 澀,平。散瘀,消腫,止血。

應用 用於跌打瘀腫,惡心嘔吐,耳根發炎,久咳不癒。用量 10g。外傷出血,扭傷,適量搗敷患處。

文獻 《滙編》下,779;《傣藥誌》三,26。

3526 紅梛木

來源 榆科植物毛枝榆 Ulmus androssowii Litw. var. virgata (Planch.) Grudz. 的樹皮。

形態 喬木,高 10～15m。幼枝密被柔毛;冬芽卵圓形,芽鱗被毛。葉橢圓形或倒卵狀橢圓形,長 3～8cm,寬 2～3cm,先端漸尖,基部微偏斜,上面幼時被毛,下面被疏毛,脈上尤密,邊緣具重鋸齒,柄長 5～11mm,被毛。聚傘花序成簇狀,先葉開放。翅果近圓形,長 8～15mm,寬 6～12mm,無毛,果核部分位於翅果中部,上端接近缺口。

分佈 生於高山疏林中。分佈於雲南、西藏。

採製 全年可採,削除外皮,取第 2 層曬乾研粉。

性能 苦、澀,平。接骨,消炎,止血。

應用 用於外傷出血,撒敷。骨折,用酒調敷,三日一換。跌打腫痛用量 3～6g,酒沖服。

文獻 《大辭典》上,2037。

3527 大青樹

來源 桑科植物高榕 Ficus altissima Bl. 的樹皮、氣生根。

形態 大喬木,高 15～30m。葉革質,寬橢圓形或卵狀橢圓形,長 8～21cm,寬 4～12cm,先端鈍,基部圓形或近心形,基出 3 脈,側脈約 4～5 對。托葉厚革質,披針形。花序幼時被外生灰色柔毛的帽狀苞片所包圍,無梗,成對腋生,近圓球形,直徑 1～1.6cm,無毛;雄花、癭花和雌花同生於一花序托中。

分佈 生於低山常綠闊葉林中。分佈於廣東、廣西、雲南。

採製 全年可採,曬乾。

性能 苦、澀,溫。祛風濕,活血,止痛,清熱解毒,利尿。

應用 用於風濕骨痛,跌打損傷,夾色傷寒,貧血,肝炎。用量 6～9g。

文獻 《廣西中藥誌》二,34。

3528　石生樓梯草

來源　蕁麻科植物石生樓梯草 Elatostema rupestre (Ham.) Wedd. 的全草。

形態　多年生草本。莖肉質，粗壯，高 50～100cm。葉斜橢圓形，長 9～19cm，寬 4.5～8cm，先端漸尖，基部斜楔形，邊緣密生牙齒或淺牙齒，上面密被白色鐘乳體，下面沿脈被伏毛或無毛，具短柄或近無柄。雌雄異株；雌花序托具短柄，苞片多數密集，披針狀條形，長約 5mm，上半部被柔毛；雌花多數，具細梗；花被片通常 3，披針狀條形，長達 0.5mm。瘦果橢圓球形，長約 0.4mm。

分佈　生於山谷溝邊或林下潮濕處。分佈於西南、華南地區。

採製　全年可採，鮮用或乾用均可。

性能　清熱利濕，潤肺止咳。

應用　用於風濕關節炎，肺熱咳嗽，腎結石。

文獻　《雲南省中藥資源普查名錄》一，15。

3529　頂花艾麻

來源　蕁麻科植物頂花艾麻 Laportea terminalis Wight 的全草。

形態　多年生草本。莖高 40～150cm，疏生刺毛，上部有短毛。葉卵形至卵狀披針形，長 8～15cm，寬 3～10cm，先端漸尖，基部圓形，稀淺心形或寬楔形。邊緣有牙齒或鋸齒，兩面有刺毛或短毛，葉脈羽狀。雌雄同株；花序圓錐狀，雌花序生頂部或近頂部葉腋，雌花花被片 4，子房初時直立，以後變偏斜。瘦果偏斜，兩側壓扁。

分佈　生於林下。分佈於雲南、四川。

採製　夏秋採收，曬乾。

性能　辛，寒。有小毒。祛風除濕，利水消腫。

應用　用於風濕關節痛，跌打損傷，水腫。用量 9～15g。

文獻　《滙編》下，276。《迪慶藏藥》，537。

3530　羽裂蕁麻

來源　蕁麻科植物羽裂蕁麻 Urtica triangularis Hand. -Mazz. ssp. pinnatifida (Hand. -Mazz.) C.J. Chen 的全草。

形態　多年生草本，根狀莖直徑約 1cm。莖高 60～150cm，帶淡紫色，疏生刺毛和細糙毛。葉狹三角形至三角狀披針形，長 2.5～11cm，寬 1～5cm，莖上部葉邊緣為粗牙齒或鈍裂鋸齒，莖下部葉具數對半裂至深裂的羽狀裂片，裂片常有數枚不規則的牙齒狀鋸齒。雌花被片外面的二枚狹卵形，常有刺毛。瘦果熟時具較粗的疣點。

分佈　生於山坡草甸，或灌叢中。分佈於雲南、西藏、青海。

採製　6～9 月採集，洗淨曬乾。

性能　苦、辛，溫。祛風濕，解痙，解毒。

應用　風濕性關節炎，高血壓，小兒驚風，產後抽風，蕁麻疹，毒蛇咬傷。用量 3～9g。

文獻　《滙編》下，351。《迪慶藏藥》下，535。

3531 五蕊寄生

來源 桑寄生科植物五蕊寄生 Dendrophthoe pentandra (L.) Miq. 的全株。

形態 灌木，高約 2m，嫩芽密被灰色短星狀絨毛。葉披針形至近圓形，長 5～13cm，寬 2.5～8.5cm，側脈 2～4 對。總狀花序，腋生，密被絨毛；苞片闊三角形；花托圓柱狀或壺狀，副萼杯狀或漏斗狀，具不規則 5 齒；花冠鐘形，青白色，後變黃紅色，長 1.5～2cm，5 深裂，花盤環狀。果卵形，紅色，長 8～10mm，頂端收縮，具宿存副萼。

分佈 生於山地亞熱帶常綠闊葉林或果園，常見寄生於白欖、油桐、芒果等植物幹枝上。分佈於雲南、廣西、廣東。

採製 全年可採，曬乾。

性能 祛風除濕，止痢。

應用 用於風濕痹痛，痢疾，腰痛，虛癆。

文獻 《綱要》一，40。《廣西藥用植物名錄》，289。

3532 五瓣寄生

來源 桑寄生科植物五瓣寄生 Helixanthera parasitica Lour. 的全株。

形態 灌木，高約 1.5m，小枝常披散。葉卵形至卵狀披針形，長 5～12cm，寬 3～4.5cm，端急尖或漸尖，基闊楔形至圓形，柄長 5～15mm。總狀花序腋生，具花 40～60 朵，被暗褐色或灰色乳頭狀毛；花梗長 1.5mm，苞片卵圓形或近三角形；花紅色或淡黃色，花托倒卵形；副萼環狀；花冠在花芽時期直立，長 6～8mm，基部膨脹，具 5 條拱起的稜；花瓣 5，雄蕊着生於花瓣中部。果長圓形，紅色，長約6mm。

分佈 生於常綠闊葉林，寄生於殼斗科植物及樟、油桐、柯、榕、苦楝等樹上。分佈於雲南、廣西、廣東。

採製 全年可採，曬乾。

性能 化痰，止咳，祛風除濕。

應用 用於痢疾，風濕，肺結核，外用治角膜炎。

文獻 《廣西藥用植物名錄》，289。《綱要》一，40。

3533 鞘花

來源 桑寄生科植物鞘花 Macrosolen cochinchinensis (Lour.) van Tiegh. 的全株。

形態 灌木，高 0.5～1m，小枝灰色，具皮孔，全株無毛。葉闊橢圓形至披針形，長 5～10cm，寬 2.5～6cm。總狀花序，長 1.5～2cm，具花 4～8 朵；苞片闊卵形，小苞片三角形，副萼環狀；花冠長 1～1.5cm，橙色，下半部膨脹，裂片披針形，外彎。果近球形，橙色，長約 8mm，平滑。

分佈 生於熱帶、亞熱帶，常寄生於殼斗科、銀樺、榕樹等植物之上。分佈於西南、華南地區。

採製 全年可採，以寄生於杉樹者為佳，切碎曬乾。

性能 清熱止咳，補肝腎，祛風除濕。

應用 用於痧症，痢疾，咳血，水腫病，感冒發熱。

文獻 《綱要》一，41。《廣西藥用植物名錄》，290。

3534 冰島蓼

來源 蓼科植物大連錢冰島蓼 Koenigia forrestii (Diels) Mesicek et Sojak 的全草。

形態 多年生草本，高 5～15mm。莖匍匐，小枝直立，淡紅色，具銀白色長柔毛。扁圓形或腎形，長 1.5～3cm，寬 1.3～2.8cm，兩面疏生柔毛，邊有緣毛；基生葉具長柄；托葉鞘筒狀，膜質，由傘房花序組成圓錐狀，頂生；花被 5 深裂，極少為 4 深裂，淡黃色或白色；花被片長 4～5mm，雄蕊6～8；花藥紫色。瘦果卵形，具 3 稜，長 2～2.5mm，無光澤。

分佈 生於高山坡草地。分佈於雲南、四川、西藏。

採製 夏秋採集，切碎曬乾。

性能 澀，涼。

應用 用於熱性蟲病，腎炎水腫，腦病。

文獻 《迪慶藏藥》下，299。

3535 伴蛇蓮

來源 蓼科植物革葉蓼 Polygonum coriaceum Samuels. 的根莖。

形態 多年生草本，高可達 1m。根莖粗壯，彎曲，外皮黑褐色，堅硬，多鬚根，剖面粉紅色。莖中空，具節。根生葉大，長 3～9 cm，寬 1～2cm，先端急尖，基部通常有狹翅；葉柄紅色；莖生葉小。穗狀花序頂生，小花密集，淡紫色；花被 4～6 裂；雄蕊 2～8；子房三稜形或兩面突起。瘦果具 3 稜，黃褐色，有光澤。

分佈 生於高山陰濕溝谷中。分佈於雲南、廣西。

採製 秋季採挖，洗淨曬乾。

性能 苦，寒。有小毒。清熱解毒。

應用 用於急性細菌性痢疾，口腔炎，牙齦炎，癰腫，痔瘡，火傷。用量 3～9g。

文獻 《滙編》下，744。《大辭典》上，2315。

3536 紅藤蓼

來源 蓼科植物匍枝蓼 Polygonum emodi Meisn. 的全草。

形態 平臥小灌木，高 10～20cm。老枝匍匐，自節部生根並發出小枝，小枝直立。葉披針形或條狀披針形，長 3～7cm，寬 3～6mm，革質，先端銳尖，基部狹楔形，邊緣向下反捲，有短柄；托葉鞘膜質。長 1～2cm，開裂。總狀花序成穗狀，長 2～4cm，生於小枝的頂部；花紫紅色。果卵形，有 3 稜，黑褐色，光亮。

分佈 生於山坡石縫。分佈於雲南、西藏。

採製 夏季採收，曬乾。

性能 淡，微溫。舒筋活血。

應用 用於紅白痢疾，關節疼痛。用量 9～12g。

文獻 《滙編》下，744。

3537　長梗蓼

來源　蓼科植物長梗蓼 Polygonum griffithii Hook. f. 的根莖。

形態　多年生草本，具肥厚的根狀莖。地上莖直立，高 20～40cm，通常單生，粗壯，不分枝，通常無毛。基生葉具長柄，葉革質，橢圓形，長 10～15cm，寬 3～5cm，先端漸尖；基部楔形，邊緣葉脈增粗向下反捲，下面密被黃褐色短柔毛。莖生葉較小。托葉鞘筒狀，長 3～5cm，頂端偏斜，總狀花序成穗狀，鬆散，長 3～5cm，花紫紅色，花被片長 5～6mm；花梗細弱。瘦果長橢圓形。

分佈　生於高山草地。分佈於雲南、四川、西藏。

採製　9～10 月採挖，切碎曬乾。

性能　甘、澀，溫。止寒瀉，止痛。

應用　用於瀉痢，腹痛。

文獻　《迪慶藏藥》下，562。

3538　翅柄蓼

來源　蓼科植物翅柄蓼 Polygonum sinomontanum Sam. 的根莖。

形態　多年生草本，根莖橫走，粗壯，紫褐色。地上莖直立，叢生，高 30～50cm。基生葉披針形或狹披針形，長 6～12cm，寬 1～3cm，先端漸尖，基部楔形，邊緣葉脈增粗而反捲，下延成翅。莖生葉漸小。托葉鞘筒狀，膜質，棕褐色，頂端偏斜。總狀花序成穗狀，緊密，長 2～6cm。瘦果卵形，3 稜，長 3～3.5mm，棕褐色，具光澤。

分佈　生於高山草坡。分佈於雲南、四川、西藏。

採製　9～10 月挖取，切碎曬乾。

性能　苦、澀，平。止瀉，止痛。

應用　用於腹瀉，咳嗽，胃痛。

文獻　《迪慶藏藥》下，561。

3539　圓穗蓼

來源　蓼科植物圓穗蓼 Polygonum sphaerostachyum Meisn. 的根狀莖。

形態　多年生草本，高 10～35cm。根狀莖肥厚，不分枝，地上莖通常 2～3 叢生，自根狀莖發出，直立。基生葉有長柄；葉長圓形或披針形，長 5～15cm，寬 1～2cm，先端急尖，基部近圓形。莖生葉近無柄，較小；托葉鞘筒狀，膜質，有明顯的脈。花序穗狀，頂生；花排列緊密，白色或淡紅色；花被 5 深裂，裂片長圓形。瘦果卵形，有 3 稜，黃褐色，有光澤。

分佈　生於高山草坡潮濕處。分佈於雲南、貴州、四川、青海、甘肅、陝西、西藏。

採製　8～9 月採挖，切碎曬乾。

性能　苦、辛、澀，平。清熱涼血，止血，調經。

應用　用於月經不調，菌痢，刀傷，胃及十二指腸潰瘍。

文獻　《貴州中草藥名錄》，122。《圖鑑》一，556。

3540　迪慶塔黃

來源　蓼科植物迪慶塔黃 Rheum nobile Hook. f. et Thoms. var. diqingene H.J. Guo et J.S. Yang var. nov. ined. 的根。

形態　多年生草本，主根直徑 3～4cm，斷面橙色，莖粗壯，中空，節間較短，莖不外露，全都為莖生葉和大型苞片覆蓋。基生葉寬卵形或近圓形，上面凸凹不平，深綠色，下面紅色；莖下部葉微小，邊緣具波狀淺齒，中、上部覆蓋苞片，倒卵形，先端鈍圓，具不規則淺齒或缺刻，長約 10cm，寬約 14cm，向上漸小，淡黃色，具網狀脈。總狀花序單一或數條。自苞片腋生，花被片 6，瘦果具翅長約 6～7mm。

分佈　生於高山流石灘。分佈於雲南西北部。

採製　9 月採集，曬乾。

性能　苦、酸、澀，涼。瀉疫癘，癒瘡。

應用　用於時疫，瘡癰，傷口不癒。

文獻　《迪慶藏藥》下，328。

3541 牛兒黃草

來源 蓼科植物尼泊爾羊蹄 Rumex nepalensis Spr. 的根。

形態 多年生草本，根粗碩。葉卵狀長橢圓形至三角狀卵形，長20～40cm，寬3～5cm，基部心臟形或圓形，邊緣不整齊的波狀起伏，上部花序中混生少數小型葉。總狀花序頂生，花梗中部有明顯關節；花被6，內輪3枚擴大為果被，卵圓形，網脈明顯隆起，中央有長橢圓形的疣狀突起，邊緣有針狀齒。瘦果三角形，有光澤。

分佈 生於路旁及溝邊。分佈於中國中部及西南部。

採製 8～9月採挖，切碎曬乾。

性能 苦，寒。有小毒。清熱，通便，利水，止血，殺蟲。

應用 用於大便燥結，淋濁，黃疸，吐血，腸風，功能性子宮出血，禿瘡，疥癬，癰腫，跌打損傷。

文獻 《大辭典》上，1938。

3542 小塊根滇藏無心菜

來源 石竹科植物無心菜 Arenaria napuligera Franch. 的全草。

形態 一年生草本。高5～15cm，被白色或紫色腺柔毛，枝細而硬，微帶紫色，葉匙形，匙狀披針形，長5～8mm，寬1.5～4mm。聚傘花序，有花3～5；花梗長0.5～1.5cm，被腺柔毛，萼片長6～7mm，寬2mm，具寬膜質邊緣；花瓣白色，倒卵形，長為萼片的2倍，頂端全緣或淺2裂；雄蕊稍短於花瓣或為花瓣的¾；子房倒卵形，花柱線形，長約3mm。

分佈 生於高山草坡，分佈於雲南、西藏。

採製 7～9月採集，切碎曬乾。

性能 辛、甘、微苦，平。消食，解毒。

應用 用於消化不良，肉食中毒。

文獻 《迪慶藏藥》下，464。

3543 女婁菜

來源 石竹科植物女婁菜 Silene aprica Turcz. 的全草。

形態 草本，高20～60cm，單生或叢生，全株密被短柔毛，由基部多分枝。葉線狀披針形或匙形，長3～5cm，寬4～15mm，莖下部葉基部漸狹成短柄，上部的葉無柄。聚傘花序傘房狀，2～3回分枝，每分枝有花2～3，苞片披針形；花梗長0.5～2.5cm；萼筒狀，具脈10，長約1cm，萼齒5，三角形，邊緣膜質；花瓣5，白色，頂端2淺裂，喉部具2鱗片，基部漸狹成爪。蒴果橢圓形，種子多數，黑褐色，具瘤狀突起。

分佈 生於草坡或灌叢。分佈於西南、西北、華北、東北及華東地區。

採製 夏秋採集，曬乾。

性能 苦、甘，平。健脾，利尿，通乳。

應用 用於乳汁少，體虛浮腫。用量9～15g。

文獻 《匯編》下，91。

3544 無瓣女婁菜

來源 石竹科植物無瓣女婁菜 Silene gonosperma (Rupr.) Bocquet 的根。

形態 多年生草本，高 6～30cm，單生或叢生，全株被短柔毛或腺毛。基生葉披針形或匙形，長 3～5cm，寬 0.4～0.8cm，基部漸狹成柄，莖生葉 2 對，基部抱莖。花單生或 2～3；苞片線狀披針形，長 1～2.5cm；梗長 2～5cm；萼鐘狀膨大，長 11～15mm，寬 7～13mm，萼齒卵圓形，邊緣膜質，脈 10，紫或黑色，花瓣 5，短或與萼近等長，先端微凹或鈍。

分佈 生於高山草甸、流石灘。分佈於雲南西北部、青藏高原。

採製 7～8 月採挖，曬乾。

性能 調經補血，止咳。

應用 用於月經不調，貧血，肺熱咳嗽。

文獻 《西藏植被》附錄：藥用植物 362。《迪慶藏藥》下，608，609。

3545 金蝴蝶

來源 石竹科植物大花女婁菜 Silene grandiflorum Franch. 的根。

形態 多年生草本，高約 40cm。莖直立，由基部分枝，被下向的白色短柔毛。葉卵形或卵狀長圓形，長 1.5～2.5cm，寬 5～15mm，近無柄。聚傘花序頂生，花梗細長，被柔毛，長 2～3.5cm；萼筒棒狀，長約 1.7cm，頂端 5 裂；花瓣 5，粉紅色，長約 2.5cm，喉部具長圓形鱗片 2，瓣片寬倒卵形，頂端凹陷，基部具長爪，雄蕊 10，子房長圓形，花柱 3。蒴果卵狀長圓形。

分佈 生於山地草叢。分佈於雲南、四川。

採製 8～10 月採挖，曬乾。

性能 苦，寒。止咳化痰，健脾補腎。

應用 用於咳嗽多痰，脾虛腎虛。

文獻 《雲南省中藥資源普查名錄》一，222。

3546 短柄烏頭

來源 毛莨科植物短柄烏頭 Aconitum brachypodum Diels 的塊根。

形態 多年生草本，塊根胡蘿蔔形，長 5.5～7cm，粗約 6.5mm。莖高 40～80cm，有反曲短柔毛，葉片心狀卵形，長 3.5～5.8cm，三全裂，全裂片 2～3 回細裂，末回裂片狹條形，寬 1.5～3mm。總狀花序通常着生多數密集的花；總軸和花梗密被反曲短柔毛；苞片葉狀；花梗長 1～1.5cm；小苞片着生花梗中部或上部，長 5～9mm，寬 2.5～3.5mm；萼片紫藍色，外面有短柔毛，上萼片盔形，有爪，高 2～3cm。花瓣裂片長 7mm。

分佈 生於高山草坡或多石礫地。分佈於滇西北、川西南。

採製 秋季採挖，切片曬乾。

性能 苦、麻，溫。大毒。消炎止痛，祛風除濕。

應用 用於跌打損傷，風濕骨痛，牙痛。用量 0.07g，吞服。外用 15g，泡酒 500g，外搽治骨折，扭傷，瘡瘍腫毒。

文獻 《滙編》下，732。

3547 伏毛鐵棒錘

來源 毛茛科植物伏毛鐵棒錘 Aconitum flavum Hand.-Mazz. 的塊根。

形態 多年生草本。高約 40cm，通常不分枝，僅上部疏被短曲柔毛。莖生葉在莖中部以上密集；葉片腎狀五角形，長約 3cm，寬約 4cm，3 全裂，全裂片 2～3 回細裂，末回裂片條形，邊緣有短柔毛。總狀花序有密集的花，軸和花梗密被貼伏、反曲的短柔毛；花梗頂部有 2 線形小苞片；萼片暗紫藍色，外面密被貼伏的短曲柔毛，上萼片船形，側萼片斜寬倒卵形，下萼片狹橢圓形；花瓣距短。

分佈 生於高山草地。分佈於雲南、四川、青海。

採製 秋季採挖，去鬚根，洗淨曬乾。

性能 苦、辛，溫。有大毒。祛風止痛，散瘀止血，消腫拔毒。

應用 用於風濕關節痛、腰腿痛，跌打損傷，淋巴結核(未破)，癰瘡腫毒。用量 0.06～1.5g，研粉涼開水送服。外用適量搗敷患處。

文獻 《滙編》上，703。

3548 工布烏頭

來源 毛茛科植物工布烏頭 Aconitum kongboense Lauener 的塊根。

形態 多年生草本。塊根近圓柱形，長約 8cm。莖高達 1.8m，上部及花序軸和花梗有反曲的短柔毛，通常分枝。葉心狀五角形，長和寬約達 15cm，三全裂，全裂片一至二回細裂，末回裂片狹披針形或披針狀條形。圓錐花序長約 40cm，有多數花；下部苞片葉狀，其他的條形或鑽形；花梗長 1～4cm，小苞片着生近花梗中部；萼片白色或淡紫色，上萼片盔形，高約 2cm，自基部至喙長 1.5～2cm；花瓣長約 1.8cm。

分佈 生於高山草坡或灌叢。分佈於四川西部、西藏。

採製 秋季採挖，切片曬乾。

性能 苦、辛，溫。劇毒。消炎止痛，祛風除濕。

應用 用於跌打損傷，風濕骨痛，牙痛。用量 0.07g，吞服。外用泡酒搽，治骨折，扭傷。

文獻 《滙編》上，733。

3549 多果工布烏頭

來源 毛茛科植物多果工布烏頭 Aconitum kongboense Lauener var. polycarpum W.T. Wang 的塊根。

形態 塊根近圓柱形，長約 8cm，莖高達 1.8cm，與花序均被反曲的短柔毛，通常多分枝。葉片心狀卵形或五角形，長和寬約 15cm，3 全裂，中央全裂片菱形，中部以上近羽狀分裂，小裂片線狀披針形或披針形，側全裂片不等 2 深裂。頂生總狀花序長達 40cm，有多數花，花梗長 1～4cm；萼片白色或淡紫色，上萼片盔形；花瓣疏被短柔毛，唇末端微凹，距近球形。

分佈 生於高山灌叢中。分佈於雲南西北部。

採製 秋季採挖，洗淨，切片曬乾。

性能 苦、麻，溫。有大毒。消炎止痛，祛風除濕。

應用 用於跌打損傷，風濕骨痛，牙痛。用量 0.3～1.5g。跌打損傷，毒蛇，毒蟲咬傷，用 15g 泡酒 500g，泡 10 天後外擦。忌內服。

文獻 《西藏常用中草藥》，215。

3550　展毛工布烏頭

來源　毛茛科植物展毛工布烏頭 Aconitum kongboense Lauener var. villosum W.T. Wang 的塊根。

形態　多年生草本。塊根近圓柱形，長約 8cm。莖高達 1.8m，上部及花序軸和花梗有開展的短柔毛，通常分枝。葉心狀五角形，長和寬約 15cm，三全裂，全裂片一至二回細裂，末回裂片狹披針形或披針狀條形。圓錐花序長約 40cm，有多數花；下部苞片葉狀，其他苞片條形或鑽形；小苞片生花梗中部，線形；萼片白色或淡紫色，上萼片盔形，高約 2cm，自基部至喙長 1.5～2cm，喙三角形；花瓣被疏毛。

分佈　生於高山灌叢中。分佈於四川西部、西藏東部。

採製　秋季採挖，曬乾。

性能　苦、辛，溫。有大毒。消炎止痛，祛風除濕。

應用　用於跌打損傷，風濕骨痛，牙痛。用量 0.07g，吞服。用於骨折，扭傷，外用泡酒塗擦患部。

文獻　《滙編》上，733。

3551　鐵棒鎚

來源　毛茛科植物鐵棒鎚 Aconitum pendulum Busch 的塊根。

形態　草本。塊根倒圓錐形。莖高 26～100cm，上部疏生短柔毛。中部以上莖生葉緊密排列，具短柄；葉片寬卵形，長 3～5.5cm，寬 2.5～5.5cm，3 全裂，裂片細，小裂片條形，寬 1～2.2mm；葉柄長 4～5mm。總狀花序長 6～20cm，密生伸長的黃色短柔毛；花梗長 2～6mm，小苞片條形；萼片 5，淡黃色，稀紫色，上萼船狀鐮刀形；花瓣 2，距短，雄蕊多數。蓇葖果長 1.1～1.4cm；種子倒卵狀三稜形。

分佈　生於高山林下或灌叢中。分佈於雲南、四川、西藏。

採製　秋季採挖，切片曬乾。

成分　塊根含雪烏鹼甲、雪烏鹼乙、雪烏鹼丙。

性能　苦、辛，溫。大毒。祛風鎮痛。

應用　用於跌打損傷，骨折，風濕腰痛，凍瘡等症。

文獻　《綱要》一，104。《中國植物誌》二十七，319。

3552　美麗烏頭

來源　毛茛科植物美麗烏頭 Aconitum pulchellum Hand.-Mazz. 的塊根。

形態　草本，塊根小，倒圓錐形。莖高 6.5～30cm，上部被反曲的短柔毛，有 1 或少數葉。基生葉 2～3，具長柄；葉片圓五角形，長 1～2cm，寬 2～3.5cm，基部心形，3 全裂，裂片多少細裂，末回裂片狹長。總狀花序有 2～4 花；花梗長 2～6cm，被反曲的短柔毛；小苞片線形；萼片藍色，外面疏被短柔毛或幾無毛，上萼盔狀船形；花瓣無毛，唇細長，距向後反曲；子房被黃色短柔毛。

分佈　生於高山草地或灌叢中。分佈於雲南、四川。

採製　秋季採挖，洗淨曬乾。

性能　辛，溫。有大毒。祛風除濕，除痰。

應用　用於風濕性關節炎，中風癱瘓。用量 0.3～1.5g。外治癰疽未潰，疔瘡初起，適量研末塗患處。

文獻　《迪慶藏藥》下，437。

3553　毛瓣美麗烏頭

來源　毛茛科植物毛瓣美麗烏頭 Aconitum pulchellum Hand. -Mazz. var. hispidum Lauener 的根狀莖。

形態　多年生草本，塊根小，倒圓錐形。莖高6.5～30cm，上部被反曲的短柔毛，有1或少數葉。基生葉 2～3，具長柄；葉片圓五角形，長 1～2cm，寬 2～3.5cm，基部心形，3 全裂，裂片近細裂，末回裂片狹長，兩面無毛。總狀花序有 2～4 花；花梗長 2～6cm，小苞片線形，萼片藍色，外面疏被短柔毛或幾無毛，上萼片盔狀船形，花絲及花瓣有疏柔毛。

分佈　生於高山草地。分佈於雲南、西藏。

採製　秋季採挖，洗淨曬乾。

性能　辛，溫。有大毒。祛風除濕，除痰。

應用　用於風濕性關節炎，中風癱瘓。用量 0.3～1.5g。外治癰疽未潰，疔瘡初起，適量研末塗患處。

文獻　《迪慶藏藥》下，437。

3554　長序美麗烏頭

來源　毛茛科植物長序美麗烏頭 Aconitum pulchellum Hand. -Mazz. var. racemosum W.T. Wang 的根。

形態　多年生草本，塊根倒圓錐形。莖下部埋在土或石礫中的部分白色；露出地面部分綠色，高6.5～30cm，被開展的短柔毛，不分枝。基生葉 2～3 枚，有長柄；葉片圓五角形，長 1～2cm，寬 2～3.5cm，三全裂或三深裂近基部，末回裂片狹卵形或長圓狀線形。莖生葉 1～2 枚。總狀花序傘房狀，狹長達22cm，有 5～9 花；基部苞片葉狀，上部線形；花梗長 2～6cm，小苞片生花梗中部；萼片藍色，花瓣和雄蕊有疏毛。

分佈　生於高山灌叢。分佈於雲南西北部。

採製　8～10 月採挖，切碎曬乾。

性能　苦，涼。清喉熱，解毒。

應用　用於喉病，勞損發燒，肉食中毒，烏頭中毒。

文獻　《迪慶藏藥》下，438。

3555　新都橋烏頭

來源　毛茛科植物新都橋烏頭 Aconitum tongolense Ulbr. 的塊根。

形態　多年生草本，塊根胡蘿蔔形，長約3cm。莖高 1～1.5m，分枝，被反曲疏柔毛。莖下部葉在開花時枯萎。莖中部葉片心狀五角形，長 約 5.5cm，寬約 8cm，三全裂，中央全裂片近羽狀深裂，側全裂片斜扇形，上面被疏柔毛。總狀花序；總軸和花梗有反曲短柔毛；小苞片長 3～5mm；萼片堇藍色，上萼片近鐮形，自基部至喙長 1.9～2.3cm，寬約 6mm；花瓣被疏毛，瓣片長 6mm，唇長 3.5mm，微凹，距長 1.5mm。

分佈　生於高山草地。分佈於雲南西北部、四川西部及西藏東部。

採製　秋季採挖，曬乾。

性能　苦，涼。劇毒。退燒，止痛，緩下。

應用　用於流感，炭疽病，風濕痛。

文獻　《迪慶藏藥》下，430。

3556 展毛銀蓮花

來源 毛茛科植物寬葉展毛銀蓮花 Anemone demissa Hook. f. et Thoms. var. major W.T. Wang 的種子。

形態 植株高 20～45cm。基生葉 5～13，有長柄；葉片心狀圓形或心狀卵圓形，長 4～6.5cm，寬 6～10cm，基部心形，三全裂，中裂片三深裂，深裂片淺裂，全裂片和末回裂片相互分開，末回裂片頂端鈍或圓形。萼片 5(～6)，白色或藍紫色，長 1～1.8cm，寬 0.5～1.2cm，外面被疏絨毛，雄蕊多數，花絲條形；心皮無毛。瘦果扁平，橢圓形或倒卵形，長 5.5～7mm，喙反曲。

分佈 生於高山疏林下。分佈於雲南西北部、西藏南部、四川西部。

採製 8～10 月採集，曬乾。

性能 辛，熱。逐寒祛濕。

應用 藏醫用於各種寒症，痞結，外治蛇傷。

文獻 《迪慶藏藥》下，637。

3557 灰鐵線蓮

來源 毛茛科植物灰鐵線蓮 Clematis glauca Willd. var. akebioides (Maxim.) Rehd. et Wils. 的莖葉。

形態 藤本，莖枝常帶紫色，被疏短柔毛。單數羽狀複葉，小葉 5～7；小葉基部常 2～3 淺裂或深裂，側生裂片小，中裂片較大，寬橢圓形或長橢圓形，長 2～4cm，寬 1.3～2cm，邊緣有不整齊淺鋸齒，葉柄長約 3.5cm。花單生或 2～5 簇生，花梗長 5～10cm；苞片大，通常 2～3 淺裂，長 1.5～2.8cm；萼片 4～5，黃色，橢圓形或寬披針形，長 1.8～2(～2.5)cm，寬約 0.7cm。

分佈 生於高山灌叢。分佈於雲南西北部、四川西部、青海東部、甘肅南部。

採製 夏秋採集，切碎曬乾。

性能 止痢，消炎。

應用 用於痢疾，喉痛，蛇、蟲咬傷。

文獻 《迪慶藏藥》上，195。

3558 繡球藤

來源 毛茛科植物毛茛狀鐵線蓮 Clematis ranunculoides Franch. 的根或全草。

形態 半灌木。莖、葉和花序被伸展的短柔毛。三出複葉或 5 小葉的羽狀複葉；小葉卵形，長 2.2～7cm，寬 1.8～5cm，全緣或 3 裂，邊緣有牙齒，葉柄長 2～9.5cm。花序有花 1～3；花梗長 3～10cm；花萼鐘形，淡紫紅色，萼片 4，狹卵形，長約 1.2cm，頂端鈍、反曲，邊緣有短絨毛，中脈具翅；無花瓣，雄蕊多數，花絲條形，連同花藥密生長柔毛。瘦果卵形。

分佈 生於山坡草地或灌叢中。分佈於中國西南部。

採製 秋冬採集，切碎曬乾。

性能 淡、微辛，平。清熱，解毒，祛瘀活絡，利尿。

應用 用於癱瘓，尿閉，乳腺炎，跌打損傷。用量 9～15g。

文獻 《滙編》下，734。

3559　長花鐵線蓮

來源　毛茛科植物長花鐵線蓮 Clematis rehderiana Craib 的莖。

形態　藤本。葉對生，通常為一回羽狀複葉；小葉 7～9，寬卵形至狹卵形，長 7cm，先端急尖或漸尖，基部通常心形，常 3 淺裂，邊緣有不整齊牙狀齒，下面有短柔毛。花序圓錐狀，腋生，總花梗長達 10cm，下部的苞片似小葉，上部的較小。花萼鐘形，淡黃色，萼片 4，長圓形，頂部向外彎曲，外面有淡黃色短柔毛，無花瓣；雄蕊多數。瘦果卵形。

分佈　生於高山路邊灌叢中。分佈於雲南、四川。

採製　春秋採割，撕去外皮，曬乾。

性能　淡、苦，寒。利水退熱，清心通血脈。

應用　用於腎炎水腫，濕熱癃閉，淋病，婦女經閉及乳閉等症。用量 3～9g。

文獻　《四川中藥誌》一，279。《綱要》一，121。

3560　狹菱形翠雀花

來源　毛茛科植物狹菱形翠雀花 Delphinium angustirhombicum W.T. Wang 的花。

形態　多年生草本，莖高 0.6～1.8m，下部常帶紫色，莖中部葉有柄，葉片五角形，長約 3.5cm，寬約 5.4cm，中裂片狹菱形，三淺裂，二回裂片具 1 或少數牙齒；花較小，上萼片卵形，長 12～13mm，距鑽形，長 19～22mm，基部粗 2～3mm，向下馬蹄形彎曲；退化雄蕊紫藍色，2 裂超過中部，叉狀分開，邊緣有睫毛，腹面中央具黃色髯毛，爪長 5mm，基部漸寬具鉤狀附屬物。

分佈　生於高山草坡。分佈於雲南中甸。

採製　7～9 月採集，曬乾。

性能　苦、辛，涼。清熱，解邪毒。

應用　藏醫用於瘟病時疫，毒病，皮膚病。

文獻　《迪慶藏藥》下，445。

3561 擬螺距翠雀花

來源 毛茛科植物擬螺距翠雀花 Delphinium bulleyanum Forrest 的花。

形態 多年生草本，莖高 0.6～1.8m，下部常帶紫色。葉片五角形，長 4.8～7.2cm，寬 7.5～12cm，三深裂至距基部 6～8mm 處，側裂片 2 深裂，其 2 回裂片有少數小裂片和粗齒，兩面被短伏毛。頂生總狀花序狹長，最下部苞片葉狀，其餘呈披針形至線形；小苞片生於花梗中上部，線狀；萼片藍色，橢圓形，長 10～15mm，外面被毛；距鑽形，長 18～24mm；花瓣藍色，頂端二淺裂；退化雄蕊藍色，瓣片 2 深裂。

分佈 生於高山草坡。分佈於雲南西北部。

採製 7～9 月採集，陰乾。

性能 苦、辛，涼。清熱，解邪毒。

應用 用於瘟病時疫，毒病，皮膚病。

文獻 《迪慶藏藥》下，445。

3562 藍翠雀花

來源 毛茛科植物藍翠雀花 Delphinium caeruleum Jacquem ex Cambess. 的花。

形態 草本，莖高 8～40cm，分枝，與葉柄及花梗被反曲的短柔毛。基生葉具長柄；葉片心狀圓形，寬 1.8～5cm，3 全裂，中央全裂片倒卵形或菱狀倒卵形，2 回細裂，側全裂片 3 回細裂，末回裂片線形，表面密被短柔毛。花序近傘狀，小苞片狹披針形，萼片紫藍色，橢圓狀倒卵形或橢圓形，外面被短柔毛；距鑽形，退化雄蕊的瓣片倒卵形或近圓形，不分裂或頂端微凹，中央被黃色髯毛。

分佈 生於高山灌叢。分佈於雲南、四川、青海、甘肅。

採製 7～9 月採收，陰乾。

成分 花含生物鹼及黃酮化合物。

性能 利水，止瀉。

應用 用於白痢疾。外用能治化膿性瘡瘍。

文獻 《綱要》一，125。

3563 白緣翠雀花

來源 毛茛科植物白緣翠雀花 Delphinium chenii W.T. Wang 的全草。

形態 多年生草本，莖高 14～38cm，被反曲的短柔毛。葉片腎形，長 1.3～3.5cm，寬 2.2～5cm，三深裂至距基部 1.5～4mm 處，中央深裂片楔狀菱形，三裂近中部；葉柄長 6～8.5cm。傘房花序有 2～4 花；苞片葉狀；花梗長 2.4～3.8cm，有反曲的短柔毛；小苞片距花 2～4mm，萼片宿存，卵形，上萼片菫藍色，其他萼片中央菫藍色，邊緣白色，外面疏被短柔毛，距鑽形；花瓣頂端鈍或微凹；退化雄蕊黑色。

分佈 生於山坡灌叢中。分佈於雲南、四川。

採製 7～8 月採集，切碎曬乾。

性能 苦，平。止痢，止痛，癒瘡，乾"黃水"。

應用 用於腹瀉，寒痢，熱痢，膿瀉，小腸疼痛，"黃水"病，瘡癩，癒傷口。

文獻 《迪慶藏藥》下，345。

3564 峨山草烏

來源 毛茛科植物谷地翠雀花 Delphinium davidii Franch. 的根。

形態 多年生草本，莖高28～70cm，被疏稀反曲的短毛。基生葉五角形，長4～7cm，寬6～9cm，三全裂，中央全裂片菱形，三裂，二回裂片再裂，小裂片三角狀卵形至線狀披針形；葉柄長達40cm。莖中部以上葉漸小，具短柄。傘房花序有花2～5；苞片葉狀；花梗長3.5～10cm；小苞片着生花梗下部，長4.5～6mm；萼片藍色，橢圓狀倒卵形，長1.5～2.5cm。被短柔毛；距長1.8～2.5cm；花瓣頂端微凹。蓇葖果長約2cm。

分佈 生於山地林邊草坡。分佈於四川西部。

採製 8～9月採挖，切片曬乾。

性能 辛，溫。鎮痛，祛風除濕。

應用 用於中風半身不遂，風濕筋骨疼痛。用量2.5～6g。外用搗敷治癰瘡癬癩。

文獻 《大辭典》下，3767。

3565 白升麻

來源 毛茛科植物髯花翠雀花 Delphinium delavayi Franch. var. pogonanthum (Hand. -Mazz.) W.T. Wang 的根、花。

形態 多年生草本。根粗大，深褐色。莖高60～100cm，被長硬毛。葉五角形，長4.5～6cm，寬7.5～11cm，基部深心形，3深裂，裂片邊緣具小裂片及牙齒。總狀花序狹長，花序軸和花梗被反曲的白色短毛和伸展的黃色腺毛；小苞片與花鄰接，披針形；萼片5，紫藍色，橢圓形，長1～1.2cm，距鑽形，長1.6～2.1cm；退化雄蕊2，瓣片藍色，2裂，有白色髯毛。蓇葖果長1.6～2.4cm。

分佈 生於高山灌叢、林緣草地。分佈於雲南北部、四川西南部、貴州西部。

採製 7～9月採花，晾乾。秋季挖根，曬乾。

性能 花苦、辛，涼。清熱解毒。根辛，涼。清熱解表，升陽。

應用 花用於瘟病時疫，毒病，皮膚病。根用於風熱頭痛，水瀉。根用量15g。

文獻 《迪慶藏藥》下，447。《貴州草藥》二，310。

3566 光序翠雀花

來源 毛茛科植物光序翠雀花 Delphinium kamaonense Huth 的全草。

形態 多年生草本，莖高約35cm。葉片五角形，寬5～6.5cm，三全裂至近基部，中全裂片三深裂，二回裂片有1～2狹卵形或條狀披針形小裂片，表面疏被短伏毛，背面沿脈被稀疏的長柔毛；葉柄長8～12cm。複總狀花序有多數花，基部苞片葉狀，其他苞片狹線形或鑽形；小苞片着生花梗上部，長4～6.5mm；萼片深藍色，橢圓形，長1.1～1.8cm，距比萼片稍短；花瓣頂端圓形；退化雄蕊藍色，瓣片寬倒卵形。

分佈 生於高山草坡。分佈於雲南西北部及西藏。

採製 6～8月採集，切碎曬乾。

性能 苦，涼。清熱，止瀉。

應用 用於腸熱腹瀉，痢疾，肝膽熱病。

文獻 《迪慶藏藥》下，444。

3567 螺距翠雀花

來源 毛茛科植物螺距翠雀花 Delphinium spirocentrum Hand.-Mazz. 的花。

形態 多年生草本，莖高 16～90cm，被開展白色硬毛，有時下部無毛。葉多生莖下部，葉片五角形，長 7～9cm，寬 10～12cm，兩面具短糙毛。莖中部葉變小，柄長 10～24cm，基有狹鞘，被開展的硬毛。頂生總狀花序，有花 5～9，花序被反曲的短毛和伸展的腺毛；小苞片着生花梗中部以上，條形；萼片 5，藍紫色，狹倒卵形，長 1.7～2cm，距鑽形，長約 2.2mm，螺旋狀或馬蹄鐵狀彎曲；花瓣 2。

分佈 生於高山草坡、林緣。分佈於雲南西北部和四川西部。

採製 7～9 月採集，曬乾。

性能 苦、辛，涼。清熱，解邪毒。

應用 用於瘟病時疫，毒病，皮膚病。

文獻 《迪慶藏藥》下，444。

3568 長距翠雀花

來源 毛茛科植物長距翠雀花 Delphinium tenii Lévl. 的地上部分。

形態 多年生草本，莖高（25～）40～75cm，無毛，分枝。基生葉具長柄；葉片五角狀圓形或五角形，寬 4～6cm，三深裂至距基部 2mm 處或近三全裂，中央一回裂片菱形，在中部三深裂，二回裂片又多少深裂，葉柄長 3.5～7cm。莖下部葉似基生葉，上部的變小。總狀花序疏生數花；基部苞片葉狀，其他線形；花梗長 2.5～9.5cm；小苞片生花梗上部；萼片藍色，距長 1.8～2.5cm；花瓣無毛，退化雄蕊藍色。蓇葖果長 1.2～1.4cm。

分佈 生於山地草坡。分佈於雲南西北部。

採製 7～8 月採集，切碎曬乾。

性能 苦，涼。清熱，止瀉，止痛。

應用 用於熱瀉，腹脹，腹痛。

文獻 《迪慶藏藥》下，592。

3569 光果毛翠雀花

來源 毛茛科植物光果毛翠雀花 Delphinium trichophorum Franch. var. subglaberrimum Hand.-Mazz. 的全草。

形態 多年生草本。莖高 25～65cm。葉具長柄，3～5 枚着生於莖基部，莖中部通常僅生 1 葉；葉片腎形，長 2.8～10cm，寬 4.8～15cm，3 深裂，中央裂片倒卵狀楔形，具淺裂片和鈍牙齒。頂生總狀花序長 6～30cm；小苞片着生花梗上部近花處；萼片 5，淡藍色，卵形，長 1.2～1.9cm，被疏緣毛，上萼片的距較萼片長，圓筒狀鑽形，長 1.8～2.4cm；退化雄蕊 2，黑褐色。

分佈 生於高山草坡。分佈於四川西部。

採製 夏季採集，晾乾。

性能 苦，涼。退燒，止血，消炎，生肌。

應用 用於感冒，止瀉，外傷出血。

文獻 《迪慶藏藥》下，268。《甘孜州藏藥植物名錄》一，52。

3570　競生翠雀花

來源　毛茛科植物競生翠雀 Delphinium yangii W.T. Wang 的地上部分。

形態　多年生草本，高 9cm。根近圓柱形。莖下部分枝，被倒伏狀短柔毛。莖生葉單質，輪廓五角形，長 1.5～2cm，寬 2.2～3.4cm，三深裂至離基約 2mm 處，中深裂片近菱形，急尖，三淺裂各具牙齒 1～2，稀全緣，柄長約 6cm。花序近傘房狀，有花 1～3；花梗叉狀開展，長 32～70mm，被倒伏狀短柔毛，小苞片條形。萼片藍色；花瓣黑或褐色，無毛。

分佈　生於高山流石灘，草坡。分佈於雲南。

採製　7～8 月採集，切碎曬乾。

性能　苦，涼。清熱，止瀉，止痛。

應用　用於熱瀉，腹脹腹痛。

文獻　《迪慶藏藥》下，590。

3571　高原毛茛

來源　毛茛科植物高原毛茛 Ranunculus brotherusii Freyn var. tanguticus (Maxim.) Tamura 的全草。

形態　多年生草本。鬚根基部常肉質增厚，稍呈紡錘形。高 10～30cm，多分枝，生白柔毛。基生葉多數，葉片長圓狀倒卵形或外層的呈圓腎形，長 1～3（～6）cm，寬 1～6cm，3 全裂，裂片再 2～3 全裂或 3 中裂，兩面或下面貼生柔毛。花較多，單生於莖和分枝頂端，花托圓柱形，無毛。聚合果長圓狀卵形，長 6～8mm；瘦果小而多。

分佈　生於山坡草地、水邊沼澤地。分佈於雲南、四川。

採製　夏秋採挖，洗淨曬乾。

性能　辛。利尿消腫，消炎，提升胃溫，收斂潰爛。

應用　用於頭昏脹，喉炎，寒性腫瘤，腹水。

文獻　《晶珠本草》上，120。《西藏植物誌》二，105。

3572 高原唐松草

來源 毛茛科植物高原唐松草 Thalic-trum cultratum Wall. 的根。

形態 草本，植株全部無毛，或莖上部和葉片背面有稀疏的短毛。莖高 50～120cm，莖下部葉在開花時枯萎。莖中部葉有短柄，為三至四回羽狀複葉；葉片長 9～20cm，一回羽片 4～6 對，小葉薄革質或稍肉質，菱狀倒卵形，寬菱形或近圓形，長 5～10mm，寬 3～10mm，先端三淺裂，基部圓形或淺心形。圓錐花序長 10～24cm；花梗細，長 4～14mm，萼片 4，綠白色。瘦果扁。

分佈 生於山地草坡。分佈於雲南、四川、西藏、甘肅。

採製 夏秋採挖，切碎曬乾。

成分 含小檗鹼 1.47%、及木蘭花鹼等。

性能 苦，寒。清熱燥濕，解毒。

應用 用於痢疾，腸炎，病毒性肝炎，感冒，麻疹，癰腫，瘡癤，結膜炎。

文獻 《綱要》一，135。

3573 鈎柱唐松草

來源 毛茛科植物鈎柱唐松草 Thalic-trum uncatum Maxim. 的根及根莖。

形態 多年生草本，高 45～90cm。莖下部葉長達 20cm，4～5 回三出複葉；小葉楔狀倒卵形或寬菱形，長 0.6～1.3cm，寬 5～7mm，3 淺裂，脈不隆起；葉柄長約 7cm。花序狹長，生於莖和分枝頂端；花梗長 2～4mm；萼片 4，橢圓形，長約 3mm；雄蕊約 10；花柱鈎狀彎曲，腹面生柱頭組織。瘦果扁，新月形，長 4～5mm，宿存花柱長約 2mm。

分佈 生於高山草地或灌叢中。分佈於雲南西北部、四川西部和甘肅南部。

採製 9～10 月採挖，切碎曬乾。

性能 解毒。

應用 用於解弩箭中毒。

文獻 《迪慶藏藥》下，496。

3574 驚風草

來源 毛茛科植物帚枝唐松草 Thalic-trum virgatum Hook. f. et Thoms. 的全草。

形態 多年生草本，莖高約 30cm，植株全部無毛。葉莖生，三出複葉，頂生小葉有較長的小葉柄，正三角狀卵形或菱狀寬三角形，長 1.1～2.5cm，3 淺裂，邊緣有圓齒，脈隆起。複單歧聚傘花序傘房狀；花直徑 6～10mm；萼片 4，白色或帶粉紅色，脫落，卵形，長 4～8mm，雄蕊長 4～7mm，子房有短柄。瘦果橢圓形，兩側扁，長約 3mm。

分佈 生於山地林下。分佈於雲南、四川、西藏。

採製 秋季採集，曬乾。

性能 苦，寒。清熱燥濕，解毒，調和陰陽。

應用 用於胃病，痢疾，腸炎，傳染性肝炎，感冒。

文獻 《雲南種子植物名錄》上，132。《綱要》一，139。

3575 錐花小蘗

來源 小蘗科植物錐花小蘗 Berberis aggregata Schneid. 的根、根皮、莖、莖皮。

形態 落葉灌木，高 1～2m，分枝密；枝有縱槽。刺三分叉，細瘦，長 8～15mm。葉 4～15 成簇，近革質，長圓狀倒卵形或披針形，長 8～25mm，寬 4～11mm，邊緣有 3～8 刺狀疏鋸齒，齒距 2～3mm，下面灰色，被白粉，兩面網脈明顯。圓錐花序密集。長 1～2.5cm，有花 10～30，無總花梗；花梗長 1～2mm；花淺黃色；萼片排列成 2輪；花瓣倒卵形，長 3.5mm。漿果球形，灰紅色。

分佈 生於山地灌叢。分佈於雲南、四川、甘肅。

採製 6～8 月採集，切碎曬乾。

性能 苦，寒。清熱燥濕，瀉火解毒。

應用 用於細菌性痢疾，胃腸炎，副傷寒，消化不良，黃疸，肝硬化腹水，泌尿系感染，急性腎炎，口腔炎，支氣管肺炎。外治中耳炎，目赤腫痛，外傷感染。

文獻 《阿壩州藥用植物名錄》，91。

3576　大黃檗

來源　小檗科植物大黃檗 Berberis fran-cisci-ferdinandi Schneid. 的莖皮、花、果。

形態　落葉灌木，高 1～2m，幼枝紫紅色，刺長 0.5～1.5cm。葉橢圓形或卵圓形，長 1.5～4.5cm，寬 0.5～2cm，邊緣具小刺狀鋸齒或罕近全緣；葉柄長 0.4～1cm。總狀花序長 2.5～8cm，有花 7～20，下部複合；花黃色，萼片 3 輪，外輪 1.2 × 0.8mm；花瓣較內輪萼片短，橢圓形至卵形，全緣。果卵狀橢圓形，紅色。

分佈　生於高山灌叢。分佈於滇西北、藏東、川西、甘南。

採製　6～7 月剝取內皮，4～5 月採花，8～9 月摘果。

性能　皮苦，寒。效躁。解毒，排黃水，燥濕，收斂瘡口，調和身心。花、果利濕，止瀉，止血。

應用　用於消化不良，腹瀉，痢疾，舊熱，淋病，水腫，眼病，血癥，紅腫。

文獻　《迪慶藏藥》上，131。

3577　淡色小檗

來源　小檗科植物淡色小檗 Berberis pallens Franch. 的根。

形態　灌木，高 1～1.2m。枝暗紅色，微被白粉；刺纖細，三叉狀，長 1～2cm。葉長圓狀倒卵形或倒披針形，長 1.5～3.5cm，寬 7～10mm，先端圓或急尖，基部楔形，下面灰白色，被白粉，網脈兩面明顯隆起；近無柄。傘形狀總狀花序，有花 3～8，長 3～5cm，具總梗。花黃色；花梗長 10～15mm，被白粉；萼片 3 輪排列，外萼片卵狀披針形；花瓣長約 5.5mm，頂端微凹。漿果紅色，長圓狀橢圓形，長約 10mm。

分佈　生於高山灌叢中。分佈於滇西北。

採製　6～8 月採挖。

性能　苦，涼。抗菌，降壓，利膽，擴張血管。

應用　用於腹瀉，痢疾，高血壓等症。

文獻　《雲南樹木圖誌》上，515，493。

3578　西南小檗

來源　小檗科植物西南小檗 Berberis stiebritziana Schneid. 的根、莖。

形態　落葉灌木,高 1～2m。枝暗紅色,無毛,明顯具槽。刺三分叉,長 1～2.5cm。葉倒卵形,長 6～20mm,寬 3～7mm,先端稍鈍,基部楔形,近無柄,全緣或稀每邊具 1～4 刺齒;上面暗紅色,下面被白粉,兩面開放脈顯著。花單生。花梗長 6～11mm。外輪萼片長約 8.5mm,寬約 6.5mm;花瓣長約 7mm,寬約 5mm,先端缺裂,基部略呈爪。果紅色,卵球形,長 10～12 mm,直徑 6～7mm。

分佈　生於高山灌叢中。分佈於雲南、四川、西藏。

採製　春秋挖取,切片曬乾。

性能　苦,寒。清熱燥濕,瀉火解毒。

應用　用於細菌性痢疾,胃腸炎,副傷寒,消化不良,黃疸等症。用量 9～ 15g。

文獻　《滙編》上,98。

3579　長小葉十大功勞

來源　小檗科植物長小葉十大功勞 Mahonia lomariifolia Takeda 的根、莖。

形態　灌木,高 2～3m。莖皮灰黃色,具不整齊的縱溝紋,根和莖的木質部鮮黃色。單數羽狀複葉,長約 60cm,小葉 10～15 對,硬革質,長圓形,長約 4cm,寬約 1.5cm,邊緣具 5 枚角刺。頂生總狀花序多條,長 10cm 或更長,花黃色。

分佈　生於坡地疏林中或溪邊。分佈於雲南、西藏。

採製　全年可採,切片曬乾。

性能　苦,涼。清熱解毒,斂"黃水"。

應用　藏醫用於腹瀉,眼紅腫,熱性病,"黃水"病,瘡癤。

文獻　《迪慶藏藥》上,130。

3580　亞乎奴

來源　防己科植物錫生藤 Cissam-
pelos pareira L. var. hirsuta (Buch.
-Ham. ex DC.) Forman 的全草。

形態　藤本，基部半木質，枝細
瘦，通常密被柔毛。葉心狀圓形或
近圓形，長寬約 2～5cm，兩面被
毛，背面尤密，掌狀脈 5～7，葉
柄通常被毛。雄花序腋生，傘房狀
聚傘花序，花單生或數朵簇生；雌
花序為狹長的聚傘狀圓錐花序，長
不超過 10cm，具近圓形葉狀苞
片，密被柔毛，花小，直徑約 1.5
mm。核果被柔毛，內果皮寬倒卵
形，長 3～5mm，背肋兩側各有 2
行皮刺狀小突起。

分佈　生於河谷水邊的巖石及砂灘
上。分佈於雲南南部、廣西西北部
和貴州西南部。

採製　全年可採，鮮用或曬乾，研
粉備用。

性能　苦、微甘，溫。活血散瘀，
麻醉止痛，止血生肌。

成分　主要含錫生新藤鹼 (cissam-
pareine)。

應用　用於跌打損傷，創傷出血，
用鮮品適量搗敷或乾粉撒敷患處。
現已製成肌肉鬆弛劑—傣肌鬆注射
液。

文獻　《藥典》一，102；《傣藥誌》
一，77。

3581　滑板菜

來源　防己科植物連蕊藤 Parabae-
na sagitata (Wall.) Miers ex Hook f.
et Thoms. 的嫩莖葉。

形態　草質藤本，長 1.5～2.5m。
葉長圓狀卵形或三角狀卵形，長
5～12cm，寬 4～7cm，基部箭
形、戟形或心形，嫩葉邊緣有疏齒
至粗齒，老葉全緣，下面被氈毛狀
絨毛；掌狀脈 5～7 條。花序傘房
狀，單生或有時雙生，被絨毛；花
單性，小而不顯著。核果近球形，
成熟時橙黃色，稍扁，長約
8mm，內果皮卵狀半球形，背肋
隆起成雞冠狀，兩側各有 2 行小
刺。

分佈　生於陰濕的林緣灌叢中，攀
援或匍匐地面。分佈於廣西、貴州
和雲南。

採製　冬、春間採集，鮮用。

性能　甘，平。潤燥，滑腸，通
便。

應用　用於便秘。鮮品適量，作蔬
菜煮吃或炒吃。

文獻　《廣西藥用植物名錄》，82。

附註　雲南傣族常用藥膳植物。

3582　伸筋藤

來源　防己科植物中華青牛膽 Ti-
nospora sinensis (Lour.) Merr. 的
藤莖。

形態　落葉藤本，長 4～8m，通
常有細長的氣根，藤莖肉質，具薄
膜狀褐色表皮，無毛，有多數疣突
狀皮孔。葉寬卵狀心形至心狀近圓
形，長 6～13cm，兩面被毛，背面
尤密，掌狀脈 5 條，葉柄與葉片近
等長，被短柔毛。總狀花序先葉抽
出，長 4～6cm，單生或數條簇
生，花單性，花被片 6，黃綠色，
心皮 3。核果紅色，近球形，內果
皮卵狀半球形，長約 10mm，有明
顯的背肋和多數小疣狀突起。

分佈　生於低山林緣藤灌叢中或攀
援於園圃的籬架上。分佈於廣東、
廣西南部和雲南南部。

採製　全年可採。多為鮮用，亦可
曬乾用。

性能　微苦，涼。舒筋活絡，祛風
止痛。

應用　用於風濕痹痛，坐骨神經
痛，腰肌勞損，跌打損傷。用量
5～25g；外用鮮品適量搗敷患處。

文獻　《大辭曲》上，2313；《滙編》
上，652。

3583 小黏葉

來源 樟科植物香果樹 Lindera communis Hemsl. 的葉、莖皮。

形態 灌木或小喬木，高 4～10m，莖皮灰褐色，幼枝紅褐色。葉厚革質，橢圓形或卵狀橢圓形，長 5～8cm，寬 3～5cm，上面無毛，有光澤，下面疏生柔毛，側脈 6～8 對，葉揉爛後有黏滑。雌雄異株，花單生或 3～5 組成腋生的傘形花序，花黃色，花被片 6。果卵球形，長 8～10mm，成熟時紅色，基部具杯狀果托。

分佈 生於丘陵地疏林或灌叢中。分佈於湖南、湖北和華南、西南各省。

採製 全年可採；莖皮除去粗皮，曬乾。

性能 微辛、微苦，溫。散瘀消腫，解毒，止血止痛。

應用 用於骨折，跌打腫痛，外傷出血，瘡癤癰腫。用量 6～10g；外用適量鮮莖皮、葉搗爛或乾粉調水敷患處。

文獻 《滙編》下，83；《雲南中草藥選》，36。

3584 滇南木薑子

來源 樟科植物滇南木薑子 Litsea garrettii Gamble 的根。

形態 小喬木，高 4～12m，小枝褐色，幼時被淡黃色微柔毛。葉長橢圓形，長 6～9cm，寬 3～5cm，先端鐮狀漸尖，上面深綠色，有光澤，下面被黃褐色絨毛，後漸脫落，側脈 6～8 對。傘形花序 4～8，排列成腋生總狀花序，每一傘形花序有雄花 5；花被片 6，黃色，能育雄蕊 9；雌花較雄花小，退化雄蕊 9～12。果長圓球形，長 1～1.5cm，成熟時黑色，果托杯狀，直徑約 6mm。

分佈 生於低山闊葉林中。分佈於雲南南部和西南部。

採製 全年可採，切片，曬乾。

性能 微苦，溫。明目，化膿，消炎。

應用 用於眼花，視物不清，疥瘡，皮癬。用量 3～5g。外用磨劑滴眼或塗擦患處。

文獻 《傣醫傳統方藥誌》，200。

3585 美麗紫堇

來源 罌粟科植物美麗紫堇 Corydalis adrienii Prain 的全草。

形態 無毛草本，鬚根細長。莖高 10～15cm，不分枝。基生葉 2～3，長達 10cm，具細長的柄；葉片被白粉，輪廓卵形，三回羽狀細裂，1 回裂片 2～3 對，具短柄，二回細裂小裂片覆瓦狀，披針形或條形。莖生葉 1～3 較小。總狀花序長約 2cm，有花 4～7；苞片細裂；萼片小，近圓形，邊緣撕裂狀；花瓣淡藍色，上花瓣長約 1.6cm，頂端具短尖；距近圓筒形，長約 7mm，末端鈍，稍下彎。

分佈 生於高山石礫坡地。分佈於雲南西北部及川西南。

採製 7～8 月採集。曬乾。

性能 苦，寒。清"赤巴"熱，隱熱。

應用 藏醫用於"赤巴"病，流感，傳染熱病，潛伏熱症，宿熱。

文獻 《迪慶藏藥》下，556。

3586 黃花草

來源 罌粟科植物灰綠黃堇 Corydalis adunca Maxim. 的全草。

形態 多年生草本，具白粉。根莖粗壯。莖數條叢生，莖高 18~40cm，有分枝，灰綠色。基生葉多數，莖下部葉具長柄，上部葉較小，具短柄；葉片肉質灰綠色，輪廓狹卵形，三回羽狀全裂，一回羽片具短柄，末回小裂片狹倒卵形。總狀花序；苞片狹披針形或鑽形；花梗長 2~10mm，萼片小，卵形；花瓣淡黃色，上花瓣長約 14mm，距長約 4mm。蒴果近條形，長約 22mm，寬 2.5mm。

分佈 生於山坡或石礫堆。分佈於雲南西北部、青藏高原及寧夏、內蒙。

採製 7~8 月採集，曬乾。

性能 苦，寒。清熱解毒，止血，止痛。

應用 用於肝、膽及血分實熱，血熱引起的疼痛，各種出血。

文獻 《綱要》一，223。《迪慶藏藥》下，426。

3587 小距紫堇

來源 罌粟科植物小距紫堇 Corydalis appendiculata Hand.-Mazz. 的根及全草。

形態 無毛草本。塊根多條成束，紡錘形，長 0.5~3cm。莖高 15~30cm。基生葉輪廓圓形，二回三出羽狀分裂，末回裂片倒卵形；莖生葉與基生葉同形，但末回裂片披針形至線形。總狀花序長 4~10cm，多花；下部苞片與莖生葉同形，上部披針形；花天藍色；萼片鱗片狀；上花瓣長約 1.5cm，具雞冠狀突起，距與花瓣近等長，下花瓣基部有小距；子房橢圓形。蒴果長約 1cm。

分佈 生於高山林下或草坡。分佈於雲南西北部、四川西南部及西藏。

採製 7~8 月採集，曬乾。

性能 苦，寒。調經，止血，散瘀及麻醉。

應用 用於月經不調，各種出血。

文獻 《綱要》一，224。《迪慶藏藥》下，674。

3588 囊距紫堇

來源 罌粟科植物囊距紫堇 Corydalis benecincta W.W. Sm. 的全草。

形態 多年生草本，高 50～200 mm，根狀莖粗壯。通常單莖，基部覆蓋有披針形鱗片。葉三出，具長柄；小葉全緣，橢圓或卵形，長約 30mm，寬約 20mm。總狀花序有花 5～8，呈傘形排列；苞片披針形，長 20～45mm，緊密排列如總苞狀，花瓣淡紫色或深紅色，上瓣長 18～25mm，前上方具雞冠突起，距囊狀，與花瓣近等長，寬 5～7mm。蒴果橢圓形，長約 7mm。

分佈 生於高山流石灘。分佈於滇西北、川西南。

採製 8～9 月採集，切碎曬乾。

性能 苦、甘，寒。清疫熱。

應用 用於瘟疫發燒，流感。

文獻 《迪慶藏藥》下，303。

3589 蒼山黃堇

來源 罌粟科植物麗江紫堇 Corydalis delavayi Franch. 的全草。

形態 無毛草本。塊根紡錘形。莖高 18～30cm。基生葉具長柄，葉片輪廓寬卵形，長 1.5～4cm，寬 2～6cm，三全裂，中央裂片具柄，與側全裂片呈二回細裂，小裂片狹倒卵形。莖生葉 2（～3），羽狀深裂近中脈，裂片寬 1～2mm。花序長 7.5～10cm，下部苞片似莖生葉，上部苞片不分裂，狹卵形或狹披針形；花瓣黃色，上花瓣長 1.6～1.8cm，距圓筒狀鑽形，長約 8mm。

分佈 生於高山草坡。分佈於雲南西北部。

採製 7～8 月採集，曬乾。

成分 含原阿片鹼、紫堇文鹼、Corycavine 紫堇醇靈鹼。

性能 苦，寒。清熱解毒，止血。

應用 用於肝炎，鎮靜，止痛，各種出血。

文獻 《綱要》一，226。《迪慶藏藥》下，674。

3590 密穗黃堇

來源 罌粟科植物密穗黃堇 Corydalis densispica C.Y. Wu 的全草及根。

形態 草本。塊根多條，紡錘狀增厚。莖高 20～40cm。基生葉 2～3 回羽狀分裂，小裂片狹橢圓形或狹披針形，長 10～15mm，背面灰白色；柄長 20cm。莖生葉向上漸小。總狀花序頂生，長 3～8cm，有花 15～30，苞片與上部葉同形；上花瓣長 18～20mm；距筒形，長為裂片的兩倍；子房橢圓形，長 2～3mm。蒴果橢圓形，長約 10mm，徑約 3mm。種子近圓形，徑約 1.5mm，黑色光滑。

分佈 生於高山草坡，灌叢，林下。分佈於滇西北部、川西、藏東南。

採製 9～10 月採集，曬乾。

性能 苦、澀，寒。解毒，退燒，殺蟲。

應用 用於發熱流感，蟲病。外用治頑癬，牛皮癬，瘡毒，毒蛇咬傷，適量搗敷。

文獻 《綱要》一，227。《迪慶藏藥》下，283。

3591　小黃斷腸草

來源　罌粟科植物纖細黃菫 Corydalis gracillima C.Y. Wu 的全草。

形態　無毛小草本，具明顯的主根，長達 10cm，有少數纖維狀鬚根。莖高 10～30cm，纖細，基生葉寬卵形，長 1～2.5cm，三回三出分裂，末回裂片倒卵形至倒披針形；莖生葉多數，疏離，下部葉具長柄向上漸短。總狀花序生於莖和分枝先端，花 6～12，下部苞片葉片狀或 3 淺裂；花梗長於苞片。花黃色，上花瓣 0.8～0.9cm，具極短的雞冠狀突起；距纖細與花瓣近等長，下花瓣長約 0.5cm。

分佈　生於高山林下。分佈於雲南西北部、四川西部及西藏。

採製　7～9 月採集，曬乾。

性能　苦、澀，寒。有毒。清熱解毒，利尿殺蟲。

應用　用於肺病咳血，小兒驚風，止痢止血，暑熱瀉痢，濕熱黃疸，腫毒，目赤；外用於疥癬，瘡毒，毒蛇咬傷等。

文獻　《綱要》一，228。

3592　溪傍黃菫

來源　罌粟科植物鉤距黃菫 Corydalis hamata Franch. 的全草。

形態　多年生鋪散草本，高 10～20cm，根長線形，簇生；莖不分枝。基生葉長 7～15cm，葉柄基部鞘狀，約與葉片等長或較長；葉片輪廓長圓形，2 回羽狀全裂，1 回裂片 7～9 枚，末回裂片線形或狹卵形。頂生總狀花序多花而緊密，苞片綠色，呈倒卵狀匙形，有時頂端 2～3 裂。花冠黃色或黃綠色，萼片棕色，具流蘇狀邊緣。蒴果披針形。

分佈　生於高山潮濕草地或溪邊。分佈於雲南、四川。

採製　春夏採挖，洗淨曬乾。

性能　苦，涼。清熱，止血。

應用　用於退熱，肺病咳血，暑熱瀉痢。用量 3～6g。

文獻　《綱要》一，228。

3593　狹距紫菫

來源　罌粟科植物狹距紫菫 Corydalis kokiana Hand.-Mazz. 的全草。

形態　多年生草本。塊根數條細長，棒狀，長 4～7cm。莖高 8～20cm。基生葉少數，葉片輪廓卵形或近三角形，三回三出全裂至淺裂，柄長 6～10cm。莖生葉 1～3，在莖中上部互生，近無柄。總狀花序頂生，長 30～100mm，花 12～30；下部苞片與莖生葉同形，上部苞片披針形；花梗長於苞片。花藍色，頂端帶紫色；萼片鱗片狀；上花瓣長 15～18mm，距筒形，與瓣片近等長，先端微彎。

分佈　生於高山林下。分佈於滇西北、川西南、藏東。

採製　7～8 月採集，切碎曬乾。

性能　苦，涼。退燒，止血。

應用　用於傳染病及感冒發燒，瘡癤，外傷。

文獻　《迪慶藏藥》下，617。

3594　巖黃黃

來源　罌粟科植物寬裂紫菫 Corydalis latiloba (Franch.) Hand.-Mazz. 的全草。

形態　多年生無毛草本，莖高 20～50cm。基生葉片輪廓長圓形，2 回羽狀複葉，末回中央小葉片倒卵形或近扇形，三裂至⅓處，側生小葉片倒卵形三淺裂或不裂，全緣，兩面灰綠色，柄長 3～10cm。莖生葉 3～5 枚，長 5～12cm，寬 3～4cm，末回裂片長寬約 1～1.5cm，柄長 4～7mm，側生小葉具短柄或近無柄。總狀花序，有花十餘朵，花黃色，長 1.5～1.7cm，苞片披針形，長 3～5mm，花梗與苞片近等長；萼片卵形，長 2～3mm。

分佈　生於山坡灌叢或石縫中。分佈於雲南西北部、四川西部。

採製　8～9 月採集，曬乾。

性能　苦，寒。解熱止痛，消炎止血。

應用　用於流感發燒，跌打損傷。

文獻　《雲南種子植物名錄》上，173。

附註　據調查資料。

3595 銅棒錘

來源 罌粟科植物條裂黃堇 Corydalis linarioides Maxim. 的全草。

形態 無毛草本，塊根 3～6，紡錘形。莖高 12～38cm。基生葉通常不宿存。莖生葉長 1.5～6.5cm，羽狀全裂，裂片條形，長 1～4.5cm，寬 1～2.5mm；具短柄或近無柄。總狀花序長 2～9cm；苞片狹披針形或條形，稀狹卵形，全緣或具稀疏小裂片；萼片極小；花瓣黃色，上花瓣長 1.2～2.2cm，距近圓筒形，長 0.6～1.5cm，末端圓形，稍向下彎，下面花瓣基部囊狀。

分佈 生於高山草坡或灌叢下。分佈於四川西部、青海、甘肅、西藏及陝西。

採製 7～8 月採集，曬乾。

性能 苦、微辛，平。有毒。活血散瘀，消腫止痛，除濕。

應用 用於跌打損傷，勞傷，風濕疼痛，皮膚瘙癢。

文獻 《綱要》一，230。

3596 黑頂黃堇

來源 罌粟科植物黑頂黃堇 Corydalis nigro-apiculata C.Y. Wu 的全草。

形態 無毛草本，高 15～30cm。根多數成束，狹圓錐形。基生葉闊卵形，長 2～7cm，3 回羽狀分裂，第一回全裂片 3～4 對，第二回全裂片近無柄，1～2 對，2～3 深裂，小裂片倒卵形至長圓形；葉柄長 6～10cm；莖生葉近無柄。總狀花序，多花密集；上部苞片披針形，下部苞片與葉同形；花淡黃色；萼片極小，長約 2mm；上花瓣長 1.7～2cm，舟狀卵形，具雞冠狀突起；距圓筒形，長約 0.7cm；內花瓣提琴形，長 0.8～0.9cm。蒴果圓柱形。

分佈 生於高山林下。分佈於四川西部、西藏及青海。

採製 7～8 月採集，曬乾。

性能 苦，涼。退燒，止血。

應用 用於傳染病及感冒發燒，瘡癤，外傷。

文獻 《迪慶藏藥》下，618。

3597 蛇果黃堇

來源 罌粟科植物蛇果黃堇 Corydalis ophiocarpa Hk. f. et Thoms. 的全草。

形態 多年生草本，高達 40cm，具分枝，基生葉花期枯萎；莖生葉長達 20cm，葉片輪廓狹卵形，2 回羽狀全裂，一回裂片約 5 對，具短柄，狹卵形，二回裂片羽狀深裂或淺裂至不裂。總狀花序長達 26cm，苞片鑽狀，長 2～5mm；花梗長 1～4mm；萼片三角形，邊緣具小鋸齒；花瓣淡黃色，上花瓣長 8～11mm，距長 3～4mm，內花瓣上部紅紫色。蒴果條形，波狀彎曲，長 15～25mm。

分佈 生於溝谷林緣。分佈於雲南西北部、青藏高原、寧夏及河北。

採製 7～8 月採集，曬乾。

性能 苦，寒。清熱解毒。鎮痛，活血，除濕。

應用 用於肝、膽及血分實熱，血熱引起的疼痛。跌打損傷，氣血不調，風濕疼痛。

文獻 《綱要》一，231，《迪慶藏藥》下，426。

3598 瑞金巴

來源 罌粟科植物多葉紫堇 Corydalis polyphylla Hand. -Mazz. 的全草。

形態 多年生無毛鋪散草本，高 5～18cm。根莖常被有乾膜質鱗片，或短而簇生纖維根。莖 1～4 條發自根莖頂端，不分枝並具 1～2 葉。基生葉葉柄基部鞘狀，與葉片等長或長過葉片 4 倍；葉片卵圓形，長 2～5cm，3 回羽狀全裂，1 回裂片 3～4 對具柄，末回頂生裂片通常 3 裂。莖生葉與基生葉相似而柄較短。總狀花序短而密集，具花 6～15。苞片長於花梗；花冠青紫色，稀白色，上花瓣長 1.6～2cm。蒴果下垂，披針形。

分佈 生於高山陰濕坡地。分佈於雲南、西藏。

採製 7～8 月採集，切片曬乾。

性能 苦，涼。清血熱，乾瘀血，止瀉。

應用 藏醫用於"木保"病，脈熱，高山多血症，血混雜，神經發燒，熱性腹症。

文獻 《迪慶藏藥》下，571。

3599 北紫堇

來源 罌粟科植物北紫堇 Corydalis sibirica (L.f.) Pers. 的全草。

形態 一年或二年生無毛草本，有細長的直根。莖高 35～65cm，具分枝。莖下部葉長達 15cm，有長柄；葉片輪廓三角形，二至三回羽狀全裂，一回裂片約 2 對，小裂片狹倒卵形或倒卵形，寬 2～5mm。總狀花序長 2.5～8cm；苞片長 2～7mm；花瓣黃色或淡黃色，上花瓣長約 8mm，距粗壯，長約 3.5mm，稍向上彎曲，下花瓣基部呈囊狀。蒴果狹倒卵形。

分佈 生於山地疏林中或草坡上。分佈於雲南西北部及內蒙古。

採製 7～8 月採集，切碎曬乾。

性能 苦，涼。清血熱，乾瘀血，止瀉。

應用 藏醫用於"木保"病，脈熱，高山多血症，血混雜，神經發燒，熱性腹症。

文獻 《迪慶藏藥》下，573。

3600 糙果紫菫

來源 罌粟科植物糙果紫菫 Corydalis trachycarpa Maxim. 的全草。

形態 無毛草本，塊根多條成束，棒狀。莖高 11～46cm，莖生葉約 5，長達 10cm，具短柄；葉片輪廓狹卵形，二回羽狀全裂，一回裂片 3～4對，小裂片狹橢圓形或狹披針形。總狀花序具密集的花，長 3～6.5cm，苞片倒卵狀菱形，長達 1.2cm，羽狀細裂，小裂片披針狀條形，先端微尖，萼片極小，近腎形，邊緣撕裂狀；花瓣淡黃色，頂部深紫色，上花瓣長 2.5～3cm，距鑽形，長 1.5～2cm。蒴果狹倒卵形，長約 7 mm。

分佈 生於高山草地或多石礫處。分佈於雲南西北部、川西、西藏、青海、甘肅。

採製 7～8月採集，曬乾。

性能 苦，寒。清熱，止渴，消腫。

應用 用於流感發熱，傷寒病及各種炎症，各種熱症及溫病，時疫。

文獻 《綱要》一，236。《迪慶藏藥》下，355。

3601 三裂紫菫

來源 罌粟科植物三裂紫菫 Corydalis trifoliata Franch. 的根。

形態 無毛草本。塊根紡錘形。莖纖細，高 12～30cm。基生葉輪廓五角形，長 0.5～2.5cm，寬 0.8～4cm，基部心形，三全裂，全裂片無柄或具短柄，中央全裂片倒卵形，不分裂或三淺裂，側全裂片不等二裂；具長柄。莖生葉 1～2。總狀花序長 1.2～7cm；苞片狹卵形，全緣，有時基部苞片三裂；花瓣藍紫色，上花瓣長 1.2～1.8cm，頂端急尖，距圓筒形，長 7～9.5mm。蒴果狹倒卵形，長約 9mm。

分佈 生於高山石縫中。分佈於雲南西北部、川西南及西藏。

採製 9～10 月採挖，曬乾。

性能 苦，寒。清熱解毒，退燒，消炎。

應用 用於發熱流感，高燒，炎症。

文獻 《迪慶藏藥》下，283。《川生科技》二，23。

3602 山黃連

來源　罌粟科植物細果角茴香 Hypecoum leptocarpum Hook. f. et Thoms. 的全草。

形態　一年生草本，有白粉。基生葉多數，葉片輪廓長圓形，長 6～20cm，具長柄；二回羽狀全裂，一回裂片 3～6 對，二回羽狀細裂，小裂片披針形或狹倒卵形，寬 0.3～1.6mm。花葶 3～7，高 7.5～38cm；花序具少數或多數分枝；萼片小，狹卵形；花瓣 4，淡紫色或白色，長 6～9mm，外面 2 枚較大，寬倒卵形，內面 2 枚較小，3 裂，中央裂片船形。蒴果條形，成熟時在每二種子之間分裂成 10 餘小節。

分佈　生於草甸。分佈於雲南西北部、四川西部及西藏、青海、甘肅、陝西。

採製　盛花期(6～8 月)採集，曬乾。

成分　含原阿片鹼、血根鹼、白屈菜紅鹼。

性能　苦，寒。解熱鎮痛，消炎解毒。

應用　用於傷風感冒，頭痛，四肢關節疼痛，膽囊炎，咽喉腫痛，目赤，食物中毒。

文獻　《綱要》一，239。

3603 寬果叢菔

來源　十字花科植物寬果叢菔 Solms-Laubachia eurycarpa (Maxim.) Botsch. 的根，全草。

形態　多年生草本，高 5～10cm。根狀莖直徑約 15mm，灰白色。莖叢生，密被葉柄殘留物。葉多數，橢圓形或倒披針形，長 2.5～5cm，寬 9～15mm，先端急尖，基部楔形，全緣。花葶具單花；萼片長橢圓形，長約 4mm，背面有長毛；花瓣藍紫色，倒卵形，長約 8mm，邊緣有短柔毛。長角果鐮狀長橢圓形，長 3～7cm，寬 4～13mm，果瓣扁平。

分佈　生於高山懸巖或流石灘。分佈於雲南、西藏、青海。

採製　夏季採收。

性能　苦、辛，寒。清肺熱，止咳。

應用　用於肺熱咳嗽。

文獻　《綱要》一，262。《迪慶藏藥》下，644。

3604 雞掌七

來源 十字花科植物線葉叢菔 Solms-Laubachia line-arifolia (W.W. Smith) O.E. Schulz 的全草。

形態 多年生草本。根長且粗壯，木質化；冠部密被葉殘留物及蓮座狀基生葉。葉片近肉質，披針形或近線形。花莖僅具單花；萼片橢圓形，直立，具白色膜質邊緣；花瓣有明顯脈紋，具長爪；花柱極短，柱頭頭狀。長角果披針形，扁平，中脈及網狀脈纖細，不開裂。

分佈 生於高山頂碎石坡上或流石灘中。分佈於雲南。

採製 夏季採收。

性能 苦、辛，涼。止血消炎，續筋接骨，補氣益血。

應用 用於外傷出血，骨折，病後體虛，貧血。

文獻 《綱要》一，262。《迪慶藏藥》下，643。

3605 高蔊菜

來源 十字花科植物高蔊菜 Rorippa elata (Hook. f. et Thoms.) Hand. -Mazz. 的種子。

形態 多年生草本，高 50～100cm。單莖，直立，粗壯，上部有分枝。基生葉大頭羽狀全裂或半裂，裂片 2～5 對，頂裂片卵形或長圓形，較小；莖生葉長圓形，長 3～5.5cm，羽狀圓裂，基部耳狀，抱莖。總狀花序在果期伸長達 20cm；花淺黃色，直徑約 5mm。長角果橢圓狀披針形，長 10～15mm，寬 2～3mm，有 1 中肋。

分佈 生於高山溝谷溪邊或灌叢中。分佈於雲南、西藏。

採製 7～9 月採製，切碎曬乾。

性能 辛，涼。解煩熱，解毒。

應用 用於肺病，血症，食物中毒。

文獻 《迪慶藏藥》下，295。

3606 柴胡紅景天

來源　景天科植物柴胡紅景天 Rhodiola bupleuroides (Wall. ex Hk.f. et Thoms.) S.H. Fu 的全草。

形態　多年生草本，高 5～60cm。根頸粗，倒圓錐形。葉形變異較大，寬橢圓形，近圓形至長圓狀卵形，長 0.3～6cm，寬 0.4～2.2cm，基部心形至短漸狹或長漸狹，全緣或少數鋸齒。傘房狀花序頂生，花多數，苞片葉狀；雌雄異株；萼片 5，紫紅色，長 1～5mm；花瓣 5，暗紫紅色，雄花長 2.8～4mm，寬 1.2～1.6mm，雌花長 1.5～3mm，寬 0.5～0.7mm；雄花與花瓣等長，鱗片 5。蓇葖果長 4～5mm。

分佈　生於高山石縫或灌叢中。分佈於雲南西北部、四川西部。

採製　8～10 月採集，曬乾。

性能　苦，涼。清肺熱，活血，止血，止咳。

應用　用於肺熱咳嗽，婦女白帶過多。

文獻　《西藏植被》附錄：藥用植物，370。

3607 圓齒紅景天

來源　景天科植物圓齒紅景天 Rhodiola crenulata (Hook. f. et Thoms.) H. Ohba 的根莖。

形態　多年生草本，地上主軸短。宿存老枝多，黑色，有不育枝，花莖高 5～20cm，鮮時帶紅色，常扇狀排列。葉互生，有短假柄，橢圓狀長圓形至近圓形，長 1～3cm，寬 9～22mm，全緣或波狀或有圓齒。傘房狀花序組成有多花，長約 2cm，有苞片；雌雄異株；5 基數；花大，有長梗；花瓣紅色，倒披針形，有長爪，長 6～7.5cm；雄蕊 10 枚；與花瓣等長或稍長。

分佈　生於高山礫石坡地，石縫中或溝邊灌叢中。分佈於雲南、四川、西藏。

採製　8～10 月挖採，切碎曬乾。

性能　甘、苦、澀，涼。清肺熱，養肺，去口臭。

應用　用於肺病，肝炎，支氣管炎，口臭。

文獻　《迪慶藏藥》下，641。

3608 長圓紅景天

來源 景天科植物長圓紅景天 Rhodiola forrestii (Hamet) S.H. Fu 的全草。

形態 多年生草本。植頸直立或傾斜，先端被長三角狀披針形鱗片。葉輪生，葉片線狀長圓形至卵狀長圓形，長 2～5cm，寬 6～10mm，邊緣具粗牙齒或羽狀淺裂。雌雄異株；花梗長 20～40cm。雄花萼片 5，線形，基部合生，分離部長 2mm；花瓣 5，長圓形，長 3～3.5mm；雄蕊 10；鱗片 5，寬楔形，長約 0.7mm，先端圓或微缺；雌花花瓣三角狀卵形，長 1.1mm；心皮 5。

分佈 生於高山坡地。分佈於雲南西北部、四川西部。

採製 8～10 月採集，切片曬乾。

性能 苦，涼。祛風除濕，消腫瘤。

應用 用於風濕骨痛，乳腺炎。

附註 《雲南省中藥資源普查名錄》二，65。

3609 長鞭紅景天

來源 景天科植物長鞭紅景天 Rhodiola fastigiata (Hook. f. et Thoms.) S.H. Fu 的花、根。

形態 多年生草本，主軸伸長，老莖殘存。花莖紅色，長 8～20cm。葉片稀疏覆瓦狀排列，披針形至條形，長 8～12mm，寬 4～6mm，先端鈍，基部全緣或被微乳頭狀突起。傘房狀花序；雌雄異株；花 5 基數；萼片狹三角形，長 3～2mm；花瓣鮮紅色，長圓狀披針形，長 5mm；雄蕊 10，長 4～5mm；鱗片寬楔形，長 0.5mm，先端微缺；心皮直立，長 6mm。

分佈 生於高山灌叢。分佈於雲南西北部、四川及西藏。

採製 8～10 月採集，曬乾。

性能 澀，寒。退燒利肺。

應用 用於肺炎發燒，神經麻痹。

文獻 《西藏植被》附錄：藥用植物，370。

3610 條葉紅景天

來源 景天科植物條葉紅景天 Rhodiola linearifolia A. Bor. 的根莖。

形態 多年生草本。根莖粗壯,先端被鱗片。花莖高 25～30cm,葉線狀披針形,長 2～5cm,寬 3～7mm,先端漸尖,基部圓,無柄。傘房狀花序,多花,雌雄異株,花單性稀兩性;花梗短;萼片 5,稀 4,線形,長 2～3mm,花瓣 5 或 4,磚紅色,線狀披針形,長 4mm,雄蕊 8～10,長 5mm,花絲紅色;鱗片 5 稀 4,近正方形,先端微缺。蓇葖果 5 或 4,長 6～8mm,有短喙。

分佈 生於高山草坡。分佈於雲南西北部、新疆。

採製 8～10 月採挖,切片曬乾。

性能 抗缺氧,抗疲勞,調節生理機能。

應用 用於增強機體抗逆境,低血壓,神經官能症。

文獻 《中草藥》五,37。

3611 大株紅景天

來源 景天科植物大株紅景天 Rhodiola wallichiana (Hook.) S.H. Fu var. cholaensis (Praeg.) S.H. Fu 的根狀莖。

形態 多年生草本,植株高達 40cm,各部灰綠色。葉線狀披針形,長 3cm,寬 3～4mm。邊緣有疏鋸齒。花序密集,苞片較長。萼片 5,線形,長 5～6mm,花瓣綠色,直立,線狀披針形,長 8～9.5mm,寬 3.5mm,先端鈍;雄蕊 10,與花瓣等長,鱗片 5,猩紅色,近四方形;心皮 5,線狀披針形,長 7～8mm,上部稍叉開。蓇葖果長 1.2cm。

分佈 生於高山林下或灌叢石礫。分佈於雲南西北部及西藏。

採製 9～10月採挖,曬乾。

性能 澀,寒。清熱退燒。

應用 用於肺炎發燒及腹瀉。

文獻 《青藏高原藥物圖鑒》一,50。

3612 滇西金腰

來源 虎耳草科植物滇西金腰 Chrysosplenium forrestii Diels 的全草。

形態 多年生草本，高 5～7cm，具粗壯而密被鱗片的根莖。莖不分枝。基生葉 1～2，或無。莖生葉 1～2，腎形，長 7～8.5mm，寬約 1 cm，邊緣具圓齒約 10，柄長 3.5～9mm，具少數褐色乳頭狀突起。聚傘花序密集，具花 7～10 朵；苞葉近腎形，具稀疏乳頭狀突起；花黃綠色，直徑約 5mm；萼片近半圓形，長 1.4～1.8mm；雄蕊 8，花藥黃色，較大。種子棕紅色。

分佈 生於高山林下或草甸。分佈於雲南。

採製 7～8 月採集，切碎曬乾。

性能 苦，涼。清膽熱。

應用 藏醫用於"赤巴"引起發燒，膽病，急性黃疸性肝炎，膽病引起的頭痛。

文獻 《迪慶藏藥》下，554。

3613 雲梅花草

來源 虎耳草科植物雲梅花草 Parnassia nubicola Wall. ex Royle 的全草。

形態 多年生草本，高 28～43 cm。莖具稜脊。基生葉具柄，葉片卵形至狹卵形，長 4.2～7.6cm，寬 1.5～4.4cm；葉柄長 1.5～9cm，基部擴大呈鞘狀，邊緣具褐色柔毛。花單生於莖頂；萼片卵形，長 8mm，具縱脈 8～12；花瓣白色，倒闊卵形，長約 1.6cm，寬約 1.2cm，邊緣最下部具流蘇狀捲曲柔毛。

分佈 生於山坡林下。分佈於雲南、四川、西藏。

採製 6～8 月採集，切碎曬乾。

性能 甘，溫。滋補，明目。

應用 用於血虛，眼病，跌打損傷。

文獻 《迪慶藏藥》下，414。

3614 三脈梅花草

來源 虎耳草科植物三脈梅花草 Parnassia trinervis Drude 的全草。

形態 多年生草本，高 5～31cm。莖無毛，下部具 1 無柄葉。基生葉叢生，葉片橢圓形，卵形，闊卵形，長 1.4～2.7cm，下部被疏柔毛。花單一頂生；萼片卵形至狹卵形，長 3.8～5mm，寬 1.9～2.3mm，無毛，三脈於先端滙合；花瓣白色，倒披針形至長圓形，長 7.6～7.8mm，寬 2.5～2.7mm，基部無爪或具長約 2mm 之爪，邊緣淺波狀或先端稍嚙蝕狀，具 3 脈。

分佈 生於高山草甸。分佈於雲南、四川、西藏、青海、陝西。

採製 6～8 月採集，切碎曬乾。

性能 甘，溫。滋補，明目。

應用 用於血虛，眼病，跌打損傷。

文獻 《迪慶藏藥》下，414。

3615　巖陀

來源　虎耳草科植物西南鬼燈擎 Rodgersia sambucifolia Hemsl. 的根狀莖及根。

形態　多年生直立草本，高30～90cm，根狀莖粗狀，紫褐色，橫生，頂端及節部有鱗片。莖圓柱形，中空，綠色或稍帶紫紅色，不分枝。羽狀複葉互生，小葉5～9，側生小葉對生，窄倒卵形或長圓狀倒披針形，長6～18cm，邊緣有不整齊鋸齒，兩面被粗毛。圓錐聚傘花序頂生，長達20cm，花粉紅色或白色，萼片5，瓣狀；花瓣缺。蒴果紫紅色。

分佈　生於山坡陰濕處。分佈於西南部。

採製　秋冬採挖，洗淨切片曬乾。

性能　苦、澀，涼。清熱涼血，調經止痛。

應用　用於腸炎，痢疾，痛經，月經過多，風濕性關節炎，跌打損傷。用量15～30g。外用治外傷出血，陰囊濕疹。適量搗敷。

文獻　《滙編》下，379。

3616　松蒂

來源　虎耳草科植物燭台虎耳草 Saxifraga candelabrum Franch. 的全草。

形態　多年生草本，具大型的蓮座葉叢，全株密被腺毛。基生葉開展，數層重疊，密集；葉片肉質肥厚，菱形，寬10～15mm。花葶高20～45cm，中上部有疏散分枝。花單生枝頂，10～30餘朵排成較疏散的多歧聚傘花序；花5數，花瓣淡黃色至棕黃色，長橢圓形，長約1cm，具十多個深紅橙色、大小不一的圓斑點。

分佈　生於多石礫的山坡。分佈於雲南、四川。

採製　7～8月採集，切碎曬乾。

性能　苦，寒。效銳。清肝、膽熱；清瘟熱，乾膿。

應用　藏醫用於"培根"與"赤巴"合病，肝熱，膽熱，諸熱，腸病，血病，瘡癰。

文獻　《迪慶藏藥》下，614。

3617　江陽大兀

來源　虎耳草科植物異葉虎耳草 Saxifrage diversifolia Wall. ex Ser. 的全草。

形態　多年生草本，高15～35cm。葉叢生，不分枝。基生葉和下部葉有長柄，葉片心形，長1.5～4cm，寬1.4～3.2cm，莖中、上部葉較小，無柄。圓錐花序傘房狀，長達12cm，密生紫色短腺毛；萼片5，反曲，花瓣5，黃色，狹橢圓形，長約7mm；雄蕊10；心皮2，合生至上部。

分佈　生於高山林下。分佈於雲南、四川、西藏。

採製　夏秋採集，切碎曬乾。

性能　滋補，明目。

應用　用於血虛，眼病，跌打損傷。

文獻　《迪慶藏藥》下，333。

3618　大花虎耳草

來源　虎耳草科植物大花虎耳草 Saxifraga flagellaris Willd. ex Sternb. ssp. megistantha Hand.-Mazz. 的全草。

形態　草本，高 5～17.5cm。莖直立不分枝，被腺毛；鞭狀匍匐枝出自基部葉腋，絲狀。基生葉密集，蓮座狀，葉片狹橢圓形至近匙形，長 0.75～1.3cm，寬 2～4.5mm，先端具硬芒尖，邊緣具軟骨質刺毛；莖生葉較疏，長圓形。聚傘花序長 1.5～3cm，有花 2～3；萼長 4～6.2mm，外面和邊緣被褐色腺毛；花瓣黃色，長 0.8～1.2cm，寬 4.5～7.5mm。

分佈　生於高山灌叢或草地。分佈於雲南、四川、西藏。

採製　7～8 月採集，切碎曬乾。

性能　苦，寒。效銳。清肝、膽熱，清瘟熱，乾膿。

應用　藏醫用於"培根"與"赤巴"合病，肝熱，膽熱，諸熱，腸病，血病，瘡癆。

文獻　《迪慶藏藥》下，615。

3619　色蒂

來源　虎耳草科植物山羊臭虎耳草 Saxifraga hirculus L. var. major (Engl. et Irmsch.) J. T. Pan 的全草。

形態　多年生草本，高 9.5～21cm。莖被稀疏褐色捲曲柔毛，葉腋部尤密。基生葉具長柄，葉片長圓形至條狀長圓形，長 1.1～2.2cm，寬 3～4mm，兩面無毛，葉緣被疏毛或無毛，莖生葉向上漸變小，向下漸具短柄，披針形至長圓形，長 0.4～1.2cm，寬 1～4mm，葉緣具褐色捲曲長柔毛。聚傘花序，長 2～3.7cm，具 2～4 花；萼橢圓形，長 4mm；花瓣黃色，長圓狀橢圓形至近披針形，長 8～10mm。

分佈　生於高山潮濕草甸。分佈於雲南、西藏、四川。

採製　7～8 月採集，切碎曬乾。

性能　苦，寒。效糙。清熱解毒。

應用　藏醫用於"培根""赤巴"合病，傳染病發燒，藥物中毒。

文獻　《迪慶藏藥》下，650。

3620　黑蕊虎耳草

來源　虎耳草科植物黑蕊虎耳草 Saxifraga melanocentra Franch. 的全草和花。

形態　多年生草本，高 4～19cm，有短根莖。葉基生，具柄；葉片卵形，菱狀卵形至長圓狀卵形，長 1.3～3.5cm，寬 0.9～1.9cm，邊緣有鋸齒。花葶直立，疏被白色捲曲腺柔毛。聚傘花序傘房狀，長 4.5～6cm，有花 3～14；花梗紫色，密被白色捲曲柔毛；萼片在花期反曲，花瓣白色，基部具 2 橙黃色斑點；花藥黑紫色，花絲鑽形；雌蕊黑紫色。

分佈　生於高山灌叢下。分佈於雲南、四川、青海、甘肅。

採製　夏季採收，洗淨曬乾，花陰乾備用。

性能　苦，寒。清肺熱，補血。

應用　用於小兒發熱，咳嗽氣喘，眼病。用量 9～15g。

文獻　《晶珠本草》。《西藏植物誌》二，462。

3621　山地虎耳草

來源　虎耳草科植物山地虎耳草 Saxifraga montana H. Sm. 的花或全草。

形態　多年生草本，高 15～25cm。叢叢生，不分枝，被鏽色長柔毛或腺毛。基生葉匙形或狹披針形，長 12～25mm，寬 2.5～4mm，柄長 10～30mm，下部鞘狀被長柔毛，莖生葉無柄，披針形至條形，向上漸小。花序有花 1～6，密生鏽色長柔毛；萼片 5，近卵形，長 3～4.5mm；花瓣 5，黃色，狹倒卵形，長 7～12mm，先端鈍或圓；雄蕊 10，長 3～5mm，心皮 2。

分佈　生於高山灌叢。分佈於雲南及青藏高原。

採製　7～8 月採集，切碎曬乾。

性能　苦，涼。消炎，鎮痛。

應用　藏醫用於"培根""赤巴"合病，傳染病發燒，頭痛頭傷，外傷發燒。

文獻　《迪慶藏藥》下，543。

3622　垂頭虎耳草

來源　虎耳草科植物垂頭虎耳草 Saxifraga nigro-glandulifera Balakrishana 的花或全草。

形態　多年生草本，高 5～36cm，植株上部花序梗和花梗均被黑褐色短腺毛。基生葉闊橢圓形至長圓形，長 15～40mm，寬 10～16mm，邊緣具褐色彎曲長柔毛，基部擴大成鞘；莖上部葉無柄，葉片長圓形。花序近總狀，花 2～14，初期向一側下垂，梗長 5～6mm，萼片 5，長 3.5～5.4mm，背面被黑褐色腺毛；花瓣黃色，狹倒卵形，長約 9mm，寬約 3mm，3～6 脈。

分佈　生於高山草甸或灌叢。分佈於雲南、四川、西藏。

採製　7～8 月採集。切碎曬乾。

性能　苦、甘，平或涼。效潤。清脈熱，解瘡毒。

應用　藏醫用於膽病，"赤巴"病，血病，諸瘡。

文獻　《迪慶藏藥》下，274。

3623　紅虎耳草

來源　虎耳草科植物紅虎耳草 Saxifraga sanguinea Franch. 的全草。

形態　多年生草本，高 5～15cm。莖單一不分枝，紫紅色，密被紫色腺毛。基生葉密集，呈蓮座狀，葉片肉質肥厚，匙形，長 0.6～1.3cm，寬 1.5～3mm，先端下彎，邊緣具軟骨質睫毛，莖生葉較疏。聚傘花序長 2.5～6cm，有花 1～3；花梗長 0.6～1.7cm，花梗與花序梗均被黑褐色腺毛；萼片狹卵形至披針形，長 2.5～5.7mm，具黑褐色腺毛；花瓣黃白色，中部以下具紫紅色斑點。

分佈　生於高山草甸陰濕處。分佈於雲南、四川、西藏。

採製　7～8 月採集，切碎曬乾。

性能　苦，寒。效銳。清肝、膽熱，清瘡熱，乾膿。

應用　藏醫用於"培根""赤巴"合病，肝熱，諸熱，腸病，血病，瘡癰。

文獻　《青藏高原藥物圖鑒》二，338。《迪慶藏藥》下，616。

3624　西南虎耳草

來源　虎耳草科植物西南虎耳草 Saxifraga signata Engl. et Irmsch. 的全草。

形態　多年生草本，高 7.5～20cm。莖不分枝，與花序梗、花梗均被黑褐色腺毛。基生葉密集，呈蓮座狀，肉質，匙形，長 1.5～1.6cm，寬 2～3mm，兩面無毛，邊緣具剛毛狀睫毛；莖生葉較疏，長圓形，長約 1cm，寬約 3mm。多歧聚傘花序呈傘房狀，花梗長 1.6～1.8cm，萼片狹卵形至三角狀卵形；花瓣黃色，卵形至近卵形，內面中部以下具紫紅色斑點。

分佈　生於高山草坡。分佈於雲南、四川、西藏。

採製　7～8 月採集，切碎曬乾。

性能　苦，寒。效銳。清肝、膽熱，清瘀熱，乾膿。

應用　藏醫用於"培根"與"赤巴"合病，肝熱，膽熱，諸熱，腸病，血病，瘡癰。

文獻　《迪慶藏藥》下，614。

3625　藏中虎耳草

來源　虎耳草科植物藏中虎耳草 Saxifraga signatella Marq. 的全草。

形態　草本。高 2.5～7.5cm。莖不分枝，密被黑褐色腺毛。基生葉密集，呈蓮座狀，稍肉質，匙形，長 6～9mm，寬 1.6～2.8mm，通常僅上部邊緣具軟骨質睫毛；莖生葉較疏，披針形至長圓形。聚傘花序長 2.4～4.5cm，有花 2～12，花梗纖細，長 1～2.5cm，密被黑褐色腺毛；萼片卵形，背面被腺毛；花瓣黃色，長 4～7mm，寬 1.6～2.2mm，先端急尖，基部漸狹成爪，長 0.5～0.9mm。

分佈　生於高山草甸潮濕處。分佈於雲南、西藏。

採製　7～8 月採集，切碎曬乾。

性能　苦，寒。清熱解毒，清利肝膽。

應用　用於黃疸性肝炎，膽囊炎，風熱感冒等症。

文獻　《迪慶藏藥》下， 616。《西藏植物誌》二，500。

3626　黏龍牙草

來源　薔薇科植物黏龍牙草 Agrimonia viscidula Bunge 的根及全草。

形態　多年生草本，高約 1m。幼時全株被長柔毛，後逐漸脫落。根近木質，老根疙瘩狀，嫩根細長分枝。葉互生，單數羽狀複葉，長 7～16cm，小葉不等大，大小間隔着生，3～13 片，卵圓形或橢圓形，邊緣有鋸齒，兩面有長柔毛，托葉葉狀，2 片，深齒裂，常抱莖。總狀花序頂生或腋生，長 10～20cm。花黃色。瘦果卵形，外面包有具鈎刺的宿存萼。

分佈　生於山坡草地、林邊。分佈於雲南。

採製　秋季採集，洗淨曬乾。

性能　苦、澀，微溫。收斂，止血。

應用　用於胃腸出血，咯血，衄血，尿血，子宮出血等各種出血症。用量 15～30g。

文獻　《雲南中草藥選》，234；《雲南種子植物名錄》上，467。

3627　木帚子

來源　薔薇科植物木帚栒子 Cotoneaster dielsianus Pritz. 的根。

形態　灌木，高 1～2m。枝黑褐色，幼時被長柔毛。葉橢圓形至卵形，長 1～2.5cm，寬 0.8～1.5cm，先端急尖，基部寬楔形，上面疏生柔毛，下面密被黃色或灰色絨毛；柄長 1～2mm。聚傘花序，有花 3～7，被柔毛；花小直徑 6～7mm，淺紅色，雄蕊 15～20。果實近球形或倒卵形，直徑 5～6mm，成熟時紅色，3～5 小核。

分佈　生於高山灌叢或林下。分佈於雲南、四川、西藏。

採製　秋季挖，切片曬乾。

性能　苦、微澀，涼。清熱，利濕，止血。

應用　用於濕熱黃疸，瀉痢，帶下，吐血，功能性子宮出血。

文獻　《阿壩州藥用植物名錄》，116。

3628 鈍葉栒子

來源 薔薇科植物鈍葉栒子 Cotoneaster hebephyllus Diels 的果實及枝葉。

形態 灌木，高 1.5～3m。枝條暗紅褐色。葉橢圓形至寬卵形，長 2～3.5cm，寬 1.2～2cm，先端鈍圓或微凹，下面被灰色毛；柄長 5～7mm，疏被毛；托葉線狀披針形。聚傘花序，有花 5～15，花直徑 7～8mm；花瓣平展，白色；花梗長 2～5mm；雄蕊 20，稍短於花瓣，花藥紫色。果實卵球形至長圓球形，直徑 6～8mm，成熟時暗紅色。

分佈 生於高山草甸或灌叢。分佈於雲南、四川、西藏、甘肅。

採製 8～10 月採集，曬乾或煎膏。

性能 辛，溫。斂四肢"黃水"。果煎膏止血。枝葉煎膏，酸，溫。止血，斂"黃水"。

應用 用於關節炎，"黃水"病，鼻衄，牙齦出血，月經過多。

文獻 《迪慶藏藥》上，205。

3629 紫果栒子

來源 薔薇科植物水栒子 Cotoneaster multiflorus Bunge var. atropurpureus Yu 的果實。

形態 落葉灌木，高達 4m。小枝紅褐色或棕褐色，無毛。葉卵形或寬卵形，長 2～5cm，幼葉下面稍有絨毛，葉柄長 3～8mm。聚傘花序，有花 6～12 朵，總花梗和花梗無毛，花梗長 4～6mm；花白色，直徑 1～1.2cm；萼筒鐘狀，外面無毛，裂片三角形；花瓣平展，近圓形。梨果近球形或倒卵形，直徑約 8mm，紅色，熟時變紫黑色。

分佈 生於溝谷或山坡雜木林中。分佈於東北、華北、西北和西南。

採製 8～10 月採摘，曬乾。

性能 辛，溫。斂四肢"黃水"。

應用 用於關節炎，"黃水"病。用果煎膏能止血；治鼻衄，牙齦出血，月經過多。枝葉煎膏能止血，斂"黃水"。

文獻 《迪慶藏藥》上，205。

3630　小葉金老梅

來源　薔薇科植物小葉金老梅 Da-siphora parvifolia (Fisch.) Juz. 的花、葉。

形態　小灌木，高 15～80cm。樹皮片狀剝落；小枝微彎曲，灰褐色或褐色，幼時有灰白色柔毛。單數羽狀複葉，葉軸被長柔毛，托葉膜質，鞘狀；小葉 5～9，倒卵形或橢圓形，長 6～12mm，寬 2～6mm，先端急尖，基部楔形，全緣，邊緣向下反捲，上面深綠色，有稀疏柔毛，下面密被灰白色絲狀柔毛；小葉近無柄，花單生或數朵排成傘房狀，花梗長 5～8mm，被柔毛；花黃色。瘦果密生長毛。

分佈　生於巖石灌叢中。分佈於雲南、四川、青海、甘肅、新疆、內蒙古、山西。

採製　6～8 月採花，夏季採葉，曬乾。

性能　甘，寒。利尿消腫。

應用　用於寒濕腳氣，癢疹。用量 6～15g。外用治乳腺炎；鮮品搗敷患處。

文獻　《滙編》下，760。

3631　西南草莓

來源　薔薇科植物西南草莓 Fra-garia moupinensis (Franch.) Card. 的根。

形態　多年生草本，高 5～15cm。莖被白色絹狀柔毛。掌狀複葉，小葉 3～5，葉柄長 2～8cm；小葉片橢圓形或倒卵形，長 0.7～4cm，寬0.6～2.5cm，先端圓鈍，頂生小葉基部楔形，側生小葉基部偏斜，邊緣具缺刻狀鋸齒，上面被疏柔毛，下面被白色絹狀柔毛，沿脈尤密，具短柄或無柄。聚傘狀花序，基部苞片綠色，小葉片狀；花冠直徑 1～2cm；萼片卵狀披針形，副萼片披針形；花瓣白色，倒卵形或近圓形。

分佈　生於高山林下。分佈於雲南、四川、西藏、甘肅、陝西。

採製　夏秋採挖，曬乾。

性能　甘、苦，涼。消炎止瀉，祛痰，排膿，止血。

應用　藏醫用於肺痰，胸腔膿血，"培根"病，"赤巴"病，胸悶，肺癰。

文獻　《迪慶藏藥》下，475；《雲南藥用植物名錄》，140。

3632　人參果

來源　薔薇科植物深裂人參果 Potentilla anserina L. f. incisa Thunb. 的根。

形態　多年生草本。根延長，常在根的下部形成紡錘形或橢圓形塊根。莖匍匐，節上生根，向上長出新植株。基生葉為間斷的或不間斷的羽狀複葉，有小葉 6～11 對；小葉片橢圓形、倒卵橢圓形，長 1～2cm，寬 5～8mm，邊緣有缺刻狀鋸齒或呈裂片狀，上面被疏柔毛或無毛，下面密被緊貼銀白色絹毛。花單生葉腋，花梗長 1～4cm；萼片三角狀卵形，花瓣黃色，倒卵形，比萼片長 1 倍。

分佈　生於高山溝谷或草甸。分佈於雲南、四川、西藏。

採製　夏季採挖，洗淨曬乾。

性能　甘，平。補氣血，健脾胃，生津止渴，利濕。

應用　用於病後貧血，營養不良，脾虛腹瀉，風濕痹痛。用量 15～30g。

文獻　《迪慶藏藥》下，277。《滙編》下，679。

3633　金露梅花

來源　薔薇科植物金露梅 Potentilla arbuscela D. Don 的花、葉。

形態　灌木，高 0.5～2m。小枝紅褐色，幼時被柔毛。羽狀複葉，有小葉 5，小葉片長橢圓形，長 7～20mm，寬 4～10mm。單花或數朵花生於枝頂，花梗長 0.8～2cm，密被長柔毛或絹毛；花直徑 1.5～3cm；萼片卵形；花瓣黃色，寬倒卵形，比萼片長；花柱近基生，棒狀，基部稍細。瘦果卵形，褐棕色。

分佈　生於高山灌叢或草甸。分佈於雲南西北部、青藏高原與中國北部各省區。

採製　6～8 月採集，陰乾。

性能　甘，溫。理氣，斂"黃水"。

應用　用於婦女乳房腫痛，肺病，消化不良，"黃水"病。葉(煅炭)治乳腺炎。

文獻　《迪慶藏藥》上，178。《滙編》下，761。

3634　銀露梅

來源　薔薇科植物銀露梅 Potentilla glabra Lodd. 的花。

形態　灌木，高 0.3～2m。樹皮縱向剝落，小枝被疏柔毛，羽狀複葉，有小葉 5～7，稀 3，上面一對小葉的基部下延，與葉軸合生，葉柄被柔毛，小葉片橢圓形或倒卵形，長 5～12mm，寬 4～8mm，先端圓或急尖，全緣，托葉薄膜質。花單生或數朵，直徑 15～25mm，萼片卵形，副萼近披針形，花瓣白色，倒卵形。瘦果被柔毛。

分佈　生於山坡林緣。分佈於雲南西北部，青藏高原及北部各省區。

採製　6～8 月採集，陰乾。

性能　澀，平。固齒，理氣，斂"黃水"。

應用　用於牙病，肺病，胸脅脹滿，"黃水"病。

文獻　《迪慶藏藥》上，177。

3635　狹葉委陵菜

來源　薔薇科植物狹葉委陵菜 Potentilla stenophylla (Franch.) Diels 的全草。

形態　多年生草本。根粗大，圓柱形，木質化，常分枝。莖直立，高 6～15cm，密被絹狀長柔毛。基生葉為羽狀複葉，有小葉 7～12 對；小葉無柄，長圓形，長 3～15mm，寬 2～5mm，頂端截形，稀近圓形，先端邊緣有 2～3 齒。莖生葉退化成小葉狀。單花頂生或 2～3 朵成聚傘狀；花梗長 1～3cm；花直徑 1.5～2.5cm；萼片卵形；花瓣黃色，倒卵形，比萼長 2 倍以上。瘦果表面光滑或有皺紋。

分佈　生於山坡、河谷、沙灘。分佈於雲南、貴州、四川、西藏、甘肅、青海、新疆。

採製　7～8 月採集，切碎曬乾。

性能　苦、辛，溫。退黃。

應用　用於急性黃疸型肝炎，膽病。

文獻　《迪慶藏藥》下，522。

3636 光核桃

來源 薔薇科植物光核桃 Prunus mira Koehne 的種仁。

形態 小喬木，高達 10m，小枝具紫褐色皮孔，葉片披針形，長 5～12cm，寬 1.5～4cm，先端漸尖，基部寬楔形或圓形，下面沿中脈具柔毛，邊緣具鈍鋸齒。花單生，花萼裂片近卵形，先端鈍，近無毛；花瓣寬倒卵形，粉紅色；雄蕊多數，子房密被柔毛。果近球形，直徑約 3cm；果核扁球形，長約 2cm，表面光滑，具不明顯縱槽條。種仁較大，扁卵球形，長 12～18mm，寬 8～12mm。

分佈 生於路旁，村邊。分佈於雲南、四川、西藏。

採製 7～9 月採摘，取核仁，曬乾。

應用 用於月經不調，痞塊。核仁油能促毛髮鬍眉生長。果(煅炭)亦能促頭髮生長。

文獻 《迪慶藏藥》上，134。

3637 多花薔薇

來源 薔薇科植物多花薔薇 Rosa multi-flora Thunb. 的根、葉、花和果實。

形態 披散狀小灌木，高約 1.5m，莖和枝具倒鈎刺。單數羽狀複葉，葉柄和葉軸均被腺毛；小葉 5～9，倒卵狀橢圓形或長圓形，長 1.5～3cm，寬 0.8～2cm，邊緣有鋸齒，兩面被短柔毛。頂生圓錐狀傘房花序，花多達 20 餘朵，花梗細長，有腺毛及柔毛；花冠白色，稍帶淡紅色暈，芳香，直徑約 2.5cm，裂片倒卵形或倒卵狀心形，雄蕊多雄。果球形，直徑約6mm，成熟時棕紅色。

分佈 生於村旁、路旁或山坡草叢中。分佈於華北、華東、中南和西南各省。

採製 秋季挖根採果，夏季採花、葉，鮮用或曬乾。

性能 根：苦、澀，平。祛風活血，調經固澀。葉：苦，寒。清熱解毒。花：苦、澀，寒。清暑解渴，止血。果：酸，溫。祛風濕，利關節。

應用 根用於風濕關節痛，跌打損傷，月經不調，白帶，遺尿。葉外用於癰癤瘡瘍。花用於暑熱胸悶，口渴，吐血。果用於風濕關節痛，腎炎水腫。用量根 15～30g，花、果 3～10g，根皮、葉適量，鮮品搗敷或乾品研粉撒敷患處。

文獻 《滙編》上，371。

3638 西康薔薇

來源 薔薇科植物西康薔薇 Rosa sikangensis Yu et Ku 的花、果。

形態 小灌木,高 1.5m,小枝有成對散生皮刺混於細密針刺中。小葉 7～9(～13),連總柄長 30～50mm,小葉片長圓形或倒卵形,6～10 × 4～8mm,葉緣具細密重鋸齒,花單生,直徑約 25mm,4 數,花瓣白色。果近球形,直徑約 10mm,紅色,外面有腺毛。

分佈 生於高地山坡,溝邊。分佈於藏南、川西、滇西北。

採製 花 5～6 月採,果 7～8 月採,曬乾。

性能 花,甘、酸,涼。潤肺,降氣,清膽,活血,調經,收斂血管。果能清肝熱,消積食。

應用 肺熱咳嗽,頭暈,吐血,脈管瘀痛,月經不調,赤白帶下,風濕,癰瘡。

文獻 《迪慶藏藥》上,222。

3639 粉枝莓

來源 薔薇科植物粉枝莓 Rubus biflorus Buch. -Ham. 的莖木質部。

形態 灌木。莖直立,高 2～3m,分枝多,具白粉霜,皮刺散生。單數羽狀複葉,小葉 3～5 片,卵形或橢圓形,長 20～45mm,寬 10～25mm,頂生小葉大,有時再 3 淺裂,邊緣具不整齊鋸齒。花 1～3 腋生,白色,徑 15～20mm,橙黃色。

分佈 生於山坡、路旁灌叢中。分佈於西藏、四川、雲南、甘肅。

採製 秋季採枝幹,去皮切片,曬乾。

性能 甘、苦、辛、澀,涼。效緩。清熱,利氣。

應用 用於熱性病,對肺病及感冒,流感,熱病初期,惡寒發燒,頭痛,身痛的效果顯著。

文獻 《迪慶藏藥》上,123。

3640 紫泡

來源 薔薇科植物毛果覆盆子 Rubus niveus Thunb. 的根、嫩枝。

形態 灌木，高 1～2m，幼枝有短絨毛；莖紫紅色，有粉霜，散生鈎狀皮刺。單數羽狀複葉，小葉 5～11，卵狀長圓形，長 2～6cm，寬 0.5～3cm，先端銳尖，基部寬楔形或圓形，邊緣有尖鋸齒，上面無毛，下面密生白色絨毛。傘房狀圓錐花序頂生，花小，紫紅色，徑約 5mm，萼裂片卵狀披針形。聚合果近球形，紫紅色或暗紅色。

分佈 生於向陽山坡灌叢中。分佈於陝西、四川、雲南、貴州。

採製 全年可採，切碎曬乾。

性能 消食理氣，止瀉止痢。祛風除濕。

應用 用於痢疾，風濕。用量 30g。

文獻 《雲南種子植物名錄》，526。《元江哈尼族藥》，198。

3641 珍珠桿

來源 薔薇科植物高叢珍珠梅 Sorbaria arborea Schneid. 的莖皮。

形態 落葉灌木。莖直立叢生，高達 6m。小枝被稀疏星狀毛。單數羽狀複葉，互生；小葉 13～17，披針形至長圓狀披針形，長 4～9cm，寬 1～3cm，邊緣有重鋸齒，下面被稀疏星狀毛。大形圓錐花序頂生，總花梗和花梗微被星狀柔毛；萼片 5，稍短於萼筒；花瓣 5，近圓形，白色，長 3～4mm；雄蕊 30。蓇葖果圓柱形。

分佈 生於山坡林緣、溪邊。分佈於雲南、貴州、四川、湖北、甘肅、寧夏。

採製 秋冬採剝，曬乾。

性能 苦，寒。有毒。活血祛瘀，消腫止痛。

應用 用於骨折，跌打損傷。研末內服 0.6～1.2g（如惡心嘔吐可減量）。外用研末調敷。

文獻 《大辭典》下，3106。

3642 繡線菊

來源 薔薇科植物繡線菊 Spiraea schneideriana Rehd. 的花。

形態 灌木，高 1～2m，小枝有稜角，暗褐色，幼時被長柔毛。葉片卵形至卵狀長圓形，長 8～15mm，寬 5～7mm，先端圓或急尖，全緣，少數近先端有疏齒。複傘房花序，生小枝先端，花密集，直徑 5～6mm；花萼鐘形，裂片卵狀三角形；花瓣白色，雄蕊 20，花盤圓環形，具 10 裂片。蓇葖果具頂生花柱及直立宿萼。

分佈 生於高山林緣、灌叢。分佈於雲南、西藏、四川、湖北。

採製 5～6 月採收，陰乾。

性能 甘，溫。生津，止血，利水，斂"黃水"。

應用 用於發燒性口乾，腹水，肺瘀血，子宮出血，"黃水"病。

文獻 《迪慶藏藥》上，200。

3643 紅葉藤

來源 牛栓藤科植物紅葉藤 Rourea minor (Gaertn.) Leenh. 的根、葉。

形態 藤狀灌木，高不及 2m。單數羽狀複葉長 6～12cm，小葉 11～17，近革質，卵形至卵狀長圓形，長 2～4cm，基部偏斜。總狀花序叢生於葉腋，總花梗和花梗纖弱；花白色，有香氣，萼片 5，三角形，長 2mm，宿存；花瓣 5，長為萼的 2～3 倍；雄蕊 10，花絲基部合生。蓇葖果橙黃色，長 12～15mm，無柄，略彎曲。

分佈 生於低山溝谷林緣。分佈於廣東、廣西、雲南。

採製 全年可採，曬乾。

性能 微辛、甘，溫。活血通經，止血止痛。

應用 用於閉經，跌打損傷，扭傷。用量 9～15g。外用鮮品適量搗敷患處。

文獻 《滙編》下，765。

3644 蛟龍木

來源 豆科植物圍涎樹 Abarema clypearia (Jack) Kosterm. 的葉、果實、種子。

形態 小喬木，高 3～5m。小枝有稜，被鏽色短柔毛。二回雙數羽狀複葉，葉柄近基部有 1 個腺體；羽片 3～6 對，每對羽片間的葉軸上有 1 個腺體；小葉 6～16 對，頂端 1 對最大，微橢圓形，長 1.5～3.5cm，寬 7～12mm，兩側偏斜，小葉向下逐漸變小。由多數頭狀花叢排列成聚傘圓錐狀，頂生或腋生，花白色，雄蕊多數，長於花冠約 3 倍。莢果條形，旋捲成環狀。種子 8～9，橢圓形，成熟時亮黑色，露出於果莢之外。

分佈 生於低山雜木林中。分佈於華南及四川、雲南。

採製 夏、秋間採集，鮮用或曬乾用。

性能 微苦、微澀，涼。清熱解毒，涼血消腫。

應用 用於燒、燙傷，瘡癩癤腫。乾品研粉調茶油塗患處，亦可用鮮葉搗敷患處。

文獻 《滙編》下，615。

3645 無莖黃芪

來源 豆科植物無莖黃芪 Astragalus acaulis Baker 的花、果。

形態 多年生草本，矮小，叢生。根粗壯。莖極短縮，近無莖狀。單數羽狀複葉，長 30～80mm，托葉大，膜質，長 7～8mm，具緣毛；小葉 25～31 枚，條狀披針形，長 4～12mm，寬 2～3mm，邊緣、背面與葉軸被稀疏白色長柔毛。總狀花序腋生，花通常 2，總梗極短，花梗長 4～6mm，花冠黃色，旗瓣長 20～30mm，近圓形，與爪近等長；翼瓣、龍骨瓣與旗瓣近等長；子房具柄。

分佈 生於高山草坡。分佈於雲南西北部、藏東南、川西南。

採製 花 7～8 月、果 8～9 月採集，曬乾。

性能 辛，涼。利水，清脾、肺熱。

應用 藏醫用於"培根"病，腹水，虛性水腫，脾熱，肺熱，腹痛。

文獻 《迪慶藏藥》下，623。

3646 麗江窄翼黃芪

來源 豆科植物麗江窄翼黃芪 Astragalus degensis Ulbr. var. rockianus Peter-Stibal 的花。

形態 多年生草本，高 0.3～1m。莖直立，具條稜，被白色短柔毛。單數羽狀複葉，長 8～10mm，托葉條形，長 5～6mm，與葉軸被短柔毛；小葉 19～31 枚，長圓形或狹長圓形，長 15～20mm，寬 4～5mm，下面被白色伏狀短柔毛。總狀花序着生於上部葉腋，總梗長 12～15cm，被稀疏黑白相間的短柔毛；苞片條形，長約 6mm，被稀疏黑色柔毛；花萼長 5mm，被黑色柔毛；花冠淡紫色，長 13～14mm，旗瓣反折。

分佈 生於高山草坡或灌叢。分佈於雲南西北部。

採製 7～8 月採集，曬乾。

性能 甘、苦，涼。利水，清熱，開鬱。

應用 藏醫用於熱病，水腫，煩悶，瘡熱。

文獻 《迪慶藏藥》下，631。

3647 多花黃芪

來源 豆科植物多花黃芪 Astragalus floridus Benth. ex Bunge 的根。

形態 多年生草本，高 30～50cm。莖粗壯，中空，各部被白色或灰黑色長柔毛。單數羽狀複葉，長 6～8cm；托葉披針形，長 8～10mm，小葉 17～41，狹長圓披針形，長 12～20mm，寬約 5mm，先端具突尖，基部寬楔形；下面密被白色伏狀長柔毛。總狀花序上部多花，總梗長 10～15cm，被疏柔毛；花萼長約 4mm，密被灰黑色短柔毛，萼齒鑽狀；花冠黃色或白色，旗瓣長圓形，長約 13mm，下部漸狹。

分佈 生於高山草坡或林下。分佈於雲南西北部、青藏高原。

採製 8～10 月採挖，切片曬乾。

性能 甘，溫。強壯，利尿，止汗，排膿生肌。

應用 用於水腫，病後體弱，瘡癰。

文獻 《迪慶藏藥》下，463。

3648 西康黃芪

來源 豆科植物西康黃芪 Astragalus kialensis Simpson 的花或全草。

形態 多年生草本，高達 45cm，各部被疏柔毛。羽狀複葉，小葉 19～61 枚，長圓形或橢圓形，長 5～9mm，寬 2～4mm，下面中脈被柔毛；托葉披針形，腋生總狀花序，花軸長 4～16cm。花多而較密；萼鐘狀，長約 2.5mm，有伏貼黑色短柔毛，萼齒較筒稍短；蝶形花冠上部暗褐色，下部黃棕色，旗瓣匙形，長約 10mm，寬約 4mm，翼瓣與旗瓣等長，龍骨瓣較短；子房無毛。

分佈 生於高山林下或灌叢中。分佈於雲南西北部、四川西部。

採製 7～8 月採集，切碎曬乾。

性能 甘，溫。利水，托毒。

應用 用於腹水，體虛浮腫，瘡癰。

文獻 《迪慶藏藥》下，627。

3649　單蕊黃芪

來源　豆科植物單蕊黃芪 Astragalus monodelphus Bge. 的根。

形態　多年生草本。根木質，直徑 4～7mm。莖直立，高 10～30cm，基部多分枝並木質化；分枝纖細，幼時疏被白色短柔毛。單數羽狀複葉，長 3～4cm；托葉披針形；小葉 11～13 枚，橢圓形或長圓形，長 8～18mm，寬 4～7mm，下面疏被白色短柔毛。總狀花序腋生，花多數，總花梗比葉長，被疏短柔毛，花萼長 7～8mm。莢果長圓形或橢圓形，長約 2.5cm，疏被短柔毛。

分佈　生於高山草甸。分佈於雲南、四川。

採製　秋季採挖，切碎曬乾。

性能　甘，微溫。補氣固表，托瘡生肌。

應用　用於病後體弱，脾胃虛弱，氣虛下陷引起的胃下垂、腎下垂、腦血栓等。用量 15～30g。

文獻　《滙編》下，766。

3650　短苞黃芪

來源　豆科植物短苞黃芪 Astragalus prattii Simps. 的花。

形態　多年生草本，高約 25cm。莖具稜，被短柔毛，後漸脫落。單數羽狀複葉，小葉 11～13 枚，長卵形，長 5～9mm，寬 3～5mm，先端鈍或漸尖，主脈頂部具小芒尖，下面被疏柔毛；托葉卵狀三角形，長約 4mm。總狀花序腋生，有花 5～9；在花軸上端較密，軸長 6～7cm；疏被白色與棕色短柔毛；苞片長卵形，長 3～5mm；萼筒鐘狀，長 3mm；花冠黃色，旗瓣長約 14mm，翼瓣長約 11mm。莢果卵形。

分佈　生於高山草坡。分佈於雲南西北部。

採製　7～8 月採集，曬乾。

性能　甘、苦，平。止血痢，癒合血管，止痛，清瘡。

應用　藏醫用於“木保”病疼痛，血痢，創傷。

文獻　《迪慶藏藥》下，633。

3651　雲南黃芪

來源　豆科植物雲南黃芪 Astragalus yunnanensis Franch. 的根。

形態　多年生草本。主根粗大。莖極短。羽狀複葉；小葉 11～23，卵圓形，長和寬約 4～9mm，兩端渾圓，上面近無毛，下面有白色柔毛；葉軸有柔毛；托葉寬卵形。總狀花序腋生；序軸被長柔毛；花萼鐘狀，萼齒披針形，短於萼筒，被白色長柔毛；花冠橘黃色，長約 2cm，旗瓣無爪，翼瓣和龍骨瓣具長約 1cm 的爪，與旗瓣近等長；子房有白色長柔毛，有明顯的子房柄。莢果卵形。

分佈　生於高山草坡。分佈於雲南、四川。

採製　秋季採挖，切片曬乾。

性能　甘，微溫。補氣固表，托瘡生肌。

應用　用於體虛自汗，久瀉，脫肛，子宮脫垂，慢性腎炎，體虛浮腫，慢性潰瘍，瘡口久不癒合。用量 9～15g。

文獻　《滙編》上，763。

3652 木豆

來源 豆科植物木豆 Cajanus cajan (L.) Millsp. 的種子。

形態 矮灌木，高 1～3m，小枝有縱溝紋，被灰色柔毛。托葉小；小葉 3 枚，卵狀披針形，長 5～10cm，寬 2～3cm，先端銳尖，全緣，兩面均有毛。總狀花序腋生，花萼鐘形；花冠黃紅色，長約 1.8cm，旗瓣背面有紫褐色縱紋。莢果長 5～8cm，先端漸尖，密被黃色短柔毛；每莢含種子 3～5 粒；種子近圓形，種皮暗紅色。

分佈 生於山坡林緣。分佈於廣東、廣西、雲南。

採製 夏季採收，曬乾。

性能 甘、微酸，溫。清熱解毒，補中益氣，利水消食，排癰腫，止血止痢。

應用 用於心虛，水腫，血淋，痔血，癰疽腫毒，痢疾，腳氣。用量 9～15g。

文獻 《大辭典》上，0702。

3653 雲南錦雞兒

來源 豆科植物雲南錦雞兒 Caragana franchetiana Kom. 的根。

形態 落葉灌木，高 1～2m，多分枝，外皮灰褐色。托葉膜質，羽狀複葉；長枝上的葉軸宿存並硬化成針刺狀，短枝上的葉軸脫落；小葉 10～14 片，長圓形或倒卵狀披針形，先端有硬尖，背面被短柔毛。花單生，花梗中部有節，花萼闊圓筒狀，基部一側偏斜呈囊狀，萼齒三角形，與萼筒近等長；花冠黃色。莢果圓筒狀，外面密生柔毛。

分佈 生於林緣、路旁。分佈於雲南、西藏。

採製 6～7 月採挖，曬乾。

性能 苦、甘，平。祛風活血，止痛，利尿。

應用 用於頭痛，耳鳴眼花，肺疲咳嗽，小兒疳積。用量 3～9g。

文獻 《滙編》上，888。《西藏常用中草藥》，296。

3654 西藏錦雞兒

來源 豆科植物西藏錦雞兒 Caragana tibetica Kom. 的未完全開放的花和根。

形態 叢生矮灌木，高 30～150cm，多分枝，外皮灰褐色。托葉膜質，羽狀複葉；長枝上的葉軸宿存並硬化成針刺狀，短枝上的葉軸脫落，被白色長柔毛。小葉 10～14 片，長圓形或倒卵狀披針形，葉背具短柔毛，先端有短硬尖。花單生，花梗中部有節；花萼闊圓筒形，基部一側偏斜呈囊狀，萼齒三角形，與萼筒近等長；花冠黃白色。莢果圓筒狀，外面密被柔毛。

分佈 生於林緣、路旁。分佈於雲南、西藏。

採製 6～7 月採集，陰乾。8～10 月挖根，曬乾。

性能 甘、微苦，平。祛風活血，止痛，利尿，補氣益腎。

應用 花：用於頭暈頭痛，耳鳴眼花，肺癆咳嗽，小兒疳積。用量 3～9g。根：風濕性關節炎，跌打損傷，乳汁分泌不足，浮腫，痛經。用量 9～15g。

文獻 《西藏常用中草藥》，296。

3655　含羞決明

來源　豆科植物含羞決明 Cassia mimosoides Linn. 的全草。

形態　亞灌木狀草本，高 30～45 cm，多分枝，瘦長，斜升或平伏地面，微被短柔毛。雙數羽狀複葉，長 7～10cm，小葉 12～30 對，小葉鐮狀條形，長 3～8 mm，先端斜尖。花單生或幾朵組成短總狀花序，花黃色，雄蕊 5 長 5 短。莢果條形，扁平，長 2.5～5cm，被疏毛，有種子 16～25 粒，深褐色，有光澤。

分佈　生於山坡路旁或田邊草叢中。分佈於福建、台灣、廣東、廣西和雲南。

採製　夏、秋採收，切段，曬乾。

性能　甘、微苦，平。清熱解毒，生津止渴，利尿，通便。

應用　用於腎炎水腫，咳嗽多痰，習慣性便秘，用量 10～20g。漆瘡，疔瘡，用煎湯外洗。

文獻　《滙編》上，110；《大辭典》上，0376。

3656　紫花雀兒豆

來源　豆科植物紫花雀兒豆 Chesneya purpurea P.C. Li 的花或全草。

形態　叢生草本，植株叢高 3～7cm。根粗壯，木質。莖極短縮，外面被密集的殘存物。葉長 2～6cm；托葉基部與葉柄連合，被長柔毛；小葉 13～17枚，長圓形或狹長圓形，長 2～4mm，寬 1.5～2mm，被長柔毛。花序梗短，具單花；花萼長 1～1.2cm，密被長柔毛；花冠紫紅色；旗瓣長 2～2.4cm，背面密被白色平伏短柔毛，瓣片扁圓形，下部漸狹為長爪；翼瓣長 1.8～2cm，具耳；龍骨瓣比翼瓣短。莢果長圓形。

分佈　生於高山草坡。分佈於雲南、西藏。

採製　7～8 月採集，切碎曬乾。

性能　甘、苦，平。止痛，收斂，續脈。

應用　藏醫用於"木保"病疼痛，血痢，筋脈傷。

文獻　《迪慶藏藥》下，630。

3657　餓螞蝗

來源　豆科植物餓螞蝗 Desmodium multiflorum DC. 的根、全株或種子。

形態　小灌木，高 1～1.5m。枝有稜，疏生絲光長柔毛。三出複葉，頂生小葉寬橢圓形長 4.5～8.5cm，寬 2.5～5cm，具小凸尖；側生小葉較小，稍偏斜。頂生花序圓錐狀，腋生花序總狀，長達 16cm，花密生，花冠蝶形，粉紅色。莢果外面密被褐色絹毛，莢節 4～7，腹縫線縊縮，背縫線成波狀。

分佈　生於山坡疏林下或林緣的灌、草叢中。分佈於江西、華南和西南各省。

採製　全年可採，曬乾。

性能　甘，涼。清熱解毒，消食止痛。

應用　用於胃痛，小兒疳積，腮腺炎，淋巴結炎，毒蛇咬傷。用量 10～30g。

文獻　《滙編》下，519。

3658 喜馬拉雅米口袋

來源 豆科植物異葉米口袋 Guelden-staedtia diversifolia Maxim. 的帶根全草。

形態 多年生草本。主根粗壯，圓錐狀。羽狀複葉，小葉9～13枚，葉形變化較大，圓形、橢圓形、倒卵形或廣倒卵形，長0.3～0.9cm，寬0.2～0.8cm，先端微缺或深缺刻，兩面密生平伏長柔毛。傘形花序有花2～4；總花梗長2～10cm，疏生長柔毛；花萼鐘狀，5齒裂，長約0.5cm，密生長柔毛，上面2萼齒較下面3萼齒大而寬；花冠藍紫色。莢果圓筒狀或稍扁，疏生長柔毛。

分佈 生於高山草坪。分佈於雲南、四川、西藏、青海。

採製 7～8月採收，切碎曬乾。

性能 苦、澀，寒。解毒消腫，利尿。

應用 用於水腫，癰腫疔毒，淋巴結結核。用量3～9g。

文獻 《大辭典》下，4838。

3659 高山米口袋

來源 豆科植物高山米口袋 Guelden-staedtia himalaica Baker 的帶根全草。

形態 多年生草本。主根粗壯，圓錐狀。葉長2～6cm；葉軸被長柔毛；小葉通常9～13枚，橢圓形至圓形或倒卵形至倒心形，頂端鈍圓微凹或深裂，長5～10mm，寬3～8mm，兩面被長柔毛，後變稀疏；托葉大，卵形，密被長柔毛，連合，與葉對生。傘形花序，腋生，通常有花2～3朵，稀1朵；苞片長三角形，被長柔毛；花萼鐘狀，5裂，被長柔毛；花冠藍紫色，旗瓣卵狀扁圓形。

分佈 生於河邊沙灘草地。分佈於雲南、四川、西藏。

採製 7～8月採收，切碎曬乾。

性能 苦、澀，寒。解毒消腫，利尿。

應用 用於水腫，癰腫疔毒，淋巴結結核。用量3～9g。

文獻 《迪慶藏藥》下，674。

3660 雲南米口袋

來源 豆科植物雲南米口袋 Gueldenstaedtia yunnanensis Franch. 的根。

形態 多年生草本。主根增粗呈紡錘狀。莖高 10～15cm，基部多分枝，纖細、節間明顯，被毛。羽狀葉長 2～3cm，3～5 小葉，圓形、倒卵形或倒卵狀橢圓形，頂端平截，幼嫩時兩面被長柔毛，後漸變稀疏；托葉僅頂端分離。傘形花序，腋生，1～2花；總花梗長 5～8cm，被疏柔毛；苞片和小苞片披針形；花萼鐘狀，萼齒 5 裂，被長柔毛；花冠紫色；旗瓣倒心形，頂端微凹。莢果圓筒狀。

分佈 生於山坡灌叢中。分佈於雲南、四川、西藏。

採製 夏秋採挖，曬乾。

性能 辛、苦，寒。清熱解毒，利尿，消炎。

應用 用於水腫，癰腫。

文獻 《迪慶藏藥》下，674；《麗江地區中藥資源普查名錄》，24。

3661 滇巖黃芪

來源 豆科植物滇巖黃芪 Hedysarum limitaneum Hand.-Mazz. 的根。

形態 草本。根木質。莖直立，高 40～50cm。單數羽狀複葉互生，長 7～12cm，小葉 11～12，互生，卵狀長圓形或橢圓形，長 1～2cm，寬 5～10mm，下面被白色柔毛，托葉膜質，長約 2cm。總狀花序腋生，花多數；總花梗長 8～9cm，被稀疏的白色柔毛；花梗長 5～6mm，被白色柔毛；小苞片披針形；花萼鐘狀，被毛；花冠淡黃色；旗瓣長圓形，莢果橢圓形，3～4 節。

分佈 生於高山灌木林中。分佈於雲南、四川。

採製 秋季挖根，切碎曬乾。

性能 甘，微溫。補氣固表，托瘡生肌。

應用 用於病後體弱，脾胃虛弱以及氣虛下陷引起的胃下垂、腎下垂、腦血栓等。用量 15～30g。

文獻 《雲南藥用植物名錄》，165。

3662 馬鹿花

來源 豆科植物窄序巖豆樹 Millettia leptobotrya Dunn 的根皮。

形態 直立灌木或小喬木，高 2～5m。根粗壯，黃褐色，表面有瘤狀凸起。葉紙質，奇數羽狀複葉，有小葉 7～15，小葉橢圓形或橢圓狀披針形，長 4～5cm，寬 1.5～2.5cm，無毛，有時背面成蒼白色。總狀花序腋生或頂生，長 10～25cm，花白色，總梗長 5～15cm，被微柔毛。莢果矩圓狀條形，長 4～12cm，扁平，外面被伏狀白色絨毛，老時漸脫變光滑；種子扁圓形，直徑 0.8～1.5cm，乾後棕褐色。

分佈 生於熱帶低山溝谷密林中。分佈於雲南、廣東、廣西。

採製 全年可採，多為鮮用。

性能 淡、微澀，涼。清熱解毒，瀉火攻下，接筋骨，消腫止痛。

應用 用於骨折，跌打瘀傷，腳氣水腫。用量 10～15g，外用搗爛包敷患處。

文獻 《雲南中草藥選》續集，94。

3663 老鴉花藤

來源 豆科植物大果油麻藤 Mucuna macrocarpa Wall. 的藤莖。

形態 大型藤本，長 15～20m，莖圓柱形，斷面有環紋，切斷後流出棕紅色汁液。三小葉，頂生小葉卵形，側生小葉斜橢圓形，近無毛。總狀花序着生於老莖上，長 8～15cm；花蝶形，裂片藍紫色，長 2～2.5cm，雄蕊 10，9 枚聯合，1 枚分離，花梗短，密被黃褐色絨毛。莢果長 30～45cm，外面有棕色柔毛，有種子 8～12，成熟時棕褐色，近扁圓形，徑約 3.5cm。

分佈 生於低山溝谷密林中。分佈於雲南南部。

採製 全年可採，鮮用或曬乾。

性能 苦，溫。強筋壯骨，調經補血。

應用 用於小兒麻痹後遺症，貧血，月經不調，風濕筋骨痛。用量 30～60g；煎湯或泡酒。

文獻 《思茅中草藥選》224。《滙編》下，772。

3664 雲南棘豆

來源 豆科植物雲南棘豆 Oxytropis yunnanensis Franch. 的全草。

形態 矮小叢生草本，高 7～15cm；根細長而多分枝。莖極短縮。托葉紙質，基部與葉柄連合，彼此連合至中部，被疏長柔毛；小葉 9～19 枚，披針形，長 5～10mm，寬 1.5～3mm，兩面被短柔毛。花序梗長於葉，疏被短柔毛；花 5～10朵排成近傘形的總狀花序；花萼長 6～9mm，被長柔毛，花冠紫紅色或藍紫色；旗瓣長 10～13mm；翼瓣稍短，頂端 2 裂；龍骨瓣比翼瓣短。莢果長圓形，長 2cm。

分佈 生於山坡灌叢或草地。分佈於雲南、四川、西藏。

採製 7～9 月採集，切碎曬乾。

性能 苦，涼。清熱解毒，癒瘡，乾"黃水"，澀脈止血，通便，生肌。

應用 用於疫癘，炎症，中毒病，出血，血病，"黃水"病，便秘，炭疽，瘡癰腫痛，骨痛。

文獻 《迪慶藏藥》下，301。

3665 苦葛

來源 豆科植物雲南葛藤 Pueraria peduncularis Grah. ex Benth. 的花、根。

形態 藤本，長 3～5m，根圓柱狀，肥大。小葉 3，柄長 8～10cm，頂生小葉卵狀菱形，長 8～20cm，寬 5～12cm，兩面被微柔毛，側生小葉斜卵形，兩側不等。總狀花序腋生，長 20～28cm，萼鐘形，疏生柔毛，花白色或淡紫色，長約 1.5cm，子房有毛。莢果扁條形，幾無毛，成熟時灰黑色，長 3～7cm，有種子 3～8，腎形，褐色。

分佈 生於山坡、溝邊的藤灌叢中。僅雲南西北部有分佈。

採製 根全年可採，花秋季採收，鮮用或曬乾。

性能 辛、苦，平。透疹，消炎，消腫。

應用 花用於小兒斑疹不透，疔瘡腫痛。用量 3～6g，煎湯外擦。根用於殺蟲，適量泡水，澆灌或噴灑。

附註 據《大理中藥資源名錄》調查資料。

3666 草紅藤

來源 豆科植物毛宿苞豆 Shuteria involuclata (Wall.) Wight et Arn. var. villosa (Pamp.) Ohashi 的全草。

形態 多年生草質藤本，長 60～120cm。莖多數簇生，攀援或匍匐地面，被白色柔毛。三出複葉，小葉寬橢圓形，長 1～2.5cm，寬 0.6～1.7cm，兩面被白色平伏柔毛，下面尤甚。短總狀花序從葉腋抽出，有花 2～4 朵，疏生，花序梗及花梗基部各有狹披針形苞片 1 對，花冠黃色，長約 6mm。莢果扁平，長約 2cm，成熟時棕紅色，開裂；種子 4～5，長圓形，外面有光澤和黑色斑點。

分佈 生於向陽坡地上。分佈於廣西、四川、貴州和雲南。

採製 夏、秋間採收，鮮用或曬乾。

性能 苦，寒。清熱解毒，消腫。

應用 用於闌尾炎，乳腺炎，腮腺炎，肺結核咳嗽。用量 10～30g。

文獻 《滙編》上，611。

3667 苦刺花

來源 豆科植物苦刺花 Sophora davidii (Franch.) Kom. ex Pavol. 的種子。

形態 灌木，高 1～2.5m。莖具銳刺。羽狀複葉，小葉 11～12 片，橢圓形或長卵形，長 5～8mm，寬 4～5mm，先端圓或微凹而具小尖，兩面疏生短柔毛，托葉細小，針狀。總狀花序頂生，6～12 花，花萼疏生柔毛，花冠白色或藍白色，長約 15mm。莢果長 25～60mm，串珠狀，密被白色平伏長柔毛。

分佈 生於山坡、路邊。分佈於西南、西北及華東地區。

採製 8～10 月採收。

成分 葉含槐果鹼等 8 種晶體物質。

性能 苦，寒。清熱解毒，催吐。

應用 用於黃疸型肝炎，化膿性扁桃體炎，白喉，膽囊炎。

文獻 《迪慶藏藥》上，127。

3668 灰葉

來源 豆科植物灰葉豆 Tephrosia pur-purea (L.) Pers. 的根、莖、葉。

形態 半灌木，高 30～60cm。枝條披散，幼枝有淡黃色毛。單數羽狀複葉，小葉 3～8 對，有極短的柄，小葉橢圓狀披針形，長 1.5～3.5cm，寬 4～14mm，下面有平伏狀白色短柔毛，側脈多而密。總狀花序頂生或與葉對生，花蝶形，紫紅色；花序軸、花萼及旗瓣外面均有白色柔毛。莢果扁條形，先端外彎微成鐮形，長 3～5cm，寬約 4mm，疏生短柔毛。種子 4～10，腎形，黑褐色。

分佈 生於低山或平壩路旁的灌叢中。分佈於福建、台灣、廣東、廣西和雲南。

採製 全年可採，曬乾。

性能 微苦，平。有小毒。解表，健脾燥濕，行氣止痛。

應用 用於風熱感冒，消化不良，腹脹腹痛。慢性胃炎。用量全草或根 10g；外用於濕疹，皮炎。全草適量煎水洗患處。

文獻 《滙編》下，224。

3669 密馬

來源 豆科植物美花兔尾草 Uraria picta (Jacq.) Desv. 的根。

形態 半灌木，高 30～60cm，有分枝，上面被毛。單數羽狀複葉，小葉 5～7，稀 9，線狀披針形，長 6～15cm，寬 1～2cm，上面中脈和基部邊緣被毛，沿中脈有不規則淡綠色斑塊，下面脈上密被柔毛，小葉柄長 2～3mm，密被絨毛。總狀花序頂生，長圓筒形，長 15～30cm，花序軸被先端帶鈎的絨毛，花蝶形，淡紫紅色，多數，花萼淺杯狀，被長毛，花梗長約 1cm，向上彎曲。莢果銀鉛色，長約 5mm，有 3～5節。

採製 全年可採，鮮用或曬乾。

性能 甘，平。平肝補胃。

應用 用於頭暈心煩，食慾不振。用量 5～15g，尤以燉肉吃更好。

文獻 《大辭典》下，4698。

3670 曲嘴老鸛草

來源 牻牛兒苗科植物曲嘴老鸛草 Geranium forrestii R.Knuth 的全草。

形態 多年生草本，高 20～45 cm。根狀莖細長。莖上部有疏柔毛。葉腎狀圓形，長約4.5cm，寬約 7cm，5(7)深裂達近基部；裂片菱狀楔形，上部羽裂；小裂片長圓形，有 1～2 齒狀缺刻，下面葉脈被疏柔毛；下部莖生葉柄長達 10cm，向上的葉柄漸短。總狀聚傘形花序，總梗長達 6cm，有花 2～3；花梗長 1～2cm；萼片長 8～9mm，有疏短伏毛；花瓣深紫色，略長於萼片。

分佈 生於高山草坡。分佈於雲南、四川。

採製 6～7 月採集，切碎曬乾。

性能 辛、苦，平。祛風除濕。止血生肌。

應用 用於風濕性關節炎，跌打損傷。

文獻 《雲南省中藥資源普查名錄》二，222。

3671 蘿蔔根老鸛草

來源 牻牛兒苗科植物蘿蔔根老鸛草 Geranium napuligerum Franch. 的全草。

形態 多年生小草本，高 12～20 cm。根狀莖短，根紡錘形，肉質，數條成簇。莖纖細，平臥或近直立。基生葉和莖生葉同形，輪廓圓形，直徑 1.5～2cm，基部心臟形，兩面有伏毛，5～7 裂達近基部；裂片扇狀楔形，頂部深裂達近中部；葉柄長 5～10cm。花序頂生，總梗長 4～8cm，通常 2 花；花梗長 2～3cm，有短伏毛；萼片長 8mm，先端有短凸尖，密被白色長柔毛；花瓣紫紅色。

分佈 生於高山草地。分佈於雲南西北部、四川西南部。

採製 7～8 月花期採集，切碎曬乾。

性能 澀、甘，涼。清肺熱，止熱痢，祛風。

應用 藏醫用於"培根"病，時疫，咳嗽，聲啞，腸病，痢疾，胃痛，疝氣，勞傷。

文獻 《迪慶藏藥》下，278；《雲南省中藥資源普查名錄》二，222。

3672 紫萼老鸛草

來源 牻牛兒苗科植物紫萼老鸛草 Geranium refractoides Pax et Hoffm. 的根。

形態 多年生草本，高20～30cm。根狀莖短粗，直立。莖中部二分枝，上部被開展的短腺毛和混生長柔毛。葉近圓形，基部心臟形，直徑 4～5cm，5 深裂達近基部；裂片倒卵狀菱形，上半部有不整齊的齒狀缺刻；基生葉和下部莖生葉的柄長5～10cm，頂部的葉無柄。花序頂生，通常 2 花，花梗長 1～2 cm，花序柄、萼片和花梗被開展的紫紅色密腺毛；萼片長約8mm；花淡紅色，直徑 1.5～2cm；花瓣比萼片略長。

分佈 生於高山草坡灌叢。分佈於雲南西北部、四川西部。

採製 9～10 月採挖，切碎曬乾。

性能 澀，涼。清熱解毒。

應用 用於熱、勞損發燒，食物中毒。

文獻 《迪慶藏藥》下，439。

3673 單葉吳茱萸

來源 芸香科植物單葉吳茱萸 Evodia simplicifolia Ridley 的葉。

形態 灌木，高 1.5～2m，全株無毛。葉長圓形或長橢圓形，全緣或有時為淺波狀，側脈在表面不明顯，8～12 對。聚傘花序腋生，長 1.5～2.5cm；花四數，萼 4 深裂，裂片大小不等，花冠白色，裂片 2 大 2 小，退化雄蕊 4；成熟心皮通常 3～4。外果皮薄，革質；種子卵珠形，長約 4mm，藍黑色，有光澤。

分佈 生於低山或盆地邊緣疏林、灌叢中。分佈於雲南南部。

採製 全年可採，多為鮮用。

性能 苦，涼。消腫，散瘀，止痛。

應用 用於風濕關節炎，關節腫痛，頸淋巴腫，腮腺炎，胃潰瘍，刀、槍傷。用量 5～10g；外用適量搗敷患處。

文獻 《傣藥誌》三，137。

3674 小芸木

來源 芸香科植物全緣葉小芸木 Micromelum integerrimum (Buch. -Ham. ex Colebr.) Wight et Arn. ex Rocm. 的根、葉。

形態 常綠灌木或小喬木，高 2～5m，枝、葉有明顯的腺點，嫩枝、葉軸及花序軸密被黃色短柔毛。單數羽狀複葉，小葉 7～15，斜卵狀披針形或長橢圓形，基部不對稱，邊全緣或微波狀，兩面無毛或僅脈上被短柔毛，密佈透明腺點。頂生傘房狀圓錐花序，小花白色，花瓣 5，雄蕊 10，着生花盤周圍。漿果橢圓形，長約 0.8cm，成熟時金黃色，具油腺點。

分佈 生於丘陵地或平壩的疏林中。分佈於雲南和廣西。

採製 全年可採，根曬乾備用；葉陰乾或鮮用。

性能 苦、辛，溫。疏風解表，散瘀止痛。

應用 根用於感冒咳嗽，胃痛，風濕骨痛；跌打腫痛，骨折。用量 10～15g；外用鮮葉搗爛或乾根研粉酒調包敷患處。

文獻 《滙編》下，76；《思茅中草藥選》，586。

3675 飛龍掌血

來源 芸香科植物飛龍掌血 Toddalia asiatica (L.) Lam. 的根。

形態 木質藤本。枝幹被倒鈎刺。3 出複葉，小葉片橢圓形，倒卵形至倒披針形，長 3～6cm，寬 1.5～2.5cm，先端急尖或微尖，基部楔形，邊緣具細圓鋸齒或皺紋。花單性，綠白色或黃色；苞片極細小；萼片邊緣被短茸毛；花瓣 4～5，雄花常成腋生的傘房狀圓錐花序，雄蕊較花瓣長；雌花常成聚傘狀圓錐花序，子房被毛。果成熟時橙黃色至朱紅色。

分佈 生於山坡灌叢。分佈於華東、中南、西南。

採製 全年可採，洗淨曬乾。

成分 根含白屈菜紅鹼等。

性能 辛、苦，溫。祛風，止痛，散瘀，止血。

應用 用於風濕疼痛，胃痛，跌打損傷，吐血，衄血，刀傷出血，經閉，痛經。用量 1.5～30g。外用研末調敷。

文獻 《大辭典》上，0573。

3676 亞羅椿

來源 楝科植物漿果楝 Cipadessa bacci-fera Miq. 的根、葉。

形態 常綠灌木或小喬木，高 2～5m，枝條灰褐色，有明顯的皮孔。單數羽狀複葉，葉柄長 3～6cm，小葉 11～13，對生或近對生，全緣，基部稍偏斜，下面沿脈被淡黃色疏柔毛。圓錐花序腋生，長 12～20cm；花小，綠白色。核果近球形，徑約 5mm，成熟時紫紅色，有種子數粒。

分佈 生於低丘、平壩的河旁疏林下或沙灘灌叢中。分佈於雲南南部。

採製 全年可採，鮮用或切段曬乾。

性能 苦，寒。清熱解毒，疏風解表，截瘧，收斂澀腸。

應用 用於瘧疾。用量根 10～15g(加引)；鮮葉 5～10 片，揉爛用開水泡服。皮膚瘙癢，過敏性皮炎，用根或葉適量，煎水外洗。

文獻 《雲南中草藥選》續集，208；《滙編》下，792。

3677 紫飯豆

來源 遠志科植物蓼葉遠志 Polygala persicariaefolia DC. 的全草。

形態 一年生直立草本，高 20～40cm，根系鬚狀。葉披針形至線狀披針形，長 3～6.5cm，寬 0.5～1.5cm，邊全緣，具睫毛，兩面均被短硬毛或微柔毛。總狀花序生於分枝叉內或枝頂，長 2～9cm，苞片 3，宿存；花瓣 3，粉紅色至紫色，雄蕊 8，花柱彎曲，柱頭 2，乳頭狀。蒴果圓形至長圓形，頂端微缺，兩側具翅，有蜂窩狀乳突。種子黑色，長約 4mm，被白色長柔毛。

分佈 生於山坡疏林下或草地上。分佈於四川、貴州、廣西和雲南。

採製 夏、秋間採集，鮮用或曬乾。

性能 甘，平。祛風除濕，消腫止痛。

應用 用於風、寒、濕痹的四肢關節痛，瘡瘍腫癤。用量 10～15g；外用煎水塗擦患處。

文獻 《元江哈尼族藥》，200。

3678　毛銀柴

來源　大戟科植物毛銀柴 Aporusa villosa (Lindl.) Baill. 的根、葉。

形態　喬木，高 10～15m。樹皮灰褐色，小枝密被鏽色糙硬毛或漸脫落。葉長圓形至長圓狀倒卵形，長 5～10cm，寬 2～4cm，兩面被鏽色柔毛，下面較密集。花小，單性，雌雄異株，無花瓣；萼片成覆瓦狀排列，雄花無花盤；雌花子房 2～5 室。蒴果成熟時 2 瓣裂。

分佈　生於低中山次生闊葉林中。分佈於廣東、廣西、雲南。

採製　全年可採，切片曬乾。

性能　微苦，涼。消炎，袪風去濕。

應用　用於麻風病，風濕骨痛。根煎服，鮮葉搗敷患處。

文獻　《雲南種子植物名錄》上，432。

附註　據調查資料。

3679　草沉香

來源　大戟科植物刮筋板 Excoecaria acerifolia F. Didr. 的種子和幼嫩植株。

形態　常綠小灌木，高 30～60cm，皮層含乳汁。葉橢圓狀披針形或倒卵形，長 6～9cm，葉緣具細銳齒，脈與柄均紫紅色。穗狀花序，花黃綠色；上半部為雄花，約 20 朵，基部有腺體 2，苞片 1，萼片 3，雄蕊 3，下半部為雌花，一苞片內 1～3 朵花，腺體 2，萼片 3，子房球形，3 室。果球形而稍扁，略現三稜。

分佈　生於山坡灌叢。分佈於雲南。

採製　7～8 月採集。

性能　苦、辣，微溫。行氣，破血，消積。

應用　用於癥瘕，積聚，膨脹，食積，黃疸，吐血。用量 6～12g。種子治便秘。

文獻　《大辭典》上，2829。《迪慶藏藥》上，226。

3680 疣果大戟

來源 大戟科植物疣果大戟 Euphorbia micractina Boiss. 的根。

形態 多年生直立草本。莖單生或數條自根莖發出，高 13～30cm。葉橢圓形、狹橢圓形至披針形或近倒披針形，長 1～2cm，寬 0.3～0.8cm，先端急尖，鈍圓至微凹。花序基部的葉通常 3 枚輪生。傘形花序通常 7～9，與基部的葉同數。總苞鐘狀，裂片全緣。蒴果具疣狀凸起，種子卵珠狀。

分佈 生於高山草坡。分佈於西藏、雲南。

採製 7～9 月挖取，切片曬乾。

性能 苦，寒。大毒。瀉水消腫，散結，袪痰，通利大小便。

應用 用於水腫，胸水，腹水，積聚痞塊等症。用量 0.6～1.5g。內服宜慎。

文獻 《西藏常用中草藥》，244。

3681 大狼毒

來源 大戟科植物大狼毒 Euphorbia nematacypha Hand.- Mazz. 的根。

形態 多年生草本，高 50cm，折斷有白色乳汁。根圓柱形，不分枝，外皮黑褐色，內面黃白色。葉長圓形，長 4.5～6.5cm，寬 1cm，先端鈍，基部楔形，全緣；無柄。通常 6～8 朵生於莖頂或單生於葉腋；淡黃色。蒴果圓球形，直徑約 1.3cm，外有軟刺，成熟時 3 室開裂。

分佈 生於山坡草地。分佈於雲南。

採製 秋季採挖，洗淨切片曬乾或研粉備用。

性能 苦、辛，溫。有毒。止血，消炎，消腫。

應用 用於外傷出血，疥癩瘡。適量細末加香油調搽。忌內服。

文獻 《大辭典》上，0221。

3682 黃楊木

來源 黃楊科植物皺葉黃楊 Buxus rugulosa Hatusima 的果實、莖枝。

形態 常綠灌木或小喬木。小枝具短柔毛。葉橢圓形或長圓狀圓形，長 2～3cm，寬 0.7～1.4cm，頂端微凹或鈍，基部漸窄或楔形，邊緣向葉背反捲，通常具橫皺紋；葉柄長 2～3mm，密被柔毛。總狀花序腋生，密集成頭狀，花序軸密被柔毛。雄花具短柄，萼片 4，闊卵形；雌花萼片闊卵形，先端尖，長約 3mm，背部沿脊有散生毛；子房橢圓形。蒴果直徑約 1.1cm。

分佈 生於高山灌叢。分佈於雲南西北部、四川西部及西藏。

採製 夏秋採集，曬乾。

性能 果實：涼。莖枝：苦，平。祛風濕，理氣，止痛。

應用 果實用於中暑伏熱；莖枝用於風濕疼痛，胸腹氣脹，牙痛，疝痛，跌打損傷。

文獻 《雲南省中藥資源普查名錄》二，298。

3683 綠櫻桃

來源 冬青科植物毛梗細果冬青 Ilex micrococca Maxim. f. pilosa S.Y. Hu 的樹皮及根。

形態 落葉喬木，高 10～20m，有長枝和短枝，當年生小枝上有顯著皮孔。葉膜質或紙質，卵形或卵狀橢圓形，長 7～13cm，寬 3～5cm，側脈 5～8 對；葉柄長 1.5～3.2cm，上面扁平。花白色，雌雄異株，排成 2～3 回三歧聚傘花序，花序的第二級主軸長於花梗；花梗、花萼被毛。核果球形，直徑 3mm，成熟時紅色；分核 6～8 顆，具溝槽，內果皮革質。

分佈 生於山坡闊葉林或混交林中。分佈於雲南、四川、貴州、廣西、廣東。

採製 全年可採，曬乾。

性能 止痛，散瘀消腫。

應用 用於跌打損傷，扭傷。

文獻 《雲南植物誌》四，210。

附註 據調查資料。

3684 燈油藤

來源 衞矛科植物燈油藤 Celastrus paniculatus Willd. 的種子。

形態 攀援灌木，枝有皮孔。單葉互生，葉圓形、寬卵形至卵狀圓形，長 5～10cm，寬 2～6cm；先端銳尖。圓錐狀聚傘花序頂生，窄長方形；花淡綠色，5 數，雌雄異株；雄花的雄蕊着生於杯狀花盤邊緣，花絲細長，超出花瓣；雌花有退化雄蕊，子房圓球狀。蒴果直徑達 1cm，3 裂。種子有紅色假種皮。

分佈 生於低山林緣灌叢中。分佈於雲南、廣西、廣東、台灣。

採製 秋季採收，曬乾。

成分 含穀甾醇、β-香樹脂醇、齊墩果烷 -12 烯 -3β-29 醇、扁蒴藤素。

性能 緩瀉，催吐，興奮。

應用 用於風濕麻痹等症。

文獻 《綱要》一，306。《圖鑒》二，657。

3685　金絲苦楝

來源　無患子科植物小果倒地鈴 Cardiospermum halicacabum L. var. microcarpum (Kunth) Bl. 的全草。

形態　多年生草質藤本，長 1～3m，莖有縱稜。二回三出複葉，長 5～12cm，頂生小葉大，橢圓狀披針形，長 4～8cm，寬 1.5～2.5cm，側生小葉卵形，邊緣有少數鋸齒，分裂或羽狀分裂。聚傘花序腋生，花序總梗細長，具 4 稜，最下面的 1 對花梗發育成下彎的捲鬚；花雜性，兩性花和雄花，萼片和花瓣 4，雄蕊 8。蒴果倒卵狀三角形，腫脹，囊狀，膜質，成熟時開裂為 3 果瓣。種子 3，黑色，基部有白色假種皮。

分佈　生於林緣、路邊灌叢中。分佈於廣東、廣西和雲南。

採製　夏、秋間採集，曬乾。

性能　微苦、辛，涼。清熱解毒，消炎止痛。

應用　用於跌打損傷，瘡癤癰腫，濕疹。用量 10～12g。

文獻　《雲南中草藥選》續集，402。

3686　小花清風藤

來源　清風藤科植物小花清風藤 Sabia parviflora Wall. 的根。

形態　攀援狀灌木。葉長圓形或長圓狀卵形至近披針形，長 5～13.5cm，寬 1～4cm，先端漸尖，基部闊楔形，具狹軟骨質邊緣，稍外捲，微波狀。聚傘花序或聚傘狀圓錐花序，具 4～25 朵花；總花梗絲狀，長 2.5～6cm，花梗絲狀，長 6～10mm，苞片卵形，花淡綠黃色，直徑 4～6mm；萼片 5；花瓣 5，長圓形或長圓狀披針形，脈紅色，核果近球形或腎形，壓扁，直徑 5～7mm，成熟時紅色至藍色。

分佈　生於山谷林中或灌叢中。分佈於雲南、貴州、廣西。

採製　全年可採，曬乾。

性能　消腫止痛，散風祛濕。通氣。

應用　用於跌打損傷，咽喉痛，鼻炎，氣管炎，感冒。

文獻　《廣西藥用植物名錄》，322。

附註　據調查資料。

3687 下果藤

來源 鼠李科植物嘴簽 Gouania leptostachya DC. 的莖、葉。

形態 藤狀灌木，高達 10m。莖圓柱形，有縱條紋；小枝頂端通常捲曲。葉卵形或卵狀長圓形，長 4～10cm，寬 2.5～6cm，邊緣有細鋸齒，側脈 5～6 對，細脈平行，光滑無毛。總狀花序頂生或腋生，花小，雜性，5 數。蒴果圓形，徑約 1cm，有 3 翅，頂端冠以宿存花萼。

分佈 生於低山林緣。分佈於廣西和雲南。

採製 全年可採，通常鮮用或曬乾研粉。

性能 微苦、澀，涼。消炎，止痛。

應用 用於燒傷燙傷。用鮮莖葉搗爛或用乾粉加水浸泡，取浸出液塗擦傷面。

文獻 《滙編》上，35。《雲南中草藥選》，144。

3688 西藏貓乳

來源 鼠李科植物西藏貓乳 Rhamnella gilgitica Mansfeld et Melch. 的心材。

形態 灌木，高 2～4m，心材紅色。葉橢圓形或橢圓狀披針形，長 20～50mm，寬 10～20mm，先端銳尖，邊緣具細鋸齒或中部以下全緣，側脈 4～6 對。花 2～4 朵簇生於葉腋或成聚傘花序。核果近圓柱形，長約 8mm。

分佈 生於山地灌叢或疏林中。分佈於滇西北、藏東、川西南。

採製 四季可採，去皮曬乾。

性能 甘、澀、苦，涼。效燥。涼血，燥濕，斂"黃水"，消腫止痛。

應用 用於血熱，高山多血症，風濕，類風濕，關節痛或胸腔積液，滲出性瘙癢性皮膚病，麻風。

文獻 《迪慶藏藥》上，224。

3689 鐵馬鞭

來源 鼠李科植物鐵馬鞭 Rhamnus aurea Heppel. 的全株。

形態 多刺矮小灌木，高 1m。葉橢圓形、倒卵狀橢圓形或倒卵形，長 1～2cm，寬 0.5～1cm，邊緣通常反捲，具細鋸齒，上面被短柔毛，下面被基部疣狀的短柔毛，沿脈尤密，側脈每邊 3～4 條；柄長 1.5～3mm，密被短柔毛。花單性，雌雄異株，通常 3～6 簇生於短枝頂端，4 基數，花瓣披針形，與雄蕊近等長；雌花花柱 2 淺裂或半裂；花梗長 2～3mm。核果近球形，成熟時黑色，直徑 3～4mm。

分佈 生於山坡林中。分佈於雲南。

採製 夏季採集，切碎曬乾備用。

性能 散瘀。

應用 用於跌打損傷，目赤眼腫。

文獻 《中國醫學大辭典》三，2933。

附註 據《雲南省中藥資源普查名錄》三，40。

3690　對節刺

來源　鼠李科植物密葉雀梅藤 Sageretia pycnophylla Schneid. 的根、果。

形態　藤狀灌木，莖灰褐色，小枝棘刺近對生。葉近革質，常二列，長圓形或卵狀橢圓形，長 8～14mm，寬 6～10mm，先端鈍或尖，基部楔形，邊緣具細鋸齒稀全緣，柄長 2～3mm。花序生於小枝頂端，排成穗狀或近圓錐狀；花兩性，無梗，萼片三角形，裏面中肋凸起成小喙；花瓣匙形，頂端 2 裂，雄蕊背着，與花瓣近等長；花盤厚，肉質，殼斗狀。漿果狀核果。

分佈　生於路邊灌叢中。分佈於雲南、四川、貴州、陝西、甘肅。

採製　夏秋採挖，摘果。切片曬乾。

性能　清熱解毒，理氣止痛。

應用　用於風寒咳嗽，胃痛，無名腫痛。

文獻　《貴州中草藥名錄》，327。

3691　野芝麻根

來源　梧桐科植物細齒山芝麻 Helicteres glabriuscula Wall. 的根。

形態　灌木，高 1～1.5m。葉偏斜狀披針形，長 3.5～10cm，寬 1.5～3cm，基部斜心形，邊緣有細鋸齒，兩面均被稀疏的星狀短柔毛。聚傘花序腋生，有花 2～3 朵；花紫色或藍紫色，裂片 5；雄蕊 10，着生於雌雄蕊柄的頂端。蒴果長圓柱形，長 1.5～2cm，直徑約 1.2cm，密被長柔毛，頂端有短喙。種子多數，細小。

分佈　生於山坡林緣灌叢中。分佈於雲南、廣西和貴州。

採製　全年可採，曬乾。

性能　苦，寒。清熱解毒，截瘧，殺蟲。

應用　用於瘧疾，用量 10～15g。

文獻　《滙編》下，756。

3692　藏牙草

來源　梧桐科植物黏毛火索麻 Helicteres viscida Bl. 的莖、葉。

形態　灌木，高 1～2m，分枝細長，斜伸。葉卵形或近心形，長 6～15cm，寬 4～8cm，邊緣有不規則鋸齒，中部以上淺裂，葉背面密被灰白色星狀柔毛，基出脈 5～7 條。花單生葉腋或 2～5 排成聚傘花序，長 2～4cm，花白色，裂片 5，不等大，雄蕊 10，5 枚退化。蒴果圓柱形，先端急尖，長 2.5～3.5cm，直徑 1～1.2cm，密被星狀長柔毛和皺捲的長柔毛；種子多數，菱形，具小縱溝。

分佈　生於低山、盆地邊緣的灌叢中。分佈於海南和雲南。

採製　全年可採，曬乾。

性能　苦，涼。收斂止血。

應用　用於腹痛，腹瀉，痢疾，便血，脫肛。用量 10～15g。

文獻　《傣藥誌》三，215。

3693　紅香樹

來源　山茶科植物紅楣 Anneslea fragrans Wall. 的樹皮和葉。

形態　小喬木，高 4～15m。葉厚革質，聚生小枝頂端，披針形或長圓狀披針形，長 4.5～15cm，寬 2～6cm。花序由多數花朵組成緊密的螺旋狀排列，近頂生；花通常白色，花梗長 2～6cm，直立，粗壯；花萼肥厚，紅色，卵圓形，長 1～1.5cm，邊緣膜質；花瓣膜質，長約 2cm，有短尖頭。漿果直徑約 2cm，為宿萼所包。

分佈　生於山坡路旁、雜木林中。分佈於雲南、貴州、廣西、廣東。

採製　全年可採，曬乾。

性能　澀、微苦，涼。健胃，舒肝，退熱。

應用　用於消化不良，腸炎。用量，葉 1～1.5g；肝炎用樹皮，30～60g。

文獻　《大辭典》上，2030。

3694　野油茶

來源　山茶科植物野油茶 Camellia oleifera Abel. var. confusa (Craib) Sealy 的種子。

形態　灌木或小喬木，高達 7m；小枝微有毛。葉革質，橢圓形，長 3.5～9cm，寬 1.8～4.2cm，上面無毛或中脈有硬毛，下面中脈基部有少數毛或無毛，葉柄長 4～7mm，有毛。花 1～2 頂生，花瓣 5～7，白色，分離，長 2.5～4.5cm。蒴果幼時密被長柔毛，直徑 1.8～2.2cm，果瓣厚木質，2～3 裂；種子背圓腹扁。

分佈　生於山坡疏林或路旁灌叢中。分佈於雲南南部。

採製　秋季採收，曬乾。

性能　苦，平。有毒。行氣疏滯。

應用　用於氣滯腹痛泄瀉，皮膚瘙癢，燙火傷。用量 6～9g。

文獻　《大辭典》下，3322。

3695 戟葉菫菜

來源 菫菜科植物戟葉菫菜 Viola betoniciolia Smith 的全草。

形態 多年生草本，無地上莖，高約 10cm，無毛。根直伸，單一或成束。托葉與葉柄合生，膜質，蒼白色；葉柄纖細，與葉近等長；葉形變異大，三角狀卵形至長圓形，長約 4cm，寬約 2cm，先端尖或鈍，基部平截或淺心形，邊緣具淺圓齒。花梗基生，單一，與葉近等長，纖細；萼披針形，長約 2mm；花瓣淡紫色至紫色，卵形或長圓形，距長 5～6mm。蒴果橢圓形，長約 1cm。

分佈 生於向陽山坡。分佈於長江以南和西南地區。

採製 夏秋開花時採集，切碎曬乾。

性能 苦、微辛，寒。清熱解毒，涼血消腫。

應用 用於急性結膜炎，咽喉炎，急性黃疸型肝炎，乳腺炎，癰癤腫毒，化膿性骨髓炎，毒蛇咬傷。用量 15～30g。

文獻 《滙編》上，794。

3696 羊蹄暗消

來源 西番蓮科植物月葉西番蓮 Passiflora altebilobata Hemsl. 的根、莖。

形態 多年生纏繞草質藤本，長 2～5m，根木質，多分枝，藤莖圓柱形，有細縱條紋，節上有捲鬚，着生於葉腋。葉 2 深裂，深裂達葉長的 ⅔，輪廓成燕尾狀，長 4～6cm，寬約 3～5cm，中脈延伸成一小突尖，側脈 1 對，從基部延伸至葉的先端。花單生或成對，着生葉腋，綠白色。漿果圓球形，直徑約 1.5cm，黃綠色，外面有白色條紋。

分佈 生於向陽山坡雜木林下或路邊灌叢中。分佈於雲南南部和西南部。

採製 秋季採收，切段，曬乾。

性能 苦，平。健胃理氣，止瀉除濕。

應用 用於胃痛，腹痛，腹脹，腹瀉，跌打損傷，風濕關節炎。用量 10～15g。

文獻 《雲南中草藥選》，294。《滙編》下，750。

3697 紅半邊蓮

來源 秋海棠科植物粗喙秋海棠 Begonia crassirostris Irmsch. 的全草或根。

形態 多年生肉質草本，高 0.5～1.5m。根莖肥大，橫臥。莖直立，粉紅色，有膨大的節。葉闊卵形至長圓形，兩側不對稱，長 11～27cm，寬 3.5～10cm，先端漸尖，基部歪斜，心形，邊緣稍有小齒，兩面無毛；葉柄纖細，聚傘花序腋生；花 4～6朵，白色；雄花萼片 2，花瓣 2，闊卵形；雌花萼片、花瓣 6，倒卵形，白色或粉紅色。蒴果近球形，無翅亦無毛。

分佈 生於林下巖石上。分佈於雲南、廣西、廣東。

採製 全年可採，曬乾。

性能 酸、澀，涼。清熱解毒，消腫止痛。

應用 用於溫熱病下血，咽喉腫痛，瘡腫疥癬。用量 15～24g。

文獻 《大辭典》上，2052。

3698　角花胡頹子

來源　胡頹子科植物角花胡頹子 Elaeagnus gonyanthes Benth. 的根、葉、果。

形態　常綠攀援灌木，長約 4m，幼枝密被紫紅色或棕紅色鱗片。葉橢圓形，長 5～9cm，寬 2～3cm，頂端鈍或漸尖，背面密被紅鏽色鱗片，側脈 7～10 對。花通常單生葉腋，白色，被鏽色鱗片，花梗長 3～6mm；花被筒 4 稜，短鐘狀，長 4～6mm，在子房上部突然收縮，上端 4 裂，裂片寬三角形，長約 4mm，裏面被星狀鱗毛。果寬橢圓形或倒卵狀橢圓形，長 15～22mm。

分佈　生於山地灌叢中。分佈於雲南、廣西、廣東、湖南。

採製　春夏採集，切碎曬乾。

性能　微苦、澀，溫。葉平喘止咳。根祛風通絡，行氣止痛，消腫解毒。果收斂止瀉。

應用　葉用於支氣管炎，哮喘。根用於風濕關節炎，腰腿痛，河豚中毒，狂犬咬傷，跌打腫痛。果用於泄瀉。用量葉 1.5～3g；根 15～30g；果 9～15g。

文獻　《滙編》下，787。

3699　雲南沙棘

來源　胡頹子科植物雲南沙棘 Hippophae rhamnoides L. ssp. yunnanensis Rousi 的果實。

形態　小喬木或灌木，高 1～8m，具棘刺，幼枝褐綠色，密被褐色屑狀鱗片，或具白色星狀柔毛，老枝灰黑色，冬芽較大，金黃色或鏽色。葉窄披針形，長 3～10cm，寬 0.4～1cm，上面幼時具銀色鱗片或白色星狀毛，下面黃色或褐色，密被鱗片；柄極短。果圓球形或卵狀橢圓形，直徑 5～8mm，橙黃色，果梗長 2～4mm。

分佈　生於坡地、溝谷。分佈於雲南、四川、西藏、青海、甘肅。

採製　10～12 月採摘，曬乾。

成分　含槲皮素、異鼠李素及山萘酚等。

性能　酸、澀，溫。祛痰，止咳，活血散瘀。

應用　藏醫用於"培根"病，咳嗽痰多，胸悶不暢，消化不良，胃痛，閉經。

文獻　《迪慶藏藥》上，159。

3700　山皮條

來源　瑞香科植物蕘花 Wikstroemia canescens (Wall.) Meissn. 的根。

形態　灌木，高 1.6～2m；當年生枝灰褐色，被絨毛；老枝近無毛。葉披針形，長 2.5～5.5cm，寬 0.8～2.5cm。頭狀花序 4～10 花，頂生或腋生。花被筒黃色，長約 1.5cm，外面被灰色長柔毛，內面具 8 條脈紋，頂端 4 裂，裂片長約 2mm；子房棒狀，具柄，長約 4mm，全部被柔毛，花柱短，全部為柔毛所覆蓋，柱頭頭狀。

分佈　生於山坡灌叢中。分佈於雲南、西藏、陝西、湖南、湖北、江西。

採製　全年可採。切碎曬乾。

性能　辛，溫。通經活絡，祛風除濕，收斂。

應用　用於跌打損傷，筋骨疼痛，腮腺炎，乳腺炎，淋巴腺炎。用量 3～9g。

文獻　《滙編》下，748。

3701 竹節樹

來源 紅樹科植物竹節樹 Carallia brachiata (Lour.) Merr. 的樹皮。

形態 小喬木，高 5～12m。葉倒卵形至長圓形，長 4～10cm，寬 2.5～4.5cm，全緣。聚傘花序腋生，總花梗長 1～2cm，小苞片生於萼筒下方；花綠白色；花萼鐘形，宿存，裂片直立；花瓣通常頂端 2 裂或撕裂，有時全緣；雄蕊數為花瓣之一倍；子房下位，通常 4 室。果球形，直徑約 5mm，有種子 1 顆。

分佈 生於低山溝谷密林中。分佈於廣東、廣西、雲南。

採製 全年可採，曬乾。

性能 微甘、澀，涼。清熱涼血，利尿消腫，接筋骨。

應用 用於感冒發熱，瘧疾，暑熱口渴。用量 6～9g。婦女血崩，9～15g，炒焦，水煎服。外用跌打損傷，鮮品適量搗敷患處。

文獻 《雲南種子植物名錄》上，392。

附註 調查資料。

3702 螞蟻花

來源 野牡丹科植物螞蟻花 Osbeckia nepalensis Hook. 的根。

形態 亞灌木，高 0.6～1m，莖四稜形，密被糙伏毛。葉長圓狀披針形或卵狀披針形，基部鈍或微心形，長 5～13cm，寬 1.5～3.5cm，有緣毛，兩面密被糙伏毛，基出脈 5。由聚傘花序組成的圓錐花序，頂生，長 5～8cm；花萼長約 2cm，萼管及裂片間具篦狀刺毛突起，花瓣 5，粉紅色，廣卵形，具緣毛，雄蕊 10，花藥具短喙，藥隔基部膨大成盤狀，有短距。蒴果卵球形，5 縱裂，宿存萼壇形，頂端平截，長約 0.8cm，密被篦狀刺毛突起。

分佈 生於山坡草地路旁、田邊、溪邊潮濕的草叢中。分佈於雲南東南部至西南部和廣西。

採製 全年可採，曬乾。

性能 苦、澀，涼。收斂止血，消腫解毒。

應用 用於黃疸型肝炎，腸炎，痢疾。用量 10～12g。外傷瘀血，鮮葉適量，搗敷患處。

文獻 《滙編》下，753。

3703 大罐子

來源 野牡丹科植物尖子木 Oxy-spora paniculata (D. Don) DC. 的根。

形態 灌木，高 1～2m。莖多分枝。單葉對生，長圓狀卵形，長 12～18cm，寬 4～7cm，主脈 3～5 條，側脈近平行，網脈明顯；葉柄紅綠色。圓錐花序頂生；萼管長橢圓形，裂片 4，紅色；花瓣 4，短尖；子房 4 室。蒴果包藏於萼管內，果瓣 4，頂部開裂。

分佈 生於潮濕山坡林下。分佈於西南等地。

採製 全年可採，洗淨切片曬乾。

性能 澀，涼。消腫，止血止痛，收斂止瀉。

應用 用於風濕跌打，痢疾，血尿。用量 9～15g。外用跌打損傷，扭傷，刀傷出血，適量搗敷患處。

文獻 《雲南中草藥選》續集，36。《滙編》下，753。

3704 毛草龍

來源 柳葉菜科植物草龍 Ludwigia octovalvis (Jacq.) Raven 的全草。

形態 濕生或水生草本，莖粗壯，分枝多，高達 3m，全株被疏柔毛至密的伸展柔毛。葉披針形，長 2～14cm，寬 0.5～4cm，側脈 11～20 對。花單生葉腋，花瓣黃色，先端微凹，雄蕊 8；萼管細長，管狀，長約 2.5cm。蒴果圓柱形，長 2.5～4.5cm，粗 3～8mm，紫紅色，外面有稜脊 8 條，不規則開裂；種子多數，褐色，圓珠形，直徑約 0.6mm。

分佈 生於山坡溝旁、田邊、路邊或灌草叢中。分佈於江西、廣東、廣西、雲南和台灣。

採製 夏秋間採集，曬乾。

性能 淡，涼。清熱解毒，去腐生肌。

應用 用於感冒發熱，咽喉腫痛，口腔炎，口腔潰瘍，癰瘡癤腫。用量 15～30g。

文獻 《滙編》下，441。

3705 匍枝柴胡

來源 傘形科植物匍枝柴胡 Bupleurum dalhousieanum (C.B. Clarke) K. -Pol. 的果實。

形態 多年生草本，稍匍伏。有較長的根莖。莖多數斜伸，帶紫紅色，基部分枝；基生葉線形，莖生葉披針形至狹卵形，無柄，基部稍狹抱莖，長 1.5～3cm，寬 5～8mm。複傘形花序頂生枝端，總苞片 1～3，卵圓形，不等大；小總苞片 6～10，常為紫色，廣卵形，頂端急尖；花瓣紫色，中肋突出，小舌片梯形；花柱基暗紫色。果實長圓形，棕色，果稜狹翼狀，稜槽內具 3 油腺。

分佈 生於山坡草地、河灘、沼澤或礫石坡地。分佈於雲南、西藏。

採製 9～10 月採集，曬乾。

性能 辛、甘，溫。升胃溫，開胃，理氣。

應用 藏醫用於胃寒，食滯，"龍"病。

文獻 《迪慶藏藥》下，530。

3706 滇柴胡

來源 傘形科植物滇柴胡 Bupleu-rum yunnanense Franch. 的果實，全草。

形態 多年生纖細草本，高 12～35cm。根近紡錘形，單莖或數莖叢生。莖下部葉線形，長 4～8cm，寬 1.5～4mm；中上部葉近披針形，長 2.5～10cm，寬 3～7mm，基部抱莖，先端通常尾狀。複傘形花序頂生，每小傘形花序有花 8～14，梗長 1mm；小總苞片 5，等大，長橢圓形；花瓣紫黑色或帶紫黃色，先端內折，中肋凸出；花柱長於子房，基部紫黑色。果長圓形，稜狹翅狀。

分佈 生於山坡草地或灌叢中。分佈於雲南、西藏南部。

採製 9～10 月採集，曬乾。

性能 果辛、甘，溫。升胃溫，開胃，理氣。全草發表退熱，消炎解毒。

應用 藏醫取果實用於胃寒，食滯，"龍"病。全草用於感冒發燒。

文獻 《迪慶藏藥》下，529。

附註 《雲南省中藥資源普查名錄》三，187。

3707 細葛縷子

來源 傘形科植物細葛縷子 Ca-rum carvi L. f. gracile (Lindl.) Wolff 的全草、根。

形態 多年生草本，植株纖細，高 15～30cm，分枝少，葉小，基生葉的葉片長 3～5cm，寬 1～1.5 cm，通常 2 回羽狀分裂；複傘形花序無總苞片，稀 1～3，線形，傘輻 3～5(～7)，小傘形花序有花 4～8，花瓣粉紅色。果實長卵形，成熟後黃褐色。

分佈 生於高山草地或河灘。分佈於甘肅、青海、四川、雲南。

採製 全年可採，曬乾。

性能 微辛，溫。芳香健胃，驅風理氣。

應用 用於胃痛，腹痛，小腸疝氣。用量 3～6g。

文獻 《滙編》下，796。

3708 環根芹

來源 傘形科植物南竹葉環根芹 Cyclorhiza Waltonii (Wolff) Shed et Shan var. major Sheh et Shan 的根。

形態 多年生草本，高 80～130 cm。根圓柱形，長 10～20cm，深棕紅色，二年以上老根環紋顯著突起。莖基部通常帶紫色。葉多回羽狀全裂，基生葉有柄，葉片寬卵形，長 20～24cm，寬 18～22cm，柄長 3～20cm。複傘形花序，傘軸長 2～9cm，每小傘形花序有花 10～20，花瓣黃色，不規則的方形或圓形。分生果倒卵形或橢圓形。

分佈 生於高山灌叢或草地。分佈於雲南、四川。

採製 秋季採挖，切碎曬乾。

性能 辛、甘、苦，溫。效重。滋補，乾"黃水"。

應用 藏醫用於"培根"寒症，胃寒症，腰腎寒症，氣痛，"黃水病"；薰治腫痛。

文獻 《迪慶藏藥》下，315。

3709　香白芷

來源　傘形科植物香白芷 Heracleum barmanicum Kurz 的根。

形態　多年生草本，高 50～70cm。根紡錘形或圓錐形。莖直立，有稜槽，上部被糙伏毛。下部葉廣卵形，長約 20cm，寬約 15cm，2 回羽狀分裂，末回裂片卵形至廣卵形，長 4～5cm，寬 2～3cm，邊緣有楔形齒，下面被糙伏毛；葉柄長 5～12cm，有寬葉鞘。複傘形花序，直徑 3～4cm，小總苞片全緣；傘輻多數，廣展，花白色，萼齒細小，花瓣倒卵形，先端凹陷有窄狹的內折小舌片。雙懸果近球形。

分佈　生於灌叢中或溝邊。分佈於雲南西部。

採製　夏秋採挖，切碎曬乾。

性能　辛、苦，溫。祛風除濕，消炎止咳。

應用　用於風寒痹痛，腰背酸痛，手腳攣痛，慢性氣管炎，頭痛。

附註　據《雲南省中藥資源普查名錄》三，191。

3710　軟毛獨活

來源　傘形科植物棉毛白芷 Heracleum lanatum Michx. 的根及根莖。

形態　多年生草本，高 1～2m，全體被柔毛。根圓錐形，黃白色。下部葉具長柄，葉柄基部膨大呈鞘狀，上部葉柄短；1 回羽狀分裂，裂片 3，廣卵形或菱形，不規則的 3～5 裂，長約 10～20cm，寬 14cm，深裂或淺裂，邊緣有粗鋸齒，兩面有白色短毛。複傘形花序頂生或腋生，被柔毛，總苞少數，線形，小苞片 5～10，花小，白色，花瓣 5。雙懸果倒卵狀長圓形。

分佈　生於坡地草叢中。分佈於中國北部及中部。

採製　4～10 月採挖，曬乾。

性能　辛、苦，溫。祛風，勝濕，散寒，止痛。

應用　用於風濕麻痹，腰膝酸痛，手腳攣痛，慢性氣管炎，頭痛，牙痛。用量 3～6g。

文獻　《大辭典》下，3510。

3711 黃藁本

來源　傘形科植物尖葉藁本 Ligusticum acuminatum Franch. 的根莖。

形態　多年生草本，高可達 2m。根莖粗壯，棕褐色。莖圓柱形，中空，具條紋，微帶紫色。莖上部葉具柄，柄長 5～7cm。基部微擴大呈鞘狀；葉 3 回羽狀全裂，1 回羽片三角狀卵形，長 8～10cm；2 回羽片長圓狀披針形，長 3～5cm，先端常延伸呈尾尖狀；末回羽片近卵形，長 5～15mm，上部羽狀分裂，裂齒具小尖頭。複傘形花序，總梗長 15cm，頂端密被糙毛；總苞片 6，線形，長約 1cm。

分佈　生於林下、草地。分佈於雲南、四川、湖北、河南、陝西。

採製　秋季採挖。

性能　辛，溫。散風，祛寒，鎮痛，勝濕。

應用　用於風寒外感，巔頂頭痛，婦人疝瘕，寒濕腹痛，泄瀉等症。

文獻　《綱要》一，366。

3712 水芹菜

來源　傘形科植物水芹菜 Oenanthe benghalensis (Roxb.) Kurz 的全草。

形態　多年生匍匐草本，節處生鬚根。莖柔弱，彎曲，表面生有稜線。葉叢生，為 1～2 回羽狀複葉，葉片長 2～4cm，中間 1 枚小葉較大，側生小葉 1～2 對，均為卵形，先端漸尖，基部楔形；兩側小葉基部偏斜，均有小葉柄，以中間 1 枚 為長；葉緣有鈍齒，兩面無毛，葉柄長 3～5cm。複傘形花序生於莖頂，小花白色，略帶淡紫色暈；花瓣 5 枚，橢圓形，擴展，先端稍凹。果實近球形，光滑。

分佈　生於水邊潮濕處。分佈於雲南。

採製　春夏採集。切碎曬乾。

性能　辛，微芳香，涼。平肝，解表，透疹。

應用　用於麻疹初期，高血壓，失眠。用量 9～15g。

文獻　《昆明民間常用草藥》，148。

3713 美麗稜子芹

來源　傘形科植物美麗稜子芹 Pleurospermum amabile Craib ex W.W. Smith 的根。

形態　多年生草本，高 15～60 cm。基生葉寬三角狀卵形，長 4～10cm，3 回羽狀分裂，末回裂片狹長圓形，長 5～8mm，邊緣羽狀深裂，裂片長約 1mm；葉柄長 4～10cm；莖上部葉柄短或僅有寬卵形具紫色脈紋的葉鞘。傘形花序頂生，直徑 5～8cm；總苞片 6～12，與上部葉同形，下部鞘狀，頂端多少羽狀分裂；小總苞片近長圓形，有紫色脈紋；花瓣紫紅色。分生果狹卵形，長約 5 mm，果稜有微波狀翅。

分佈　生於山坡草地或灌叢中。分佈於雲南、西藏。

採製　9～10 月採挖。切片曬乾。

性能　苦，平。效糙。解毒。

應用　用於寶石、食物、蟲蛇咬傷等中毒病。

文獻　《迪慶藏藥》下，504。

3714 棉參

來源 傘形科植物寶興稜子芹 Pleurospermum davidii Franch. 的根。

形態 多年生草本，高 45～150 cm。基生葉卵形至長卵形，長 8～15cm，三出式 3 回羽狀分裂，末回裂片狹卵形，長 1～2.5cm；有不規則齒裂，葉柄長達 10cm，基部鞘狀；花序托葉 3～5，倒卵形，羽狀分裂。頂生複傘形花序，直徑 10～15cm；總苞片倒披針形，長 4～9cm，上部羽狀分裂；傘輻多數；小總苞片 6～9，頂端 3 淺裂；花瓣白色。分生果卵形，長 6～8mm。果稜有寬波狀翅。

分佈 生於高山草坡或冷杉林下。分佈於滇西北、川西及西藏。

採製 9～10 月採挖。

性能 苦，平。效糙。滋補，解毒。

應用 用於體虛，寶石、食物中毒，蟲蛇咬傷等病。

文獻 《雲南藥用植物名錄》，230，《迪慶藏藥》下，502。

3715 藥茴香

來源 傘形科植物太白稜子芹 Pleurospermum giraldii Diels 的全草。

形態 多年生草本，高 20～35 cm。莖帶紫色，有縱條稜。基生葉或下部的葉 3～4 回羽狀全裂，末回裂片線形，長 1.5～3mm，寬 0.3～0.5mm；葉柄長，基部鞘狀抱莖。複傘形花序單一；總苞片 5～7，卵狀橢圓形或倒卵形，長 1.5～2cm，膜質，白色，頂端葉狀細裂；小總苞片長 3～4mm，花梗長 2.5～3.5mm；花瓣白色，倒心形，頂端有尾狀小舌片。分生果長圓形，長3.5mm。

分佈 生於高山草坡。分佈於四川、湖北、陝西、甘肅。

採製 9～10 月採集。

性能 甘、微辛，溫。溫中，化食，止帶。

應用 用於胃寒腹痛，腹脹，不思飲食，白帶症。

文獻 《綱要》一，374。《圖鑑》補編二，722。

3716 紫莖稜子芹

來源 傘形科植物紫莖稜子芹 Pleurospermum hookeri C.B. Clarke 的全草。

形態 多年生草本，高 70～80 cm。莖直立，直徑 1～1.5cm，紫色，有多數縱稜。2～3 回羽狀複葉，小裂片披針形，長 0.5～8 cm，寬約 1cm，無毛；葉柄具白色膜質葉鞘，上面有紫色脈紋。複傘形花序多數，頂生或側生；苞片和小苞片膜質，白色，有紫色脈紋；花紫色。雙懸果長圓形。

分佈 生於高山草地。分佈於滇西北及西藏。

採製 8～9 月採集，切碎曬乾。

性能 辛，溫。理氣活血，止痛。

應用 用於月經不調，瘀滯腹痛。用量 3～9g。

文獻 《西藏常用中草藥》，251。

3717 珍珠傘

來源 紫金牛科植物多斑紫金牛 Ardisia maculosa Maz 的全株。

形態 常綠小灌木，高達 30cm，根細長，圓柱形。葉橢圓狀披針形，長 8～14cm，寬 2.8～4.8cm，先端急尖，邊緣微波狀；葉柄長 4～8mm。傘形花序頂生；花白色或帶紅色，花梗長約 1cm，通常有腺點。核果球形，紅色，頂端花柱宿存。種子 1 顆。

分佈 生於低山疏林潮濕處。分佈於中國中部及南部。

採製 夏秋採收，鮮用或乾用。

性能 麻、苦，溫。舒筋活絡，強筋壯骨，清咽利喉。

應用 用於骨折，跌打，白喉，胃潰瘍，咽喉腫痛，急性腸炎。用量 15～30g。外用適量搗敷。

文獻 《大辭典》下，3103。

3718 包瘡葉

來源 紫金牛科植物包瘡葉 Maesa indica (Roxb.) A. DC. 的全株。

形態 灌木，高約 2～3m，莖褐色至綠色，具紅褐色皮孔。葉膜質或薄紙質，橢圓狀披針形，先端急尖或漸尖，基部楔形，長 8～14cm，寬 2.5～4cm，邊緣具粗鋸齒。圓錐花序腋生，長 2～4cm，有疏柔毛、長硬毛或微柔毛。漿果球形或卵球形，成熟時淡黃色。

分佈 生於山坡林下潮濕處。分佈於雲南。

採製 全年可採。切碎曬乾。

成分 葉含穀甾醇和槲皮素-3-鼠李糖甙等。

性能 苦，涼。清熱解毒。

應用 用於急性黃疸型肝炎。用量 15～30g。

文獻 《綱要》一，390。《傣藥誌》一，68。

3719 觀音茶

來源 紫金牛科植物金珠柳 Maesa montana A. DC. 的根、葉。

形態 灌木，高約3m，枝有時被疏柔毛，葉橢圓狀披針形或卵形，有時寬卵形至近圓形，長 9～22 cm，寬 3～9cm，邊緣有粗齒，齒尖有腺點，側脈 7～12 對。葉柄長 1～2cm。圓錐花序，具總狀花序分枝，長 3～10cm；花長約 2mm，小苞片披針形或卵形，花萼裂片卵形或長圓狀卵形；花冠裂片白色，先端鈍或圓形，通常有腺點。果球形或卵珠形。

分佈 生於路邊林緣。分佈於西南部。

採製 全年可採，曬乾。

性能 微苦、甘，涼。消炎，清熱解毒。

應用 用於痢疾，腸胃炎，胃熱，煩渴。用量 10～20g。亦可用葉泡開水飲服。

文獻 《綱要》一，390。《雲南種子植物名錄》，下，1165。

3720 紅花點地梅

來源 報春花科植物紅花點地梅 Androsace aizoon Duby var. coccinea Franch. 的全草。

形態 多年生矮小草本，全株被白色細柔毛。根細長，具少數分枝。葉簇生於基部，葉片橢圓形或倒披針形，先端鈍尖或鈍圓，基部漸狹，全緣，葉面綠色，葉背粉綠。花葶自基部抽出，細長，高 10～15cm，綠色或帶紫紅色。傘形花序，生於花葶頂端，花小，粉紅色。

分佈 生於山坡草地。分佈於雲南、西藏。

採製 6～7 月採集，洗淨曬乾。

性能 苦，寒。利水。

應用 用於熱性水腫。用量 3～9g。

文獻 《西藏常用中草藥》，245。《滙編》上，598。

3721 匙葉點地梅

來源 報春花科植物景天點地梅 Androsace bulleyana Forrst 的全草。

形態 多年生草本，根狀莖粗壯。葉基生，排列成蓮花狀；葉片較厚，肉質，匙形，長 8～26mm，先端突尖，具腺狀尖頭，邊緣有細睫毛。花葶多條，高約 18～30 cm，被纖毛；傘形花序着花 10 餘朵，苞片長約 3～5mm，具較長的腺毛；花梗長 2～3cm，被腺毛；花萼鐘狀，裂片卵狀三角形；花冠紅色，高腳碟狀，多少帶肉質，裂片倒心形。蒴果長圓形，成熟時紫紅色，6～10 裂。

分佈 生於高山乾旱石巖上。分佈於雲南、四川、西藏。

採製 6～7 月採集，切碎曬乾。

性能 苦，涼。利水，解熱，乾"黃水"。

應用 用於心臟病水腫，熱性水腫，"黃水"病，潰瘍，炭疽。

文獻 《迪慶藏藥》下，290。

3722　直立點地梅

來源　報春花科植物直立點地梅 Androsace erecta Maxim. 的全草。

形態　直立草本。莖高 10～35 cm。葉基生和莖生；基生葉小，倒披針形，長 2～5mm，邊緣軟骨質，先端具小尖頭，通常早枯；莖生葉小，長 5～15mm，互生，闊披針形。傘形花序頂生或腋生，苞片披針形或狹橢圓形，長約 3 mm；花梗長 1～3cm。花萼鐘形，長 3～3.5mm；花冠白色或粉紅色，直徑 6～7mm。

分佈　生於山坡林緣或河漫灘灌叢中。分佈於雲南、四川、西藏、青海、甘肅。

採製　夏秋採收，切碎曬乾。

應用　用於心悸，神衰，失眠。

文獻　《迪慶藏藥》下，451。

3723　刺葉點地梅

來源　報春花科植物刺葉點地梅 Androsace spinulifera (Franch.) R. Knuth 的全草。

形態　多年生草本；根狀莖木質，粗壯；老葉柄宿存。鱗葉披針狀三角形，層疊，被腺毛；莖葉長圓狀倒卵形或倒披針形，先端銳尖，具芒刺，基部漸狹下延成翅狀，中脈明顯，邊緣具睫毛，兩面被腺狀剛毛。花葶高 12～24cm，傘形花序球狀；苞片長卵狀披針形，花梗長 6～10mm；花萼深 5 裂，外面被毛；花冠紫紅色，高腳碟狀，直徑約 1cm，裂片倒卵形。

分佈　生於高山乾燥巖石上。分佈於雲南、四川。

採製　6～7 月採集，切碎曬乾。

性能　苦，涼。利水，解熱，乾"黃水"。

應用　用於心臟病水腫，熱性水腫，"黃水"病，潰瘍，炭疽。

文獻　《迪慶藏藥》下，290。

3724　巴塘報春

來源　報春花科植物巴塘報春 Primula bathangensis Petitm. 的全草。

形態　多年生粗壯草本。葉圓形或長圓形，直徑 6～12cm，基部心形，兩面被硬毛，邊緣有圓缺刻及細鋸齒；葉柄長 6～10cm。花葶上半部為總狀花序，有花約 20；苞片長圓狀披針形；花梗長約 1～1.5cm；花萼寬鐘狀，長 1～1.5 cm，寬1.5cm；花冠金黃色，杯狀，中央深黃金色，直徑約 2～2.5cm，裂片倒心形，基部狹窄成爪，先端圓，有凹缺，花筒長約 1cm。

分佈　生於高山石巖縫中。分佈於雲南、四川、西藏。

採製　6～8 月採集，切碎曬乾。

性能　甘，涼。癒瘡。

應用　用於瘡癤腫毒，外傷骨折。

文獻　《迪慶藏藥》下，467。

3725　海仙報春

來源　報春花科植物海仙報春 Primula poissonii Franch. 的花。

形態　多年生草本,鬚根粗壯。基生葉蓮座狀,葉片長圓狀披針形,長 70～120mm,寬 30～60mm,先端鈍圓,具尖頭,基部漸狹下延成翅狀,邊緣有細鋸齒。花葶高 15～30cm。傘形花序 3～4 輪,每輪有花 5～10;苞片條形,花梗長 20～25mm;花萼鐘狀,長約 6mm,裂片較短;花冠紫紅色,高腳碟狀或鐘狀,裂片倒心形,頂端凹缺。蒴果黃色,長卵形。

分佈　生於高山潮濕草地。分佈於雲南西北部。

採製　7～8 月採集,陰乾。

性能　苦,涼。清血、肺熱,斂毒。

應用　用於血熱,肺病,赤痢,便血,毒擴散。

文獻　《迪慶藏藥》下,594。

3726　報春花

來源　報春花科植物偏花報春 Primula secundiflora Franch. 的花。

形態　多年生草本,高 30～50cm。根莖粗而短,具多數鬚根。單葉基生;倒披針形或狹長圓狀倒披針形,先端鈍尖或急尖,基部漸狹,邊緣有細碎鋸齒,上面綠色,下面淡綠。傘形花序頂生,直立,上部帶紫綠色,有花 10 餘朵;花柄長或短;花藍紫色,漏斗狀。蒴果比花萼約長½。

分佈　生於高山草甸水溝邊或高山灌叢。分佈於雲南、四川、西藏。

採製　6～8 月採收,陰乾。

性能　苦,寒。清熱燥濕,瀉肝膽火,止血。

應用　用於小兒高熱抽風,急性胃腸炎,痢疾。用量 3～6g。外用研末撒敷。

文獻　《大辭典》上,2270。

3727　黃花報春

來源　報春花科植物錫金報春 Pri-
mula sikkimensis Hook. 的花。

形態　多年生草本，地下莖不顯
著，多鬚根。葉長披針形或狹倒卵
形，邊緣有細鋸齒；柄長 5～6
cm，基部有葉鞘。花葶高 20～
30cm，傘形花序 1 輪，有花 6～
10；苞片長披針形，被白粉；花梗
柔弱，下垂，長 2～3cm，被白
粉；花萼鐘狀，被白粉，裂片短，
三角形；花冠淡黃色，鐘狀，長
1.5cm，裂片倒卵形，頂端凹缺。
蒴果卵球形，種子光滑，淡黃色，
船形。

分佈　生於高山草原。分佈於雲
南、四川、西藏。

採製　6～8 月採收，曬乾。

性能　苦，寒。清熱燥濕，瀉肝膽
火，止血。

應用　用於小兒高熱抽風，急性胃
腸炎，痢疾。用量 3～6g。外傷出
血研末撒敷。

文獻　《大辭典》上，2270。

3728　三月花

來源　報春花科植物金粉雪山報春
Primula sinopurpurea Balf. f. 的根
或全草。

形態　多年生草本，鱗片膜質，帶
紅色。葉長圓狀卵形或披針形，長
5～35cm，寬 1.5～5cm，基部漸
狹，下面被金黃色粉；葉柄具膜質
寬翅。花葶高 10～25cm；苞片披
針形至鑽形，長 5～15mm；花梗
長 1～2.5cm，果時長可達 8cm；
花萼狹鐘狀，長 8～12mm，分裂
達中部；花冠紫藍色，喉部周圍白
色或灰色，具環，筒部長達 1.5
cm，冠檐直徑 2.5～3.5cm，裂片
闊橢圓形或近倒卵形。蒴果幾長於
花萼 1 倍。

分佈　生於高山灌叢中。分佈於雲
南西北部、四川西部。

採製　夏季採集，切碎曬乾。

性能　麻、微苦，微溫。止血，消
疳。

應用　用於產後流血不止，紅崩，
小兒疳積，結核，病後體虛。用量
9～15g。

文獻　《滙編》下，826。

3729　高穗花報春

來源　報春花科植物高穗花報春
Primula viali Delavay ex Franch. 的
花。

形態　多年生草本，根細弱。葉長
圓狀披針形，基部下延成柄，長
10～14cm，寬 2～3cm，兩面被纖
毛，花葶高 20～30cm，頂端有白
粉；穗狀花序，花多數；苞片披針
形；花萼鐘狀，紫色，長 4～5
mm，裂片狹卵形，先端具不整齊
缺刻；花冠深紫色，高腳碟狀，直
徑 10mm，花筒露出部分長約
6mm，裂片倒披針形，頂端凹
缺。蒴果橢圓形。

分佈　生於高山草甸、灌叢。分佈
於雲南、四川、西藏。

採製　7～8 月採集，陰乾。

性能　苦、甘，涼。

應用　用於肺膿，瘰癧，收斂已擴
散毒邪。

文獻　《迪慶藏藥》下，596。

3730 癃子草

來源 報春花科植物延脈假露珠草 Lysimachia decurrens Forst. f. 的全草。

形態 一年生或多年生草本，高 30～50cm，有特殊臭氣；莖直立，有縱稜。葉披針形或橢圓狀披針形，長 5～13cm，寬 1～4cm；基部下延成窄翅，葉兩面具長方形黑褐色腺點。總狀花序頂生，長 10～25cm；小花梗自下至上近等長，花冠白色，5 裂，裂片匙形，被褐色腺點，花柱細長，線狀，宿存。蒴果近球形，直徑 3～4mm，不規則開裂；種子細小，多數。

分佈 生於山坡疏林下或田邊、路邊草叢中。分佈於華南和西南各省。

採製 秋季採收，鮮用或曬乾。

性能 苦、辛，平。活血調經，消腫散結。

應用 用於月經不調；用量 12～15g。外用於頸淋巴結結核，跌打骨折。鮮品適量搗敷患處。

文獻 《滙編》下，414。

3731 小藍雪

來源 藍雪科植物架棚 Ceratostigma minus Stapf 的根。

形態 常綠灌木，高 0.5～1m；莖、枝帶紫紅色，具稜，被羽狀糙伏毛和混生星狀柔毛。葉倒卵形至匙形，長 0.5～3.5cm，寬 1～2cm，先端鈍或急尖，基部楔形下延，近無柄，兩面通常被白色鈣質鱗片，下面被糙伏毛，邊緣具刺狀緣毛。頭狀花序頂生和腋生，外苞片卵形，長 2～4.5cm，沿龍骨被糙伏毛，乾時黃褐色，宿存；花萼裂片長 5.8～6.6mm，邊緣白色，花冠藍色，高腳碟狀，5 裂，裂片先端微凹。蒴果蓋裂。

分佈 生於向陽山坡灌叢中，分佈於雲南、四川。

採製 全年可採，切碎曬乾。

性能 淡、微麻，溫。消炎止痛，祛風除濕。

應用 用於跌打損傷，風濕性關節炎，慢性腰腿痛，月經不調。用量 15g，加酒 500g，浸泡七天後日服二次，每次 10 毫升。

文獻 《雲南中草藥選》，48。《滙編》上，936。

3732 紫雪花

來源 藍雪科植物紅花丹 Plumbago indica L. 的全草。

形態 藤本，高 0.5～1.5m。葉長圓形或長圓狀披針形，長 5～15cm，寬 2～8cm，頂端急尖或鈍，基部楔形。穗狀花序頂生和腋生，長 15～30cm，花序軸無毛；苞片短於花萼；花萼筒狀，紅色，長 8～9mm，頂端 5 裂，具 5 稜，有腺毛；花冠高腳碟狀，紅色，筒長約 2.5cm，頂端 5 裂；雄蕊 5，與花冠裂片對生；花柱合生，基部有短毛。果實為蒴果，蓋裂。

分佈 生於山坡林緣。分佈於廣東、廣西、雲南。

採製 全年可採，洗淨曬乾。

性能 辛、苦，溫。有小毒。散瘀消腫，祛風殺蟲。

應用 用於風濕骨痛，跌打損傷，哮喘，月經不調，閉經。用量 3～15g。外用治跌打損傷，牛皮癬，適量搗敷患處。

文獻 《滙編》下，826。《傣藥誌》一，119。

3733 白檀根

來源 山礬科植物白檀 Symplocos paniculata (Thunb.) Miq. 的根及全株。

形態 落葉灌木或喬木。嫩枝和葉背通常疏生白色毛。葉卵狀橢圓形或倒卵狀橢圓形，長 3～9cm，寬 2～3.5cm，先端銳尖或短漸尖，基部闊楔形，邊緣具內曲尖銳鋸齒；葉柄長 4～5mm。頂生或腋生圓錐花序。花白色，稍有芳香。萼片 5，有睫毛；花瓣長圓狀橢圓形，長約 5mm，雄蕊約 25 枚。核果斜卵狀球形，藍黑色，長約 6mm，頂端 5 萼齒宿存。

分佈 生於山地林間、林緣灌叢中。分佈於華北、華中、華南、西南。

採製 全年可採，曬乾。

性能 苦、澀，微寒。消炎軟堅，調氣，散風解毒。

應用 用於乳腺炎，淋巴腺炎，疝氣，腸癰，胃癌，瘰癧。用量 9～24g。

文獻 《滙編》下，801。《大辭典》上，1471。

3734 珠仔樹

來源 山礬科植物珠仔樹 Symplocos racemosa Roxb. 的枝、葉。

形態 灌木或小喬木；芽、嫩枝、嫩葉下面、葉柄均被褐色柔毛。葉卵形或長圓狀卵形，長 7～9cm，寬 2.5～4.5cm，全緣或有稀疏的淺鋸齒。總狀花序長 4～8cm，花序軸和苞片均密被黃褐色柔毛；花萼長 3～4mm，無毛，裂片有睫毛；花冠長約 6mm，5 深裂達近基部；子房頂端五角形，被疏毛，柱頭 3 裂。核果長圓狀橢圓形，長 8～11mm。

分佈 生於低山雜木林中。分佈於雲南、廣西、廣東。

採製 全年可採，切碎曬乾。

性能 祛風除濕，消炎散瘀，止血。

應用 用於風濕痹痛，跌打損傷，外傷出血，眼熱症。

文獻 《廣西藥用植物名錄》，358。《圖鑒》三，313。

3735 夾竹桃葉素馨

來源 木樨科植物叢林素馨 Jasminum duclouxii (Lévl.) Rehd. 的根皮、葉。

形態 攀援狀灌木，小枝略具稜，灰棕色，無毛，皮孔明顯。葉披針形或長圓狀披針形，長 6～15cm，寬 2～5cm，先端尾狀漸尖，基部圓形，葉面暗綠色，背面灰綠色，柄長 4～7mm，無毛。傘形花序，腋生，總花梗長 2mm，花芳香，花梗長 3mm；苞片鑽狀，長 1.5mm；花萼鐘狀 5 裂；花冠白色或紫紅色，管長 1～1.3cm，裂片 5～6，長圓形，長 6～10mm，寬 5mm，先端圓鈍。果球形，徑 7～8mm，紫黑色。

分佈 生於山坡闊葉林下或灌叢中。分佈於雲南、廣西。

採製 全年可採挖，曬乾。

性能 舒筋活血，接骨散瘀。

應用 用於跌打損傷，骨折，扭挫傷，疥瘡。外用搗敷患處。

文獻 《廣西藥用植物名錄》，361。

3736　紅花木樨欖

來源　木樨科植物紅花木樨欖 Olea rosea Craib 的葉及果肉油。

形態　灌木或小喬木，高 2～4m。葉長橢圓形，卵狀橢圓形或披針形，長 6～14cm，寬 2～6cm，先端漸尖或尾狀漸尖，基部楔形或闊楔形，兩面無毛，側脈 6～12 對，葉柄長 5～10mm。圓錐花序頂生和腋生，被灰黃色柔毛，花雜性異株；花梗長 2mm，花萼長約 1mm，被柔毛，4 裂，裂片卵狀三角形；花冠紅色，長約 1.5mm，裂片 4，近圓形，長 0.5mm，先端圓鈍，邊緣內折。果橢圓形，長約 5mm，成熟時紫黑色。

分佈　生於低山溝谷密林及山坡疏林中。分佈於雲南南部。

採製　5～11 月採集，以果肉榨油，葉鮮用。

性能　清熱解毒，消炎。

應用　用於燒燙傷，喉炎，實熱症。

文獻　《雲南省中藥資源普查名錄》三，268。

3737　長穗醉魚草

來源　馬錢科植物長穗醉魚草 Buddleja macrostachya Benth. 的全株。

形態　灌木或小喬木，高 2～4m。小枝四稜形，具窄翅。葉長圓狀披針形，長約 28cm，寬約 7cm，背面密被星狀毛，邊緣具細鋸齒；無柄或近無柄；托葉葉狀。頂生總狀聚傘花序，長達 33cm。花淡黃色或紫堇色，喉部橙黃色，芳香，柄長 2～3mm；花萼鐘形，長 4～6mm，外面密被星狀毛，裂片三角狀，長 2～2.5mm；花冠早落，長 9～13mm，外被絨毛狀星狀毛和金黃色腺點，花冠管裏面的基部被毛；裂片近圓形，長 2～4mm。蒴果長卵形，長約 8mm。

分佈　生於山坡灌叢。分佈於雲南、貴州。

採製　全年可採，切碎曬乾。

性能　辛，溫。祛風散寒，消積止痛。

應用　用於風濕關節痛，感冒。

文獻　《貴州中草藥名錄》，439。

3738　喉毛花

來源　龍膽科植物喉毛花 Comastoma pulmonarium (Turcz.) Toyokuni 的全草。

形態　一年生草本，高 5～30cm，莖四稜，具分枝。基生葉長圓形，長 15～22mm，寬 4～7mm，有短柄；莖生葉卵狀披針形或匙形，向上漸小，近無柄。花序頂生或腋生，排成聚傘狀；花 5 數，花萼開展；花冠淡藍色，具深藍色的縱脈，裂片橢圓形，冠筒鐘形，喉部具白色流蘇狀副花冠。子房無梗，花柱缺，柱頭 2 裂。蒴果長圓形。種子細小，圓珠形。

分佈　生於高山草坡地。分佈於雲南、西藏、青海。

採製　7～8 月採集，切碎曬乾。

性能　苦，寒。清熱，舒肝，利膽。

應用　用於肝、膽熱症，時疫發燒。

文獻　《迪慶藏藥》下，317。

3739　中甸喉毛花

來源　龍膽科植物中甸喉毛花 Comastoma traillianum (Forrest) Holub 的全草。

形態　一年生草本，高 6～20cm。莖四稜。基生葉有柄，長圓形，長 15～20mm，寬 4.5～6mm；莖生葉近無柄，卵狀披針形或匙形，長 6～24mm，寬 3～8mm，向上漸小。花 5 數，花萼 5 深裂；花冠淡紫紅色至深藍色，花冠管長約 13mm，上端 5 裂，裂片卵狀披針形，長約 9mm，喉部具白色流蘇狀副花冠。蒴果柱狀，長約 20mm，成熟時 2 裂，花冠裂片宿存。

分佈　生於高山草地。分佈於雲南。

採製　7～8 月採集，切碎曬乾。

性能　苦，寒。清熱，舒肝，利膽。

應用　用於肝、膽熱症，時疫發燒。

文獻　《迪慶藏藥》下，317。

3740　藍龍膽

來源　龍膽科植物細圓裂龍膽 Gentiana arethusae Burkill var. delicatula Marq. 的花。

形態　多年生草本，莖高 2～14cm。多枝叢生，被糙毛。葉輪生，中上部葉片線狀匙形或線形，長 5～12mm，寬 1.5～2mm。花單一頂生，花萼長 16～18mm，裂片線形，彎缺部平截；花冠淡藍色，具深藍色條紋，漏斗形，長 3.5～4.5cm，裂片卵形，長 6～7mm，先端具尾尖，冠褶截形或寬三角形；雄蕊生於花冠管下部，花絲鑽狀；子房狹橢圓形，長約 12mm，柄長約 8mm。

分佈　生於高山草甸、灌叢。分佈於雲南西北部、四川西部、西藏東南部。

採製　9 月採集，陰乾。

性能　苦，涼。清熱解毒。

應用　藏醫用於時疫熱，肺熱。

文獻　《迪慶藏藥》下，401。

3741　頭花龍膽

來源　龍膽科植物頭花龍膽 Gentiana cephalantha Franch. 的全草。

形態　多年生草本，高 10～20cm。莖斜升，分枝。葉長圓狀披針形，長 2.5～4cm，寬 0.5～1cm，先端鈍尖，營養枝的葉蓮座狀。花數朵簇生莖頂，頭狀，基部被 3～5 葉所包圍；花萼漏斗狀，裂片不等大，條狀披針形；花冠漏斗狀，裂片短尖，褶成不對稱三角形。雄蕊 5；柱頭 2 裂。蒴果。種子灰褐色。

分佈　生於山坡草地或林下。分佈於雲南、貴州、四川。

採製　8～9 月採集，切碎曬乾。

性能　苦，涼。消炎，消腫，乾"黃水"，開喉閉。

應用　用於喉部炎症，肝膽腑的熱症，四肢腫脹，"黃水"病，黑疤痘疹。

文獻　《迪慶藏藥》下，246。

3742　七葉龍膽

來源　龍膽科植物七葉龍膽 Gentiana heptaphylla Balf. f. et Forrest 的花。

形態　多年生草本，高 2～14cm，莖叢生，鋪散而斜升，具糙毛。葉輪生，通常 7，下部稀 5～6，中上部葉片線形或線狀匙形，長 5～12mm，寬 1.5～2 mm，最上部 2～3 輪密集，包圍花萼。花單生莖頂，萼長 16～18mm，裂片線形，彎缺部平截。花冠漏斗形淡藍色，具深藍色條紋，長 34～45mm，裂片卵形，長 6～7mm，先端具尾尖，冠褶截形或寬三角形。

分佈　生於高山草甸灌叢中。分佈於雲南、四川、西藏。

採製　9 月採集，陰乾。

性能　苦，涼。清熱解毒。

應用　用於時疫熱，肺熱。

文獻　《迪慶藏藥》下，401。

3743 小齒龍膽

來源 龍膽科植物小齒龍膽 Gentiana microdonta Franch. 的根。

形態 多年生草本，高 20～40cm。莖直立，圓柱形，光滑，基部宿存膜質殘葉柄。營養枝的葉叢生，寬披針形，長 10～15cm，寬 1.5～2cm，基部具柄，合生成鞘狀；莖生葉較小，匙形或長圓狀披針形，先端鈍尖頭，具 1～3 脈，基部漸狹成長柄。花多數集生成頭狀，頂生或腋生，有短梗；花萼佛焰苞狀，長約 1cm，具極小的 5 裂齒，通常帶紫色；花冠漏斗狀，藍色，長 3～4.5cm，裂片卵形。蒴果。

分佈 生於山坡草地或灌叢中。分佈於雲南、四川。

採製 秋季採挖，切碎曬乾。

性能 苦，寒。消炎除熱，瀉火。

應用 用於炎症，實熱症。

附註 《麗江地區中藥資源普查名錄》，39。

3744 粗壯龍膽

來源 龍膽科植物粗壯龍膽 Gentiana robusta King ex Hook. f. 的根。

形態 多年生草本，高 10～30cm。根粗壯，黑褐色。莖 3～5 叢生，粗壯。基生葉蓮座狀，葉片卵狀橢圓形或線狀橢圓形，長 8～33cm，寬 2～4.5cm，葉脈明顯 5～7 條，莖生葉披針形。聚傘花序集生莖頂端，呈頭狀或呈一輪腋生；無花梗；花萼筒長 1.8～2.2cm，一側開裂呈佛焰苞狀，萼齒 5，不整齊；花冠淡黃色或黃綠色，筒形，長 3.1～3.8cm，裂片卵形或卵狀三角形。蒴果內藏，橢圓狀披針形。

分佈 生於高山草甸。分佈於雲南、西藏。

採製 春秋採挖，切碎曬乾。

性能 苦，辛，平。祛風除濕，和血舒筋，清熱利尿。

應用 用於風濕痹痛，筋骨拘攣，黃疸，便血，骨蒸潮熱，小兒疳熱，小便不利。用量 4～9g。

文獻 《大辭典》下，3627。

3745 雜色龍膽

來源 龍膽科植物短柄龍膽 Gentiana stipitata Edgew. 的花。

形態 多年生草本，高 3.5～10 cm。莖自蓮座葉叢側旁斜升出，叢生狀不分枝。蓮座葉不發達，葉片近卵形，長約 18mm，寬約 5mm；莖生葉多對，下部的疏而較小，上部的密集而較大，橢圓形至匙形，長 10～16cm，寬 4～8mm。單花頂生，花萼長 18～22 mm，萼筒白膜質，裂片綠色，3 大 2 小，倒披針形，長 5～10 mm，花冠淺藍色或白色，具深藍色條紋或斑紋，長 25～45mm，裂片卵形。

分佈 生於高山河灘灌叢。分佈於雲南、四川、青海、西藏。

採製 8 月採集，陰乾。

性能 苦，涼。

應用 用於炭疽，風濕關節炎。

文獻 《迪慶藏藥》下，400。

3746 條紋龍膽

來源 龍膽科植物條紋龍膽 Gentiana striata Maxim. 的全草。

形態 一年生草本，高 15～30cm。莖斜升，自基部分枝，有稜，通常帶紫紅色。葉卵狀披針形，長 1.5～2.5cm，寬 0.8～1cm，先端急尖，邊緣下部及中脈上有糙毛，無柄。花單生莖頂端，花梗缺；花萼鐘狀，長 2～3cm，萼筒上具龍骨狀肋，粗糙，裂片披針形，短於萼筒；花冠淡黃色，有藍紫色條紋和斑點，漏斗狀鐘形，長 4～5.5 cm，裂片卵狀三角形。蒴果長圓形；柄長 1.5cm。

分佈 生於高山草叢。分佈於雲南、四川、青海、甘肅。

採製 7～8 月採集，切碎曬乾。

性能 苦，寒。清熱，舒肝，利膽。

應用 用於肝、膽熱症，時疫發燒。

文獻 《迪慶藏藥》下，318。《甘孜州藏藥植物名錄》一，49。

3747 雲南龍膽

來源 龍膽科植物雲南龍膽 Gentiana yunnanensis Franch. 的花。

形態 一年生草本，高 5～30cm。莖直立，多分枝，密被糙毛。葉匙形或倒卵形，長 1～3.5cm，寬 4～13mm，先端鈍圓，邊緣微粗糙，葉脈 1～3 條。花多數，單生或數朵簇生莖頂及葉腋；無花梗；花萼長 1.2～2.0cm，裂片 3 大 2 小；花冠黃綠色，稀淡藍色，外面具藍灰色斑點，筒形，長 2.2～2.6cm，裂片卵形，長 3～5mm，先端鈍，褶寬卵形。蒴果狹長圓形，長 1.1～1.3cm。

分佈 生於山坡草地或溪邊路旁。分佈於雲南、四川、西藏。

採製 7～8 月採集，陰乾。

性能 苦、澀，涼。清熱，解毒，利喉。

應用 用於時疫熱病，熱咳，喉炎熱閉。

文獻 《迪慶藏藥》下，399。

3748　狹萼扁蕾

來源　龍膽科植物狹萼扁蕾 Gentianopsis barbata (Froel.) Ma 的全草。

形態　二年生或多年生草本，高10～40cm。莖直立，四稜形，有分枝。莖基部的葉匙形或條狀披針形，排裂成輻射狀，長 1～4cm，寬 0.5～1cm；莖上部葉 4～10 對，條狀披針形。單花頂生，長 2～3.5cm；花萼筒狀鐘形，具 4 稜，頂端 4 裂，裂片邊緣具白色膜質邊，外面對條狀披針形，尾尖，內面對披針形，短尖；花冠藍紫色鐘狀，頂端 4 裂。蒴果。種子卵圓形。

分佈　生於高山草地或疏林下。分佈於雲南、青海、甘肅、陝西、山西、河南、河北、內蒙古、吉林、黑龍江。

採製　夏秋採集，切碎曬乾。

性能　苦，寒。清熱解毒，消腫。

應用　用於傳染性熱病，外傷腫痛，肝膽濕熱。

文獻　《阿壩州藥用植物名錄》，221。

3749　大花扁蕾

來源　龍膽科植物大花扁蕾 Gentianopsis grandis (H. Smith) Ma 的全草。

形態　多年生草本，高達 60cm，直立多分枝。葉對生無柄，莖基部葉寬而短，上部葉披針形，長3.5～7cm，寬 5mm，先端長漸尖。單花頂生，長 3.5～7cm；花萼漏斗狀，4 深裂，花冠鐘狀，藍紫色；筒長 3～5cm，先端 4 裂，裂片寬卵形，下部具流蘇狀緣毛，腺體 4，圓形；雄蕊 4，子房上位，具柄。蒴果成熟時 2 裂；種子多數。

分佈　生於山坡草地。分佈於雲南、四川。

採製　7～8 月採集，切碎曬乾。

性能　苦，寒。清肝膽熱，利膽，祛濕，利水，解毒。

應用　用於流感及肝膽病引起之發燒，時疫熱，腹水，水腫，小兒腹瀉，瘡毒。

文獻　《迪慶藏藥》下，316。

3750　濕生扁蕾

來源　龍膽科植物濕生扁蕾 Gentianopsis paludosa (Munro ex Hook. f.) Ma 的全草。

形態　多年生草本，高 30～60cm，全株光滑無毛。莖直立有分枝。基生葉片匙形，長 1.5～3cm，先端鈍，基部楔形下延成膜質柄；莖生葉片長圓狀披針形，長2～4.5cm。花單生莖頂，長 3～6cm；花萼管狀鐘形，長 1.6～3.2cm，背面具 4 條龍骨狀凸起，萼齒 4；花冠管狀鐘形，筒部黃白色，檐部藍色，4 裂，裂片寬橢圓形，邊緣有細齒。蒴果長圓形，具長柄。

分佈　生於山披路旁或河灘等潮濕處。分佈於雲南、四川、西藏、青海、甘肅、陝西。

採製　夏季花蕾未開放時採集。

性能　苦、辛，寒。清熱解毒。

應用　用於急性黃疸性肝炎，結膜炎，高血壓，急性腎炎，瘡癤腫毒。用量 3～9g。

文獻　《滙編》下，412。

3751 大花側蕊

來源 龍膽科植物圓葉肋柱花 Lomato-gonium oreocharis (Diels) Marq. 的全草。

形態 多年生草本，高 7～17cm。根莖多分枝，發生多數不育枝及花莖；莖近四稜形。不育枝的葉蓮座狀，莖生葉疏離。葉片近圓形，長 6～13cm，寬 5～9mm，先端圓形，邊緣微粗糙，基部突然收縮成柄，葉柄扁平，最上部莖生葉無柄。花 1～2 朵頂生，5 數，輻狀；花梗長 1.5～4cm，萼筒寬鐘形，長 2～3mm，裂片稍不整齊，匙形；花冠藍色或藍紫色，具深藍色縱脈紋，冠筒長 2～3mm，裂片 2 色。

分佈 生於高山坡草地。分佈於雲南、西藏。

採製 7～9 月採集，切碎曬乾。

性能 苦，寒。清熱，解毒，益骨。

應用 用於一切藥物中毒，骨熱。

文獻 《迪慶藏藥》下，296。

3752 大鐘花

來源 龍膽科植物大鐘花 Megacodon stylophorus (C.B. Clarke) H. Smith 的花及根、葉。

形態 多年生草本，高達 1.5m。莖單生，直立，粗壯，中空。葉全部莖生，葉卵狀橢圓形或橢圓形，長 7～22cm，寬 3～7cm，端急尖，抱莖。花單生葉腋或莖端，組成總狀花序；花萼鐘形，長約 2.5cm，5 深裂；花冠黃綠色，具綠色網脈，寬漏斗形，長 4～6cm，5 深裂。蒴果橢圓狀披針形，長 5～6cm；種子橢圓形。

分佈 生於高山灌叢中或林下。分佈於雲南、西藏。

採製 6～7 月採花，根、葉 8～10 月採挖，切碎曬乾。

性能 花：苦，涼。清腑熱、膽熱，解毒，止血，消腫。根、葉製煎膏，效同。

應用 用於肝膽熱症，黃疸，二便不通，炭疽病，瘡癰，外傷。

文獻 《迪慶藏藥》下，244。

3753 美麗獐牙菜

來源 龍膽科植物美麗獐牙菜 Swertia angustifolia Buch. -Ham. ex D. Don var. pulchella (Buch. -Ham. ex D. Don) Burkill 的全草。

形態 一年生草本，高 20～60 cm。莖直立，少分枝，四稜形，稜上有狹翅。葉片狹披針形，長 2～4cm，寬 0.3～0.5cm，先端尖，無柄。狹總狀聚傘花序，頂生或腋生，花小，長 1cm，具淡紫色小斑點，花梗短；花萼 4 深裂，裂片披針形；花冠白色 4 深裂，裂片長圓形，短尖，基部具圓形腺窩。蒴果圓錐形。

分佈 生於荒山草地。分佈於雲南、四川、貴州、廣西、廣東。

採製 全年可採，切碎曬乾。

性能 苦，涼。清熱解毒，除濕。

文獻 《廣西藥用植物名錄》，440。《圖鑒》三，405。

3754 黃花獐牙菜

來源 龍膽科植物黃花獐牙菜 Swertia kingii Hook. f. 的全草、花。

形態 多年生草本，高 70～100 cm。莖中空。基生葉橢圓形，長 12～18cm，寬 5～9cm，側脈 7～9，葉柄扁平，長 5～13cm；莖生葉無柄，長 3～10cm，寬 0.7～4 cm，向上部漸小，最上部葉苞片狀，先端急尖，基部半抱莖。聚傘花序頂生和腋生，組成疏散的有間斷的圓錐狀花序；花梗長至3cm；花 5 數，直徑 2～2.5cm；花萼長 10～12mm，裂片卵狀披針形，邊緣具稀疏的細鋸齒；花冠黃綠色，長 15～17mm。

分佈 生於高山草甸或灌叢。分佈於雲南、西藏。

採製 7～8 月採集，切碎曬乾。

性能 苦，寒。清熱，續筋脈，止血，生肌。

應用 用於時疫，黃疸，腹痛，痢疾，腑熱，瘡癤，跌打，外傷。花用於止咳。

文獻 《迪慶藏藥》下，619。

3755 膜邊獐牙菜

來源 龍膽科植物膜邊獐牙菜 Swertia marginata Schrenk 的花。

形態 多年生草本，高 5～35cm。主根黑褐色，具多數細長的鬚根。莖直立，不分枝，光滑，綠色。基生葉片長卵圓形，長 3～9cm，寬 1～1.5(2.2)cm，先端圓或鈍，基部漸狹成葉柄，葉柄較寬，扁平，長 1.5～2cm；莖生葉對生，稀互生，橢圓形，長 7～10mm，寬 3～4mm，基部抱莖。花單生或數花在莖頂呈聚傘花序；萼片長約 1cm，花冠裂片披針形，長約 1.8cm。

分佈 生於高山草甸或灌叢。分佈於雲南、西藏、青海。

採製 7～8 月採集，陰乾。

性能 苦，寒。退燒，利膽。

應用 用於流行性感冒。

文獻 《青藏高原藥物圖鑒》一，126。

3756 雞腸風

來源 龍膽科植物雙蝴蝶 Tripterospermum fasciculatum (Wall.) Chater。

形態 多年生纏繞草本。莖具稜或條紋，少分枝。基部的葉密集呈蓮座狀，葉片橢圓形，長3～5cm，莖生葉對生。花大，頂生或1～3簇生葉腋，長達5cm；苞片2，披針形；花萼具5條龍骨狀突起，頂端5裂，裂片條形；花冠紫色漏斗狀，裂片短，長圓形，漸尖，二裂片間有寬褶，雄蕊5，頂端下彎。蒴果長圓形；種子盤狀，具翅。

分佈 生於林下或路邊灌叢中。分佈於西南、中南、華東及廣西。

採製 7～9月採集，切碎曬乾。

性能 養陰潤肺，活血止痛，驅蟲，清熱解毒。

應用 用於肺結核，百日咳，月經不調，腹脹，皮膚發癢，跌打損傷，驅蛔蟲。

文獻 《雲南藥用植物名錄》，304。《廣西藥用植物名錄》，440。

3757　黃秦艽

來源　龍膽科植物黃秦艽 Veratrilla baillonii Franch. 的根。

形態　多年生草本，高 30～45(～85)cm。根粗壯，黃色。莖直立，粗壯，中空，基部殘存枯葉柄。不育枝的葉蓮座狀，具長柄，葉片長圓狀匙形或寬披針形，長 5～14cm，寬 1.2～2cm，葉脈 3 條；莖生葉卵狀橢圓形或橢圓形，長 3.5～8cm。複總狀聚傘花序；花單性，雌雄異株；花萼綠色，4 深裂，裂片卵狀披針形；花冠黃綠色，具紫色脈紋。蒴果無柄，卵圓形；種子深褐色，寬腎形。

分佈　生於高山草甸或灌叢中。分佈於雲南。

採製　秋季採挖，切片曬乾。

性能　苦，寒。有毒。清熱解毒，消炎，殺蟲。

應用　用於肺熱咳嗽：根 3g，水煎分 3 次服。阿米巴痢疾：根 1.5g，草血竭 3g。水煎服。燒傷：研細末調凡士林外搽。

文獻　《滙編》下，824。

3758　老虎刺

來源　夾竹桃科植物假虎刺 Carissa spinarum Linn. 的根。

形態　常綠有刺灌木，高 1～3m，有白色乳汁，主根粗壯，側根多，有特殊腥氣，莖多分枝，具成對、細長的棘刺，有時刺頂端分叉，小枝被微毛。葉革質，卵形至橢圓形，長 2～5.5cm，無毛，具光澤。聚傘花序，有花 3～7，花白色，長約 1.5cm，高腳碟狀，冠筒長約 1cm，裏面被毛。漿果橢圓球形，直徑 4～6cm，成熟時紫黑色；有種子 2，盾形，具皺紋。

分佈　生於山地稀樹灌木叢中。分佈於雲南、貴州和四川。

採製　全年可採，鮮用或曬乾。

性能　辛、苦，平。消炎止痛，活血散瘀。

應用　用於急、慢性肝炎，脾臟腫大，水腫，風濕性腰腿痛。用量 15～30g。

文獻　《雲南中草藥選》續集，486；《滙編》下，803。

3759　巖山枝

來源　夾竹桃科植物思茅山橙 Melodinus henryi Craib 的果實。

形態　粗壯木質藤本，除花序被微柔毛外，其餘無毛；莖皮灰棕色。葉橢圓狀長圓形至披針形，長 6～19cm，寬 2.2～6.5cm，先端急尖或漸尖。聚傘花序生於枝頂的葉腋內，長 4～55cm，着花稠密；花蕾圓筒狀，頂端鈍形；萼片卵圓形，花冠白色，冠片卵圓形；副花冠生於冠筒喉內成鱗片狀。漿果長橢圓狀，長約 9cm，直徑約 5cm。種子扁平。

分佈　生於山地常綠闊葉林中。分佈於雲南、貴州。

採製　秋季採集，曬乾。

性能　甘、微辛，寒。解熱，解痙，活血散瘀。

應用　用於小兒角弓反張(腦膜炎)，骨折。用量 15g。

文獻　《滙編》下，804。《雲南植物誌》三，512。

3760　毛車藤

來源　蘿藦科植物毛車藤 Amalocalyx yunnanensis Tsiang 的根。

形態　藤狀灌木，全株有乳汁，密被灰白色長柔毛。葉寬倒卵形或長圓形，長 5～15cm，寬 3～8cm，頂端有小尖頭，基部緊縮成耳形，側脈 8～9 對。聚傘花序腋生，有花 2～5，花冠淡紅色，近鐘狀，長 2.2cm，裂片 5，向右覆蓋。蓇葖果並生，圓柱狀披針形，長 8～10cm，直徑 4～6cm；種子卵圓形，頂端有黃絹質種毛，長約 4cm。

分佈　生於山坡或平壩的路邊灌叢中。分佈於雲南南部。

採製　全年可採，切段，曬乾。

性能　甘，平。催乳。

應用　用於婦女缺乳。用量 10～15g。

文獻　《滙編》下，803。

3761　白花牛角瓜

來源　蘿藦科植物白花牛角瓜 Ca-lotropis procera (Ait.) Dry. ex Ait. 的根皮、莖皮、葉。

形態　灌木，高 2～3m，全株各部有白色乳汁；幼枝密被灰白色絨毛。葉倒卵狀長圓形，或寬橢圓形，長 7～20cm，寬 3.5～13cm，基部心形或耳形，幼時兩面被白色絨毛，側脈 5～8 對。傘形狀聚傘花序頂生和腋生，花序梗和花梗被灰白色絨毛；花冠白色，裂片卵圓形，長達 15mm，副花冠淡紫色，短於合蕊柱。蓇葖果膨脹，腎形，果梗向上彎拱，被絨毛。

分佈　生於房前屋後空曠地上或路邊草叢中。僅雲南南部有零星栽培。

採製　夏、秋間採集，鮮用或曬乾。

性能　淡、澀，平。有毒。祛痰定喘。

應用　用於哮喘，百日咳，支氣管炎。用量 15～20g。鮮用適量塗擦癩癬。

文獻　《雲南植物誌》三，608；Dict. Econ. Pl., 69。

3762　羣虎草

來源　蘿藦科植物大理白前 Cy-nanchum forrestii Schltr. 的根。

形態　多年生直立草本，單莖，稀在近基部分枝，被單列柔毛，全株具白色乳汁。根狀莖短，叢生多數鬚根，細長，土黃色。葉寬卵形，長 4～8cm，寬 2～4cm，基部圓或近心形，下面被微柔毛，脈上尤甚，側脈 5 對。傘形狀聚傘花序腋生或近頂生，長 4～6cm，着花 10 餘朵，花長和直徑約 3mm，花冠黃綠色，輻狀，具緣毛，副花冠肉質，裂片三角形。蓇葖通常單生，稀雙生，披針形，上尖下狹，長約 6cm；種子扁平，種毛長約 2cm。

分佈　生於高山草地上，分佈於西藏、四川、貴州和雲南。

採製　夏、秋間採集，曬乾。

性能　苦、鹹，涼。清熱涼血，退熱除煩。

應用　用於陰虛發熱，久熱不退，產後發熱，虛煩失眠。用量 3～6g。

文獻　《滙編》下，40。

3763　朱砂藤

來源　蘿藦科植物朱砂藤 Cynan-chum officinale (Hemsl.) Tsiang et Zhang ex Tsiang et P.T.Li 的根。

形態　纏繞藤本。主根圓柱狀。嫩莖具單列毛。葉卵形或卵狀長圓形，長 5～12cm，基部寬 3～7.5cm，先端漸尖，基部耳形，下面被微柔毛；葉柄長 2～6cm。傘形聚傘花序腋生，長 3～8cm，有花約 10 朵；花萼裂片外面被微柔毛，裏面基部有腺體 5；花冠淡綠色或白色；副花冠肉質，深 5 裂，裂片卵形，裏面中部具圓形的舌狀片。蓇葖果通常單生，頂端漸尖，長約 11cm，直徑約 1cm。

分佈　生於溝谷水邊、灌叢或疏林下。分佈於西南、中南、華東及陝西、甘肅。

採製　秋季採挖，切片曬乾。

性能　苦，溫。有小毒。理氣，止痛，強筋骨，除風濕，明目。

應用　用於胃痛，腹痛，腰痛，跌打損傷。用量 3～6g。

文獻　《滙編》下，807。

3764　西藏牛皮消

來源　蘿藦科植物西藏牛皮消 Cynan-chum saccatum W.T. Wang ex Tsiang et P.T. Li 的根。

形態　草質纏繞藤本；莖中空。葉卵形至三角狀卵形，長 4～11cm，寬 2～7cm，先端長尾狀漸尖，基部耳垂形，上面被微硬毛，下面沿脈被短柔毛；葉柄長 3～5cm。聚傘花序傘形狀，腋生，被微柔毛；花萼 5 裂，裂片披針形，外面被微柔毛，基部彎曲處具 5 枚腺體；花冠紫紅色，輻狀，5 深裂，直徑約 1.2cm，裂片三角狀長圓形，裏面密被柔毛。蓇葖果單生，長 6cm，直徑 1cm。

分佈　生於林中或草地潮濕處。分佈於雲南、四川、西藏。

採製　秋季採挖，切片曬乾。

性能　苦，寒。清熱涼血，止血。

應用　用於陰虛內熱，外傷出血。

附註　《雲南省中藥資源普查名錄》三，307。

3765　斷節參

來源　蘿藦科植物昆明杯冠藤 Cynan-chum wallichii Wight 的根。

形態　多年生草質藤本。根粗壯，肉質。莖被單列毛。葉卵狀長圓形，長 4～9cm，基部寬 2～4cm，耳垂狀心形，垂片圓形而內向，上面被柔毛，下面蒼白色，側脈 3～4 對。傘房狀聚傘花序腋生，有花 10～20朵，花冠白色或淡黃色，輻狀近鐘形。蓇葖果單生，近紡錘形，長約 6.5cm，徑約 1.5cm。種子頂端具長約 1cm的白色絹質冠毛。

分佈　生於山坡路邊灌叢中。分佈於四川、貴州、雲南和廣西。

採製　秋、冬間採集，鮮用或曬乾。

性能　甘、微苦，溫。壯腰健腎，強筋骨。

應用　用於腎虛腰痛，病後體弱，營養不良。用量 30～60g，燉肉吃。跌打損傷，骨折。用量 15～30g，泡酒服；鮮品搗敷患處。

文獻　《大辭典》下，4689。

3766 生藤

來源 蘿藦科植物鬚藥藤 Stelmatocrypton khasianum (Benth.) Baill. 的根。

形態 纏繞藤本，長 2～3m，根有濃烈香氣。葉狹橢圓形，長 4～9cm，寬 2～4cm，光滑無毛，葉脈淡紅色，側脈 9～10 對，網脈明顯。聚傘花序腋生，有花 4～5，淡黃色。蓇葖果成對，平展，橢圓狀卵形，長 5～7cm，直徑約 2cm，先端有彎鉤。種子多數，橢圓形，扁平，棕黃色，頂端具一簇細長的白色絲質冠毛。

分佈 生於山坡林下或路邊灌叢中。分佈於廣西西南部和雲南南部。

採製 夏、秋間採集，鮮用或切段曬乾。

成分 根含揮發油，主要成分為 2-羥基-4-甲氧基苯甲醛 2-hydroxy-4-methoxyl。

性能 甘，溫。祛風通絡，行氣止痛。

應用 用於感冒，支氣管炎，風濕關節痛，胃痛。用量 6～15g。

文獻 《滙編》上，272。

3767 月光花

來源 旋花科植物月光花 Calonyction aculeatum (L.) House 的全草。

形態 草質、纏繞大藤本，長可達 10m，全株有白色乳汁。葉卵狀心形，長 8～15cm，寬 5～8cm。聚傘花序腋生，有花 1～5，花冠高腳碟狀，白色，帶有淡綠色褶紋花冠筒長 8～10cm，簷部 5 淺裂，直徑 7～12cm；雄蕊 5，伸出。蒴果卵形，長約 3cm，4 裂，基部為宿存萼所包圍；種子橢圓形，長 0.8～1cm，黑褐色。

分佈 原產熱帶美洲，全國熱帶地區庭園常栽培，有時亦見逸生。

採製 夏、秋間採集，通常鮮用。

應用 用於蛇咬傷。鮮品適量搗爛敷患處。

文獻 《廣西藥用植物名錄》，459。

3768　虎掌藤

來源　旋花科植物虎掌藤 Ipo-moea pes-tigridis Linn. 的根。

形態　一年生纏繞草本，莖具開展的白色長硬毛。葉輪廓近圓形或橫向橢圓形，長 4.5～8cm，寬 5.5～10cm，掌狀 5～7 深裂，裂片橢圓形或長橢圓形，基部收縊，兩面被疏長硬毛。聚傘花序密集成頭狀，腋生，花序梗長 4～11cm，毛被同莖；有明顯的總苞，苞片內外 2 層，全面被毛；花近無柄，花冠白色，漏斗狀，長 3～4cm。蒴果卵球形，長約 7mm，2 室。種子 4，表面有灰白色短絨毛。

分佈　生於熱帶河谷灌叢中。分佈於台灣、廣東和廣西、雲南南部。
採製　秋、冬間採集，切片曬乾。
性能　瀉下，鎮咳，止血。
應用　用於咯血。用量 10～15g。
文獻　《廣西植物名錄》二，674。

3769　密花滇紫草

來源　紫草科植物密花滇紫草 Onosma confertum W.W. Smith 的根皮或根。

形態　粗壯草本，高 30～120cm。主根長而粗，紫黑色。莖直立，綠色微帶紫色。基生葉條狀披針形，長 4～15cm，寬 0.5～1.5cm，兩面被硬毛，葉柄具翅，基部鞘狀；莖生葉與基生同形，向上漸小。聚傘花序頂生或腋生，被疏硬毛；花密集，花梗長 0.6～1.2cm；苞片與葉同形；花萼長 0.9～1.3cm，5 裂至近基部；花冠紅色或紫色，長 1.3～1.8cm。小堅果近卵形。

分佈　生於高山草坡或礫石縫中。分佈於雲南、四川。
採製　9～10 月採集，切碎曬乾。
性能　甘、苦，涼。清肺熱，解毒，止血，和血。
應用　用於肺炎，肺癰，肺結核，咯血，高山多血症。
文獻　《迪慶藏藥》下，476。

3770　多枝滇紫草

來源　紫草科植物多枝滇紫草 Onosma mulfiramosum Hand.-Mazz. 的根皮或根。

形態　多年生草本，高 20～60cm。莖直立或斜升，通常具多數分枝，基部粗約 0.6cm，被伸展的長硬毛。莖生葉多數，下部葉倒披針形，長 8～18cm，中部葉披針形至卵狀長圓形，長 3～6cm，寬 0.5～1.5cm。聚傘花序小，多數；花梗長 2～4mm，花萼長 6～9mm，5 裂片纖細，花冠白色或淺黃色，不明顯的二唇形，長 8.5～10mm，簷部 5 淺裂，裂片三角形。小堅果長 3mm，具小瘤狀突起和凹痕。

分佈　生於山坡乾燥多礫石地帶。分佈於雲南、四川。
採製　9～10 月採集，切碎曬乾。
性能　甘、苦，涼。清肺熱，解毒，止血，和血。
應用　用於肺炎，肺癰，肺結核，咯血，高山多血症。
文獻　《迪慶藏藥》下，475。

3771 毛球蒨

來源 馬鞭草科植物毛球蒨 Caryopteris trichosphaera W.W. Sm. 的花枝。

形態 灌木，高 0.5～1m，幼枝密生絨毛和腺毛。葉寬卵形至長卵形，長 2～3cm，先端鈍，邊緣具數對圓齒，上面具疏毛，下面密被絨毛，下部葉柄長 10mm，漸上至無柄。聚傘花序腋生，近球形，密被長絨毛，密集，具短梗；花萼長約 3mm，披柔毛與腺毛，5 深裂，花冠白色至青紫色，長 6mm，管長 5mm，喉內具毛環，檐部 5 裂。蒴果藏於增大的萼內，棕色，果外面具狹翅。

分佈 生於乾旱山坡。分佈於雲南、西藏、四川及青海南部。

採製 7～8 月採集，曬乾。

性能 苦、辛，涼。殺蟲，合潰瘍，乾膿水。

應用 用於傳染病發燒，急性炎症，咽喉病，炭疽，臁瘡。

文獻 《迪慶藏藥》上，180。

3772 腺茉莉

來源 馬鞭草科植物腺茉莉 Clerodendrum colebrookianum Walp. 的根。

形態 灌木，高 1～2m，小枝四稜形，散生皮孔。葉心形或廣卵形，長 15～32cm，全緣或疏生腺尖小齒，被微柔毛，基部三出脈腋有盤狀腺體，葉柄長 7～20cm。聚傘花序排列成傘房狀，通常 4～6 枝組成；花白色，花冠管長 1.5～2.2cm，雄蕊和花柱突出於花冠之外。核果近球形，成熟時藍綠色或亮黃色，乾後果皮皺成網紋，直徑約 1cm，花萼宿存，紫紅色，增大為碟狀。

分佈 生於低山、平壩向陽的疏林下或河溝旁灌叢中。分佈於兩廣、雲南和西藏。

採製 全年可採，鮮用或切片曬乾。

性能 微苦，涼。散瘀消腫。

應用 用於跌打腫痛，外用適量搗敷患處。

文獻 《綱要》一，407。

3773　白靈藥

來源　馬鞭草科植物臭茉莉 Clerodendrum philippinum Schau. var. simplex Moldenke 的根、莖、葉。

形態　灌木，高約 1m，幼枝近四稜形，被短柔毛。葉寬卵形，長 9～16 cm，寬 6.5～16cm，邊緣疏生粗齒牙，兩面被毛，基部 3 出脈腋有數個盤狀腺體，葉揉爛有臭氣。聚傘花序頂生，密集，長約 10cm，花冠裂片單瓣，白色，花冠管長 2.5～3cm，伸出花萼外，雄蕊和花柱突出花冠之外，花柱較雄蕊長。核果近球形，直徑約 8mm，包藏於增大的宿存花萼內。

分佈　生於林緣或村旁路邊陰濕處。分佈於廣東、廣西、貴州和雲南南部。

採製　全年可採，鮮用或曬乾。

應用　根用於食物中毒，火眼，產婦食慾不振。用量 30～60g。莖、葉外用於子宮脫垂。

文獻　《綱要》一，409。《傣藥誌》一，99。

3774　小葉荊

來源　馬鞭草科植物小葉荊 Vitex microphylla (Hand.-Mazz.) P'ei 的種子、葉、果、根。

形態　灌木，高 2m。小枝，總柄、序軸均被灰白色絨毛。掌狀複葉 5 枚，小葉披針形，中間小葉最大，長 1.5～4cm，先端尖，基部楔形，全緣，側脈兩面隆起。花序由密集對生具短梗的聚傘花序式組成穗狀圓錐花序，頂生或生於枝上部葉腋，花萼鐘形，齒裂，花冠淡紫色，長 5～8mm，下唇與冠筒近等長。核果球形，密被短柔毛，為增大的宿萼所包被。

分佈　生於乾旱河谷或山坡灌叢。分佈於雲南、西藏。

採製　秋季採收果實、種子；根、葉全年可採，曬乾。

性能　種子：苦、辛、澀，涼。清熱散鬱，止咳。

應用　種子：用於感冒發燒，咳喘，胃痛。果、根、枝、葉：有散寒止咳等效。

文獻　《迪慶藏藥》上，151。《雲南種子植物名錄》下，1707。

3775 疏序黃荊

來源 馬鞭草科植物疏序黃荊 Vitex ne-gundo L. f. laxipaniculate P'ei 的根。

形態 灌木或小喬木，高 2～4m。枝葉有香氣。幼枝四稜形，密被灰白色細絨毛。葉掌狀五出，稀三出；小葉橢圓狀卵形，長 4～9cm，寬 1.5～3.5cm，中間小葉最大，兩側次第減小，邊緣有波狀鈍鋸齒，或較小的葉全緣，下面密被灰白色絨毛，側脈 6～14 對。頂生疏散的圓錐花序，分枝長可達 22cm；花冠淡紫色，唇形，長約 6mm，上唇 2裂，下唇 3 裂。核果卵球形，直徑約2.5mm，下半部包於宿萼內。

分佈 生於向陽坡地的灌叢中。分佈於雲南。

採製 全年可採，切片、曬乾。

性能 辛，溫。解表，袪風濕，理氣止痛，截瘧，驅蟲。

應用 用於感冒，咳嗽，風濕，胃痛，痧氣腹痛，瘧疾，蟯蟲病。用量 6～12g。

文獻 《大辭典》下，4199。

3776 布荊

來源 馬鞭草科植物微毛布荊 Vitex qui-nate (Lour.) Will. var. puberula Mol-denke 的根、莖、葉、果實。

形態 常綠喬木，高 15～20m，幼枝四方形。掌狀複葉，葉柄長 4～12cm，小葉通常 5，稀 3，中間 1 片較大，其餘較小，基部通常偏斜，倒卵狀披針形或橢圓狀披針形，長 15～20cm，寬 5～8cm，上面無毛，有白色腺狀突起，脫落後成小凹穴，下面密被金黃色腺點，沿中脈被微柔毛，側脈 6～10 對。頂生圓錐花序，長 15～20cm，分枝對生，花淡黃色。果成熟時紫黑色，梨狀球形，徑約 6mm；萼宿存，果期增大如盤狀。

分佈 生於山坡雜木林中。僅雲南南部和西南部有分佈。

採製 根、莖、葉全年可採；果實秋季採收，陰乾；葉亦可鮮用。

性能 根：苦、微辛，平。消炎止咳，清熱化痰，退熱鎮靜。葉：苦，涼。清熱解表。果實：苦、辛，溫。止咳定喘，理氣止痛。

應用 用於支氣管炎，小兒發熱不安。用量 15～25g。

文獻 《傣藥誌》二，79。《綱要》一，417。

3777 止痢蒿

來源 唇形科植物彎花筋骨草 Ajuga campylantha Diels 的全草。

形態 多年生草本，高 6～16cm。葉長橢圓形至長圓狀卵形，長 4～6.5cm，寬 1.5～2.6cm，邊緣具淺波狀齒或淺波狀圓齒，具緣毛，兩面被糙伏毛；柄長 0.8～1.5cm。穗狀花序頂生，苞片卵形；萼鐘形，具 10 脈，長 5～6mm，萼齒 5，三角狀卵形，長為花萼的 ⅔，具長緣毛；花冠白色，具紫色條紋，管狀，長 1.3～1.8cm，外面被長柔毛，裏面被疏柔毛，近基部具毛環；簷部二唇形，上唇 2 裂，下唇大。

分佈 生於高山灌叢或草地。分佈於雲南西北部。

採製 6～8 月採集，切碎曬乾。

性能 苦，寒。止痢。

應用 用於痢疾。

文獻 《綱要》一，425。《雲南省中藥資源普查名錄》四，35。

3778 白苞筋骨草

來源 唇形科植物白苞筋骨草 Ajuga lupulina Maxim. 的全草。

形態 多年生草本，具地下走莖。地上莖粗壯，高 8～10cm。葉柄具狹翅，基部抱莖；葉片披針狀長圓形，長 5～11cm，寬 1.8～3cm，邊緣疏生波狀圓齒或近全緣。穗狀聚傘花序由多輪傘花序組成；苞片大，向上漸小，淡黃或綠紫色，卵形，長 3.5～5cm，抱軸，花梗短；花萼鐘狀，齒 5，有毛；花冠乳白色，長 14mm，裂片半圓形，花冠管長 12mm。

分佈 生於高山草坡或疏林潮濕處。分佈於雲南、四川、甘肅、青海。

採製 夏季採收，切碎，曬乾。

性能 苦，寒。解熱消炎，活血消腫。

應用 用於癆傷咳嗽，吐血氣癰，跌損瘀凝，面神經麻痹，梅毒，炭疽。用量 6～12g。

文獻 《滙編》下，838。

3779 齒苞筋骨草

來源 唇形科植物齒苞筋骨草 Ajuga lupulina Maxim. var. major Diels 的全草。

形態 多年生直立草本。莖高 18～35cm，被白色長柔毛。葉披針狀長圓形，長 5～11cm，寬 1.8～3cm，兩面被疏柔毛；葉柄短，具狹翅。輪傘花序 6 至多花，密集成假穗狀花序；苞片大，白色、黃色或暗紫色，邊緣具齒；花萼鐘狀，平行脈 10，萼齒 5，近相等；花冠白色，白綠色或淡黃色，具紫斑，筒狹漏斗狀，長 1.8～2.5cm，簷部近於二唇形，上唇小，2 裂，下唇伸延。小堅果倒卵狀三稜形，背部具網狀皺紋。

分佈 生於高山草地或陡坡石縫中。分佈於雲南西北部及四川西南部。

採製 7～8 月採製，切碎曬乾。

性能 苦、辛，涼。清熱，解毒，鎮痙。

應用 用於熱性病，癲癇，腦炎，炭疽，疔瘡，癰疽。

文獻 《綱要》一，427。《迪慶藏藥》下，531。

3780　吉籠草

來源　唇形科植物吉籠草 Elsholtzia communis (Coll. et Hemsl.) Diels。

形態　一年生草本。莖高 60～100cm，被捲曲微柔毛。葉片長卵形至長圓形，長 2～6.5cm，兩面被微柔毛，下面有透明腺點；葉柄長 0.2～2cm。假穗狀花序圓柱形，頂生；苞片具睫毛；花萼筒狀鐘形，外面密被白色綿毛，花後萼齒頂端外彎。花冠淡紫色，長約 3mm，外面被柔毛，上唇直伸，頂端微凹，下唇 3 裂，中裂片圓形。小堅果長圓狀橢圓形，被微柔毛。

分佈　生於曠地，多為栽培。分佈於雲南、貴州。

採製　全年可採，曬乾。

性能　辛，涼。清熱解毒，解表。

應用　用於傷風感冒。用量 15g。扁桃體炎，搗鮮汁服。外用治疔瘡，搗敷患處。

文獻　《滙編》下，839。

3781　萼果香薷

來源　唇形科植物萼果香薷 Elsholtzia densa Benth. 的全草。

形態　一年生草本，高 10～50cm，全株有香氣。莖直立或傾斜，四稜形，被柔毛。葉片卵形，橢圓形至披針形，先端尖或鈍，基部漸狹，邊緣有鋸齒，兩面被短柔毛，下面具黃褐色油點。穗狀花序頂生，圓柱形；花小，淡紫紅色；苞片橢圓形；萼鐘形，5 齒裂，具柔毛；花冠 4 裂。小堅果橢圓形，長約 2mm。

分佈　生於山地河谷、溪邊。分佈於新疆、陝西、甘肅、西藏、雲南。

採製　夏、秋花初開時採收，陰乾。

性能　辛，微溫。發汗，解暑，利濕，行水。

應用　用於傷暑感冒，腎炎。用量 6～9g。外用治膿瘡及皮膚病。

文獻　《大辭典》下，4804。《迪慶藏藥》下，460。

3782 黃花香薷

來源 唇形科植物黃花香薷 Elsholtzia eriostachya Benth. 的全草。

形態 一年生草本，高 15~37 cm。莖四稜形，常帶紫紅色，被微柔毛。葉長圓形至卵狀長圓形，長 0.8~4cm，寬 0.4~1.5cm，邊緣具鋸齒或圓齒，兩面被柔毛。穗狀花序圓柱狀，頂生，由多數花密集的輪傘花序所組成，最下部苞葉與葉近同形但變小，上部苞葉呈苞片狀，寬卵圓形。花萼鐘形，外面密被淡黃色串珠狀長毛。萼齒三角形；花冠黃色，外面被微柔毛。小堅果橢圓形，長 1.4mm，褐色。

分佈 生於高山疏林下。分佈於雲南、四川、西藏。

採製 夏秋採收。曬乾。

性能 辛、澀，溫。健胃。

應用 用於脾胃虛弱。外治皮膚瘙癢。

文獻 《綱要》一，434。《迪慶藏藥》下，460。

3783 綿參

來源 唇形科植物綿參 Eriophyton Wallichii Benth. 的全草。

形態 多年生草本，高約 15cm。根狀莖肉質，肥厚，有肉質肥厚的鱗片。莖較粗壯，莖上部葉密生，無柄；葉片寬卵形，菱形或圓形，長約 4cm，寬約 3cm，側脈掌狀，邊緣有粗齒，兩面密被長綿毛。輪傘花序腋生，具 6 花，藏於葉腋中；小苞片刺狀，花萼寬鐘形，花冠淡紫色至粉紅色，二唇狀，上唇寬大盔狀，下唇較小，3 裂。小堅果寬倒卵球狀三稜形。

分佈 生於高山頂流石灘上。分佈於雲南、四川、西藏。

採製 8~9 月採收，洗淨曬乾。

性能 苦，寒。清熱解毒。

應用 用於肺炎，痢疾，水草中毒，食物中毒。用量 6~24g。

文獻 《滙編》下，254。

3784 穗花荊芥

來源 唇形科植物穗花荊芥 Nepeta laevigata (D. Don) Hand. -Mazz. 的全草。

形態 草本，高 20~80cm，被白色短柔毛。葉卵形或三角狀心形，長 2~6cm，下面密被白色短柔毛。假穗狀花序頂生，密集成圓柱狀；苞片卵形至披針形，頂端驟尖，小苞片芒狀條形，被白色柔毛；花萼茼狀，萼齒 5，後 3 齒稍長，狹披針形，具芒狀尖頭；花冠藍色，上唇深 2 裂，下唇 3 裂。小堅果卵形，具光澤。

分佈 生於高山路邊灌叢中。分佈於四川、雲南、西藏。

採製 夏秋採挖，曬乾。

性能 淡，涼。祛風，發汗，解熱。

應用 用於傷風感冒，頭痛發熱，怕冷，咽喉腫痛，結膜炎，麻疹不透，跌打損傷，毒蛇咬傷，疔瘡癤腫。

文獻 《綱要》一，451。

3785　圓齒荊芥

來源　唇形科植物圓齒荊芥 Nepeta wilsonii Duthie 的花序。

形態　多年生草本；根木質暗褐色。莖高 35～70cm，不分枝，四稜形，疏被倒向的短柔毛。葉長圓狀卵形或橢圓狀卵形，長 4～7.4cm，寬 1.9～3cm，邊緣為密圓齒狀，先端一圓齒較大，兩面被短柔毛，側脈 6～8。輪傘花序生於莖頂 2～6 節上；苞片披針形至線形，被長睫毛。萼長 9～11mm；花冠紫色或藍色，有時白色，長 18～25mm，冠檐二唇形。小堅果扁長圓形，長 2.8mm，腹面具稜。

分佈　生於山地草坡。分佈於雲南、四川。

採製　7～8 月採集，切碎曬乾。

應用　用於腦病，癲病。

文獻　《迪慶藏藥》下，540。

3786　白毛扭連錢

來源　唇形科植物扭連錢 Phyllophyton complanatum (Dunn) Kudo 的全草。

形態　多年生草本，根莖木質，褐色。全株除花冠裏面無毛外，餘皆被白色長柔毛或柔毛。莖高 13～25cm，四稜形，下部通常無葉，呈紫紅色。葉通常覆瓦狀緊密排列於莖上部，莖中部的葉較大，寬卵狀圓形，圓形或近腎形，長 1.5～2.5cm，寬 2～3cm，基部楔形至心形，邊緣具圓齒及緣毛。聚傘花序通常 3 花，具梗，苞片與葉同形；小苞片線狀鑽形；花萼管狀；花冠淡紅色，長 1.5～2.3cm，冠筒管狀，向上膨大，冠檐二唇形。小堅果長圓狀卵形。

分佈　生於高山砂石坡地。分佈於雲南、西藏。

採製　7～9 月採集，切碎，曬乾。

性能　辛、苦，涼。清熱，消炎，殺蟲，止痛。

應用　用於炎症，乳蛾，蟲病，胸痛。

文獻　《迪慶藏藥》下，341。

3787 銀紫丹參

來源 唇形科植物毛地黃鼠尾 Salvia digitaloides Diels 的根。

形態 多年生草本。莖高 30～60cm，密生長柔毛。葉通常為基生葉，葉片長圓狀橢圓形，長 3.5～11cm，上面被疏柔毛，下面密被白色短絨毛；柄長 6～8cm。花序假總狀或呈圓錐狀，頂生；苞片倒卵形或卵圓形，被長柔毛；花萼鐘狀，長 10～12mm，外面被長柔毛，具紫色脈紋，二唇形，上唇寬三角形，頂端有 3 突尖，下唇淺 2 裂，裂片三角形，先端尖；花冠黃色，有淡紫色斑點，長 3～3.5cm。小堅果倒卵圓形，光滑。

分佈 生於松林下或草坡上。分佈於雲南西北部。

採製 秋季採挖，切片曬乾。

成分 含丹參酮 II A 0.043%、次甲丹參醌 0.07%。

性能 苦，寒。祛瘀止痛，活血調經，養心除煩。

應用 用於月經不調，經閉，宮外孕，肝脾腫大，心絞痛，心煩不眠，瘡瘍腫毒。

文獻 《綱要》一，464。《雲南省中藥資源普查名錄》四，72。

3788 靈藍香

來源 唇形科植物少毛甘西鼠尾草 Salvia przewalskii Maxim. var. glabrescens Stib. 的根。

形態 多年生草本，根近木質，長圓錐狀，外皮紅褐色，長 10～15cm。莖高達 60cm，自基部分枝，上升成叢，密被短柔毛。基生葉和莖生葉具柄，葉片三角狀或橢圓狀戟形、稀心狀卵圓形，有時具圓的側裂片，長 5～11cm，寬 3～7cm，邊緣具近整齊的圓齒狀牙齒，下面多少被短柔毛或近於無毛。輪傘花序有花 2～4，疏離，組成頂生的總狀花序，長 8～20cm，苞片卵圓形，被長柔毛，花梗與序軸密被疏柔毛。花萼鐘形，花冠紫紅色。小堅果倒卵圓形，灰褐色，無毛。

分佈 生於林緣。分佈於雲南、四川。

採製 春秋採挖，曬乾。

性能 苦，寒。祛瘀生新，活血調經，清心除煩。

應用 用於月經不調，產後瘀血腹痛，神經衰弱失眠，心悸。用量 9～15g。忌與藜蘆同用。

文獻 《滙編》上，218。

附註 此變種民間亦作丹參用。

3789　褐毛丹參

來源　唇形科植物褐毛甘西鼠尾草 Salvia przewalskii Maxim. var. mandarinorum (Diels) Stib. 的根。

形態　多年生草本，根粗壯，長 15～30cm，外皮紫褐色。莖高達 60cm，自基部分枝，密被短柔毛。葉片三角形或橢圓狀戟形，長 5～11cm，寬 3～7cm，邊緣具圓齒狀牙齒，下面乾時被污黃或淺褐色絨毛。輪傘花序有花 2～4，組成頂生的總狀花序，花梗與序軸密被疏柔毛；苞片卵圓形，被長柔毛。花萼鐘形，花冠紫紅色。小堅果倒卵圓形，灰褐色。

分佈　生於林緣、溝邊或灌叢中。分佈於雲南、四川。

採製　春秋採挖，曬乾。

性能　苦，微寒。袪瘀生新，活血調經。

應用　用於月經不調，產後瘀血腹痛，神經衰弱失眠，心悸。用量 9～15g。忌與藜蘆合用。

文獻　《滙編》上，218。

3790　紅褐甘西鼠尾

來源　唇形科植物紅褐甘西鼠尾 Salvia przewalskii Maxim. var. rubrobrunnea C.Y. Wu 的根。

形態　多年生草本。根肥厚，紅色。莖高達 60cm，密被長柔毛。基生葉具長柄。葉片三角狀或橢圓狀戟形，稀心狀卵形，長 5～11cm，上面被微硬毛，下面被白色絨毛。花序假總狀，頂生，長 8～20cm，苞片卵形或橢圓形，兩面被長柔毛；花萼鐘狀，長約 11mm，外面密被具腺長柔毛，二唇形，上唇三角狀半圓形，頂端有聚合短尖頭 3，下唇 2 齒；花冠紅褐色，長 2.1～3.5cm。小堅果倒卵圓形。

分佈　生於高山陽坡。分佈於雲南迪慶。

採製　秋季採挖，切片曬乾。

性能　苦，溫。袪瘀，生新，調經。

應用　用於月經不調，心悸，創傷。

文獻　《迪慶藏藥》下，334。《雲南省中藥資源普查名錄》四，74。

3791 黏毛鼠尾

來源 唇形科植物黏毛鼠尾草 Salvia roborowskii Maxim. 的全草、果實。

形態 草本，根長錐形，褐色。莖直立，多分枝，鈍四稜形，具4槽，密被有黏腺的長硬毛。葉戟形或戟狀三角形，長3～8cm，先端銳尖或鈍，邊緣具圓齒，兩面被粗伏毛。輪傘花序4～6花，上部苞片披針形或卵圓形，被長柔毛及腺毛；花萼鐘狀二唇形，上唇三角狀半圓形，先端具三個短尖頭，下唇淺裂成2齒；花冠黃色，短小，外被疏柔毛或近無毛。小堅果倒卵圓形，暗褐色。

分佈 生於山坡草地潮濕處。分佈於雲南、四川、西藏、青海。

採製 秋季採割，曬乾。

性能 甘、微苦，平。滋肝，明目。

應用 用於產後虛弱，乳汁不足，目赤腫痛。用量3～15g。

文獻 《綱要》一，467。

3792 三分三

來源 茄科植物三分三 Anisodus acutangulus C.Y. Wu et C. Chen 的根、莖、葉。

形態 多年生草本，莖高1～1.5m，全株無毛；主根粗大，有少數肥大的側根，根皮黃褐色，斷面淺黃色。葉卵形或橢圓形，長8～15cm，寬3～6cm。花單生，梗長1～3cm；花萼漏斗狀鐘形，萼齒4～5；花冠漏斗狀鐘形，淡黃綠色，裂片半圓形，裏面被柔毛，近基部具5對紫斑。蒴果近球形，宿存萼長為果的1倍左右，聚包果實。

分佈 生於山坡、田埂上或林下、路旁。分佈於雲南。

採製 秋季採挖，陰乾或曬乾。

成分 含阿托品類生物鹼1～2%。根、種子含山莨菪鹼、樟柳鹼等。

性能 辛、苦，溫。有大毒。麻醉鎮痛，祛風除濕。

應用 用於骨折，跌打損傷，關節疼痛，胃痛以及膽、腎、腸絞痛。用量0.3～1.0g。

文獻 《滙編》下，27。

3793　麗山莨菪

來源　茄科植物麗山莨菪 Anisodus luridus Link et Otto var. fischerianus (Pascher) C.Y. Wu et C. Chen 的根。

形態　多年生宿根草本，莖高 50～120cm，全株密被絨毛和星狀毛或幾無毛。根黃褐色。葉卵形至橢圓形，長7～15（～22）cm，寬 4～8.5（～11）cm，全緣或呈波狀，有時具疏緣毛。花下垂，花萼花冠鐘形，花冠裂片常帶褐紫色，花冠管裏面基部具 5 塊紫斑；通常僅檐部伸出萼外，裂片半圓形。果球形或近卵形。宿存萼為果長的 1 倍。

分佈　生於山坡草地或灌叢中。分佈於雲南、西藏。

採製　秋季挖根，陰乾或曬乾。

性能　辛、苦，溫。有大毒。麻醉鎮痛，袪風除濕。

應用　用於骨折，跌打損傷，關節疼痛。用量 6g，泡酒 250g，一週後，日服一次，六天服完。外用適量敷傷口。

文獻　《雲南植物誌》二，548。《麗江中草藥》，50。

3794　中亞天仙子

來源　茄科植物中亞天仙子 Hyoscyamus pusillus L. 的種子。

形態　一年生草本。高 6～60cm，全株有腺毛。莖纖細。葉互生，菱狀披針形至披針狀條形，長 3～10cm，寬 0.5～3cm，先端鈍或銳尖，基部楔形，全緣或有疏齒；葉柄纖細。花單生於葉腋，梗短或近無柄；花萼鐘狀倒圓錐形，長8～13mm，5 淺裂，裂片有刺尖，果時增大成狹筒狀漏斗形，基部狹窄成錐形，長 1.6～2.5cm；花冠筒狀漏斗形，黃色，喉部暗紫色，5 淺裂；雄蕊 5，蒴果卵球形。

分佈　生於高山灌叢中。分佈於雲南、西藏、新疆。

採製　秋季果實成熟時採集，曬乾。

性能　苦，溫。有大毒。解痙鎮痛，安神。

應用　用於胃腸痙攣，胃痛，腹瀉，脫肛，神經痛，咳嗽，哮喘，癔病，癲狂。用量 0.05～0.6g。

文獻　《滙編》下，828。

3795　茄參

來源　茄科植物茄參 Mandragora caulescens C.B. Clarke ssp. purpurascens Griers. et Long 的根、果實。

形態　多年生草本，高 20～60cm，根肉質，直徑約 2cm，長達 30cm。莖上部分枝或不分枝。單葉互生，長圓形至倒卵狀披針形，長 5.0～25cm，寬 2～8cm，先端急尖或鈍，基部漸狹下延成狹翅，全緣，上面被疏柔毛。花單生或近簇生，梗長 4～8mm，花萼直徑 2～2.5cm，裂片三角狀卵形，果時增大；花冠輻狀鐘形，暗紫色，5 中裂，雄蕊5。漿果球形，直徑 15～30mm。

分佈　生於高山陽坡、草叢中。分佈於雲南、四川、西藏。

採製　根 9～10 月採挖，果 8 月採摘。切碎曬乾。

性能　根：苦，寒。有毒。止痛消腫，殺蟲，鎮靜。

應用　根：用於腸蟲病，胃病，"黃水"病，腎病，癲狂，炭疽，癰疽。果：殺蟲，胃病，腎病等。

文獻　《迪慶藏藥》下，358。

3796　革葉兔耳草

來源　玄參科植物革葉兔耳草 Lagotis alutacea W.W. Smith 的全草。

形態　多年生矮小草本，高 6～15cm。根狀莖斜升，粗壯，肉質，不分枝，長可達 7cm；根多數，條形。莖單一或 2～4 叢生。基生葉 3～6，柄長 2～5cm，扁平，有翅，基部擴大成鞘狀；葉片近圓形，寬卵形至寬卵狀長圓形，長 2～6cm；莖生葉少數，生於莖頂端接近花序處，有短柄或近無柄，與基生葉同形而較小。穗狀花序，花稠密，苞片倒卵形，花萼佛焰苞狀；花冠淡藍紫色或白色微帶褐黃色，長約 9～12mm。

分佈　生於高山草地或砂礫坡地。分佈於雲南、四川。

採製　7～8 月採集，切碎曬乾。

性能　苦，寒。效糙。清熱解毒，清血，除煩。

應用　藏醫用於"赤巴"高熱，煩熱，諸臟熱，血熱，腸痧，炭疽，瘡熱，筋傷。

文獻　《迪慶藏藥》下，655。

3797　鋸齒草

來源　玄參科植物齒葉母草 Lindernia ciliata (Colsm.) Pennell 的全草。

形態　矮小草本，高 10～20cm，莖直立，外側分枝披散，下部通常伏地。葉長圓形，長 1.5～2.5cm，寬 0.5～1cm，邊緣具密的銳刺狀鋸齒，無毛。總狀花序頂生，長 3～5cm，花對生，淡紅紫色或白色，花冠長 5～6mm，二唇形，上唇 2 裂，下唇 3 裂，能育雄蕊 2。蒴果圓柱形，長約 1cm，直徑不超過 1mm。

分佈　生於田邊、溪溝邊陰濕處或河邊砂灘上。分佈於台灣、廣東、廣西和雲南。

採製　夏、秋間採集，通常鮮用或曬乾。

性能　淡，平。清熱解毒，祛瘀消腫，止痛。

應用　毒蛇咬傷，跌打損傷，產後瘀血腹痛。用量 30～60g；煎服或搗汁服。外用鮮品搗敷患處。

文獻　《滙編》下，662。

3798　長舟馬先蒿

來源　玄參科植物長舟馬先蒿 Pedicularis dolichocymba Hand.-Mazz. 的根。

形態　多年生草本，高 13～45cm；根狀莖鞭狀，鬚根成叢，莖有溝稜，溝內有褐色毛。葉卵狀長圓形至披針狀長圓形，長 2.5～6cm，寬 3～20mm，上面中肋密被褐色短毛，下面中肋散生疏長毛，基部多少抱莖，邊緣有淺裂或重鋸齒。花序近頭狀至短總狀；苞片葉狀，向上漸小；花萼寬鐘狀；花冠筒長約 14mm，下唇斜展，裂片近相等，卵形，短於盔部，盔稍前俯，有疏毛，長 10～12mm。蒴果包藏於宿存萼內。

分佈　生於高山草坡或巖石縫中。分佈於雲南、四川、西藏。

採製　7～9 月採挖。切碎曬乾。

性能　淡、甘，溫。

應用　用於遺尿。

文獻　《迪慶藏藥》下，330。

3799　全緣馬先蒿

來源　玄參科植物全緣馬先蒿 Pedicularis integrifolia Hook. f. ssp. integerrima (Pennell et Li) Tsoong 的花。

形態　多年生草本，高 4～10cm，乾時變黑。根莖肉質，根紡錘形，長達 50mm，徑約 15mm。基生葉成叢，葉片狹長披針形，長 1～5cm，寬 5～8mm，先端漸尖。花少數，着生於莖頂端，苞片葉狀；萼圓筒形，長約 12mm，被腺毛，5 齒裂；花冠深紫色，管長約 20mm，盔長約 25mm，直立部分高 10mm，喙細長；下唇 3 圓裂。蒴果扁卵圓形，長約 15mm，包於宿存萼中。

分佈　生於高山草坡。分佈於雲南、四川、西藏。

採製　7～8 月採集，陰乾。

性能　甘、澀，溫。利尿，平喘，滋補，癒瘡。

應用　用於水腫，體弱，"黃水"病，瘡癤，氣喘。

文獻　《迪慶藏藥》下，281。

3800　長筒馬先蒿

來源　玄參科植物長筒長先蒿 Pedicularis longiflora Rudolph var. tubiformis (Klotz.) Tsoong 的全草。

形態　草本，高 10～20cm。根束生，表皮深褐色。莖單出或多條，直立，不分枝。基生葉常成密叢，有長柄；莖生葉互生，葉片羽狀淺裂至深裂，披針形至狹長圓形，裂片 5～9 對，有重鋸齒，齒常有胼胝而反捲。花腋生，花冠 2 唇形，黃色，在下唇近喉處有棕紅色的斑點兩個，花管細長，下唇 3 個裂片均有明顯的凹頭。

分佈　生於高山草地潮濕處。分佈於青海、四川、雲南、西藏。

採製　夏秋採挖。洗淨曬乾。

性能　澀，寒。利水，澀精。

應用　用於水腫，遺精，耳鳴，口乾舌燥。用量 1～3g。

文獻　《西藏常用中草藥》，359。

3801　華麗馬先蒿

來源　玄參科植物華麗馬先蒿 Pedicularis superba Franch. ex Maxim. 的全草。

形態　多年生草本，高 30～90cm。莖直立，節明顯。葉 3～4 枚輪生；葉柄在上部者基部常膨大；葉片長橢圓形，最下面 1～2 輪中最大者，長 9～13cm，羽狀全裂，裂片邊緣有缺刻狀齒或小裂片。穗狀花序；苞片基部膨大結合成斗狀體，上端葉狀；花萼膨大，花萼筒高過於斗狀體，長 22～25mm，花萼齒 5，花萼齒後方 1 枚最小，花萼齒後側方 2 枚最大；花冠紫紅色或紅色，長 37～50mm；筒長 15～30mm，盔部直立，近頂端處轉折成指向前下方的三角形短喙。

分佈　生於高山草地或開曠山坡，有時見於林緣蔭處。分佈於雲南、四川。

採製　7～8 月採集，曬乾。

性能　調經。

應用　用於月經過多，淋病。

文獻　《迪慶藏藥》下，678。

3802 毛盔馬先蒿

來源 玄參科植物毛盔馬先蒿 Pedicularis trichoglossa Hook. f. 的全草。

形態 多年生草本，高 13～60cm，莖有溝紋，溝中有毛。葉長披針形或條狀披針形，長 2～7cm，寬 0.3～1.5cm，羽狀淺裂或深裂，裂片具重鋸齒，上面中脈被褐色短毛。總狀花序長 6～18cm；萼斜鐘形，長 8～10mm，密被紫色長毛，萼齒三角狀卵形；花冠暗紫色；盔背密被紫紅色長毛，喙細長，後向；花柱微伸出喙端。蒴果寬卵形，稍扁，長於宿萼。

分佈 生於高山草地、灌叢下。分佈於滇西、川西、藏南。

採製 7～8 月採集，切碎曬乾。

性能 苦，涼。清熱解毒。

應用 用於胃潰瘍，肉食中毒。

文獻 《迪慶藏藥》下，376。

3803 中甸長果婆婆納

來源 玄參科植物中甸長果婆婆納 Veronica ciliata Fisch. ssp. zhongdianensis Hong 的全草。

形態 草本。高 1～6m，莖常單生。葉片卵狀披針形，長 15～55 cm，邊緣有鋸齒。總狀花序 1～4，側生於莖頂葉腋，長 10～100 mm，除花冠外各部被長柔毛或長硬毛，花梗長可達 6mm，苞片寬條形，長於花梗；花萼 5 裂，裂片條狀披針形，長達 8mm，寬 2 mm；花冠藍色至紫藍色，花冠筒部為檐部的 1.3～1.9 倍；花絲至少一半貼生花冠筒；花柱長 0.7～2mm。蒴果卵狀錐形，長 5～7mm，寬 3.5～4mm。種子長圓狀卵形，長約 0.7mm。

分佈 生於高山草坡或林下。分佈於雲南、四川、西藏。

採製 7～8 月採集。

性能 苦、甘，涼。清熱，癒瘡，生肌止血。

應用 用於炎症，瘡癤，創傷。

文獻 《迪慶藏藥》下，378。

3804 一支香

來源 玄參科植物水蔓青 Veronica linariifolia Pall. ex Link ssp. dilatata (Nakai et Kitagawa) Hong 的全草。

形態 多年生草本，高 50～90cm。葉片倒卵狀披針形至條狀披針形，長 2.5～6cm，寬 0.5～2cm，基部漸狹成柄，邊緣具疏鋸齒。花密集，排列成穗形的總狀花序，花藍紫色，長約 5mm，花冠 4 裂，雄蕊 2，突出花冠之外。蒴果扁圓，先端微凹，花柱長，果期宿存。

分佈 生於山地草坡。分佈於華東和西南各省。

採製 夏、秋間採集，鮮用或切段曬乾。

性能 苦，寒。清肺，化痰，止咳，解毒。

應用 用於慢性氣管炎，肺化膿症，咳吐膿血。用量 10g。外用於痔瘡，皮膚濕疹，風疹瘙癢，瘰癧瘡瘍。鮮品適量煎水洗患處。

文獻 《滙編》下，558。《大辭典》上，0009。

3805 穗花玄參

來源 玄參科植物穗花玄參 Scrophularia spicata Franch. 的全草。

形態 多年生草本，高 50～150 cm。莖略成四稜形，有白色髓心，稜上有狹翅，上部有短腺毛，下部有疏長毛。葉片長圓狀卵形至卵狀披針形，長達 10cm，寬達 4cm，基部兩側多少不等，寬楔形至微心狀戟形，邊有圓齒或較尖的鋸齒。葉柄長約 5cm，具狹翅。花序頂生，狹長穗狀，長達 50cm，聚傘花序複出，花多而密；萼片長 4～5mm，花冠綠色或黃綠色，長 8～10mm。蒴果，長卵形，長約 8mm。

分佈 生於高山草地或灌叢。分佈於雲南西北部。

採集 7～8 月採集。切碎曬乾。

性能 甘，涼。解熱透疹。

應用 用於麻疹，天花，水痘等高燒。

文獻 《迪慶藏藥》下，558。

3806 野蘿蔔

來源 紫葳科植物密生波羅花 Incarvillea compacta Maxim. 的花、種子和根。

形態 多年生草本，高達 20cm。羽狀複葉，聚生於莖基部，長約 8～15cm，小葉 5～13 枚，側生小葉卵形，頂端漸尖，基部圓形，長 2～3.5cm，寬 1～2cm；頂端的一個小葉近圓形，較側生小葉大；全緣。總狀花序，從葉叢中抽出，花聚生於莖頂端，密集，1 至多花，花冠淡紅色微紫，長 3.5～4cm，徑約 2cm；花萼管鐘形，具深紫色斑點，果時宿存。

分佈 生於高山多礫石地帶。分佈於雲南、四川、西藏、甘肅。

採製 6～7 月採花，8～9 月採種子和根，曬乾。

性能 苦，平。消食，亮耳，調經，利肺，降血壓。

應用 用於胃病，黃疸，消化不良，耳流膿，耳聾，月經不調，高血壓，肺出血。

文獻 《青藏高原藥物圖鑒》一，392。

3807 單葉波羅花

來源 紫葳科植物單葉波羅花 Incarvillea forrestii Fletcher 的花、種子、根及葉。

形態 多年生草本，莖高 30(～60)cm。單葉，互生，紙質、葉不分裂，卵狀長橢圓形，兩端近圓形，長 6～8(～20)cm，寬 3.5～5.5(～14)cm，上面綠紫色，下面微淡；邊緣具圓鈍齒；側脈 7～9 對。頂生總狀花序，花序梗長約 2～4cm，小苞片 5～12mm，花鐘形，長約 5.5cm，徑約 3.5cm，有花 6～12，密集在植株頂端；花粉紅色，花冠管內面有紅色條紋及斑點；花萼鐘形。蒴果披針形，四稜。

分佈 生於高山多石草坡。分佈於雲南、四川。

採製 葉、花 5～7 月；根、種子 8～9 月採集。曬乾。

性能 花：苦、甘，溫。消脹脹，斂"黃水"。種子：苦，平。消炎，利耳。根：苦，溫。滋補。

應用 花用於"黃水"病，脹脹，氣滯，消化不良。種子用於中耳炎，耳痛，耳膿。根用於虛弱，頭暈，胸悶，腹脹，咳嗽，月經不調。葉治咳嗽。

文獻 《迪慶藏藥》下，668。

3808　土地黃

來源　紫葳科植物多小葉雞肉參 Incarvillea mairei (Lévl.) Grierson f. multifoliolata C.Y. Wu et W.C. Yin 的根。

形態　多年生草本，無莖，高達 30cm。葉根生，羽狀複葉長約 15～20cm，葉軸有時具狹翅；側生小葉 4～8 對，卵狀披針形，長 1～2.5(～5)cm，寬 5～14(～30) mm，邊緣具細齒至近全緣，頂生的一枚小葉較大。總狀花序着生花序近頂端，花 2～4；小苞片線形細長；花大，紫紅色，花冠鐘形，長 7～10cm，直徑達 5～7cm。蒴果木質，長約 8cm。

分佈　生於石山草地。分佈於雲南、四川。

採製　夏季採挖，曬乾備用或鮮用。

性能　甘、苦，涼。生用涼血生津；乾用和血；熟用補血，調經。

應用　用於產後少乳，體虛，久病虛弱，頭暈，貧血，骨折腫痛。用量鮮品 18g。

文獻　《迪慶藏藥》下，668。

3809　中華角蒿

來源　紫葳科植物中葉角蒿 Incarvillea sinensis Lam. spp. variabilis (batal.) Grierson 的全草。

形態　多年生草本，高 80cm。葉 2～3 回羽狀細裂，長 4～6cm，形態多變，小葉不規則細裂，裂片線狀披針形。頂生總狀花序，長達 20cm，疏散；花冠淡紅色，鐘狀漏斗形，基部收縮成細管，花冠裂片半圓形，長約 4cm；花萼鐘形，萼齒鑽狀，基部膨大成腺體；小苞片綠色線形。蒴果淡綠色，圓柱形，細長，頂端長尾狀漸尖。

分佈　生於高山草甸潮濕處。分佈於雲南、四川、甘肅、陝西。

採製　夏秋採割全草，切碎曬乾。

性能　辛、苦，溫。散風祛濕，解毒止痛。

應用　風濕關節痛。用量 6～9g。外用治瘡瘍腫毒，適量煎湯熏洗患處。

文獻　《迪慶藏藥》下，666。《滙編》上，713。

3810　千斤墜

來源　列當科植物千斤墜 Boschniakia himalaica HK. f. et Thoms. 的帶根全草。

形態　寄生性草本，高 15～45cm，根莖膨大球形，莖肉質，圓柱狀，褐色。葉鱗片狀，近根莖處覆瓦狀排列，中部以上互生，三角狀卵形，長 10～15mm。總狀花序長 8～20cm，花密集，暗紫紅色，梗長 5～10mm，苞片與鱗葉同形；花萼淺杯狀，先端 5 齒裂；花冠唇形，長 15～20mm，上唇直立，下唇遠短於上唇，不明顯三齒；雄蕊二強，伸出筒外；心皮 3，呈丁字形側膜胎座。蒴果卵狀橢圓形，3 瓣開裂。

分佈　生於高山林下。分佈於雲南、四川。

採製　夏季採挖，曬乾備用。

性能　甘、鹹，溫。有毒。理氣，止痛，止咳，祛痰，消脹，健胃。

應用　用於胃痛，腹脹，跌打損傷，風濕性關節痛，月經不調，血吸蟲病。外用治腮腺炎。用量 1.5～3g。

文獻　《迪慶藏藥》下，352。《綱要》一，481。

附註　本品慎用。如中毒灌服熟豬油可解。

3811 滇列當

來源 列當科植物滇列當 Orobanche yunnanensis (G. Beck) Hand. -Mazz. 的全草。

形態 植株高達 30cm，具綿毛，莖基部稍膨大而具稠密輪生的鱗葉。莖上的鱗葉披針形至長圓狀披針形，長 10～15mm，寬 3～5mm。穗狀花序 5～10cm，苞片披針形，長 13～16mm；萼筒前後長度不等，先端 4 裂，前 2 裂較寬短，後 2 裂較狹長；花冠肉黃色 5 裂，凋謝時淡黃褐色至淡藍紫色，長約 2cm，外面被微腺毛，上唇 2 裂片半圓形，下唇 3 裂片邊緣有淺波狀齒。

分佈 寄生於蒿屬或傘形科植物根上。分佈於雲南西北部、貴州西北部、四川西部。

採製 8～9 月採集，切碎曬乾。

性能 補腎壯陽，強筋骨。

應用 用於腰酸腿痛，陽痿。

文獻 《西藏植被》附錄：藥用植物 394。

3812 螞蝗七

來源 苦苣苔科植物螞蝗七 Chirita fimbrisepala Hand. -Mazz. 的根狀莖。

形態 多年生草本，根狀莖密生橫環紋，葉基生，卵形、寬卵形或近圓形，稍偏斜，長 5～10cm，寬 3.5～11cm，邊緣有小齒，兩面被疏長伏毛；葉柄有伸展的毛。花葶 1～4，高 10～20cm；聚傘花序，有 1～4 朵花；苞片條狀披針形；花萼長約 1cm，5 深裂，裂片條狀披針形，上部邊緣有小齒；花冠紫色，長約 5.5cm，外面疏生短柔毛，上唇 2 裂，下唇 3 裂。蒴果長達 8cm，密生短腺毛。

分佈 生於林中巖石上。分佈於雲南、廣東、廣西、湖南、江西。

採製 全年可採，曬乾備用。

性能 苦，涼。健脾消食，清熱利濕，活血止痛。

應用 用於小兒疳積，胃痛，肝炎，痢疾，肺結核咳血。用量 6～18g。外用治刀傷出血，無名腫毒，跌打損傷，鮮根適量搗敷。

文獻 《滙編》下，455。

3813 大花珊瑚苣苔

來源 苦苣苔科植物大葉珊瑚苣苔 Corallodiscus kingianus (Craib) Burtt 的全草。

形態 多年生草本。葉多數，基生，僅外層的葉片有柄，菱狀狹卵形，長 2～5.5cm，寬 1.4～3cm，邊緣有淺鈍齒，下面密生鏽色柔毛；葉柄寬而扁。花葶 2～6 條，長 6～11cm，密被鏽色柔毛；聚傘花序傘狀，有 5～20 朵花；花萼與花梗密被鏽色柔毛，花萼長約 2.6mm，5 淺裂；花冠紫藍色，長 10～18mm，上唇較短，2 裂，下唇 3 裂。蒴果條形，長約 1cm，無毛。

分佈 生於山坡石上或陡巖上。分佈於雲南。

採製 7～8 月採集，切碎曬乾。

性能 苦，涼。解毒，強精。

應用 用於熱瀉，男性不育，腎病，早泄，肉食或烏頭中毒，外傷，瘡癤。

文獻 《迪慶藏藥》下，466。

3814 巖枇杷

來源 苦苣苔科植物鏽毛旋蒴苣苔 Paraboea rufescens (Fr.) Burtt 的全草。

形態 多年生草本。根狀莖粗壯，頂部生出地上莖 1～2，長約 7cm，節密集，被鏽色氈毛。葉長圓形或狹橢圓形，長 5～12cm，寬 2.2～5cm，邊緣密生小鈍齒，上面被短柔毛，下面和葉柄密被鏽色或灰色氈毛。聚傘花序傘狀，腋生，有花 6～10 朵，花冠淡紫紅色，二唇形，長 1～1.5cm，上唇 2 裂，下唇 3 裂，能育雄蕊 2。蒴果長 2～3.5cm，螺旋狀扭曲。

分佈 生於石山巖石縫中。分佈於廣西、貴州和雲南。

採製 全年可採，鮮用或曬乾。

性能 甘、微澀，溫。止咳，解毒，鎮痛，生肌，固脫。

應用 用於咳嗽，子宮脫垂。用量 15g；外用於癰瘡紅腫，骨折。鮮品適量搗敷患處。

文獻 《滙編》下，834；《元江哈尼族藥》，36。

3815　蛤蟆葉（車前）

來源　車前科植物波葉車前 Plantago major L. var. sinuata (Lam.) Decne 的全草。

形態　多年生草本，高 8～12cm，根狀莖粗短，着生多數白色鬚根。葉基生，近直立，卵形至寬卵形，長 3～8cm，寬 2～3.5cm，先端鈍圓，邊緣波狀，弧形脈通常 5。穗狀花序密生小花，長 6～12cm；花極小淡綠色，花冠漏斗形，頂端 4 裂，長約 1mm。蒴果圓錐形，長 3～4mm，有種子 6～10，長圓形，長約 1.5mm，棕黑色。

分佈　生於路旁空曠地上，房前屋後陰涼潮濕處。分佈於廣東、廣西和雲南。

採製　夏、秋間採集，通常鮮用，亦可曬乾。

性能　甘、淡，寒。消腫止痛，續筋接骨。

應用　用於跌打損傷，骨折。鮮品適量，搗爛包敷患處。

文獻　《傣藥誌》一，8。

3816　愛地草

來源　茜草科植物愛地草 Goephila herbacea (L.) O. Ktze. 的全草。

形態　匍匐草本；莖和分枝細長，被微柔毛，節上生根。葉近腎形，有時為寬卵形或近圓形，長 1～2cm，基部深心形，下面被微柔毛，掌狀脈 5～7 條。花單生或數朵排成頂生傘形花序，花 4 數，花冠白色，裂片披針形，與花冠管近等長。核果近球形，直徑約 8mm，成熟時鮮紅色，有分核 2。

分佈　生於低山坡陰濕的林下。分佈於華南各省和雲南南部。

採製　全年可採，尤以夏、秋間為佳。鮮用或曬乾。

性能　消腫，拔膿。

應用　用於疔瘡癤腫，跌打腫痛，無名腫毒。用鮮品適量搗敷患處，亦可用乾品研粉與水調敷。

文獻　《廣西藥用植物名錄》，386。

3817　黑節草

來源　茜草科植物脈耳草 Hedyotis costata Roxb. 的全草。

形態　一年生草本。莖直立，圓柱形，高 30～50cm，基部木質，節略膨大，稍帶紫色。葉對生，長圓狀披針形或卵狀橢圓形，長 4～12cm，寬 1.5～4cm，先端漸尖，基部闊楔形，全緣，上面綠色，下面粉綠色，葉脈下面隆起，側脈 4 對弧形伸展；托葉連合成杯狀，有線形裂齒。頭狀花序腋生，花序柄長 0.5～2.5cm，小花淡黃色。蒴果球形。

分佈　生於山坡路旁草叢中。分佈於雲南、廣西、廣東。

採製　全年可採，切碎曬乾。

性能　辛、苦，溫。清熱除濕，消炎接骨。

應用　用於瘧疾，肝炎，風濕骨痛，結膜炎。用量 9～15g。

文獻　《大辭典》下，4945。

3818　涼喉茶

來源　茜草科植物頭序耳草 Hedyotia capitellata Wall. 的全株。

形態　多年生攀援狀草本，莖有槽及細條紋，節膨大，節上有明顯合生的托葉鞘，鞘具纖毛，多分枝。單葉對生。葉柄短，葉片長橢圓形或橢圓狀披針形，長 2～11cm，寬 1.5～4cm，先端漸尖或尾尖，基部楔形，側脈 3～4 對。圓錐狀聚傘花序頂生，花小，花冠白色。蒴果寬倒卵形，棕黑色。

分佈　生於向陽山坡灌叢中。分佈於廣東、雲南。

採製　全年可採，切碎曬乾備用。

性能　辛、苦，平。潤肺，止咳，接骨。

應用　用於氣管炎，肺炎，肺結核，口腔炎。用於 15～30g。外用治骨折，鮮品適量搗敷患處。

文獻　《滙編》下，475。

3819 石老虎

來源 茜草科植物藏丁香 Hymen-opogon parasiticus Wall. 的根、全株。

形態 附生多枝小灌木,通常高及1m。葉橢圓狀卵形至披針形,長8～15cm,上面散生短柔毛,下面僅中和側脈上被密毛;托葉寬卵形。聚傘花序疏散,頂生,三歧分枝,有數片具長柄的大型白色葉狀苞片;花大,白色,5數;花萼裂片條狀披針形;花冠高腳碟狀,長5～7cm,外面有皺捲柔毛;柱頭2裂。蒴果長方狀,長1.5～2.2cm,褐色,被柔毛。

分佈 生於石灰巖山林中。分佈於雲南。

採製 全年可採,曬乾。

性能 微苦、澀,平。壯筋骨,除濕止痛,利水解毒。

應用 用於營養不良性水腫,跌打損傷,濕疹,腎虛,腰痛。用量9g。外用煎水洗。

文獻 《滙編》下,810。

3820 丁香花

來源 茜草科植物雞冠滇丁香 Lu-culia yunnanensis S.Y. Hu 的葉、花。

形態 灌木,高2～3m,小枝有明顯皮孔。葉長圓形或長圓狀披針形,長10～15cm,下面沿中脈和側脈被微柔毛,葉柄長1～1.5cm,被微柔毛。聚傘花序傘房花序式排列,頂生,花5數,芳香,高腳碟狀,長4～5cm,花冠粉紅色,裂片腋部有雞冠狀附屬物,雄蕊稍伸出。蒴果長圓狀倒卵形,長約2cm,外面被毛,有12條縱稜;種子多數。

分佈 生於山地疏林下灌叢中;庭園常見栽培。分佈於雲南西北部。

採製 秋季採花,葉全年可採,鮮用或曬乾。

性能 苦、辛,微溫。止咳化痰。

應用 用於百日咳,慢性支氣管炎,咳血,痰中帶血。用量30g,煎劑與蜂蜜調服。

文獻 《滇南本草》二,270。

3821 葉天天花

來源 茜草科植物紅毛玉葉金花 Mussaenda hossei Craib 的根。

形態 攀援灌木，小枝被鏽色柔毛。葉薄紙質，橢圓形至橢圓狀披針形，長 7～13cm，寬 2.5～3.5cm；先端漸尖，基部楔形，上面被鏽色柔毛，下面密被白色柔毛。葉柄長 0.3～0.7cm。聚傘花序頂生；苞片條形，長約 5～7mm，兩面密被柔毛；花 5 數，無梗，萼筒陀螺狀，部分花萼的 1 枚裂片擴大成葉狀，白色，寬橢圓形。花冠黃色。漿果肉質，近橢圓球形。

分佈 生於山坡灌叢或溝谷林緣。分佈於雲南。

採製 全年可採，曬乾。

性能 甘、淡，平。清熱解毒，截瘧。

應用 用於瘧疾。用量 9～15g。孕婦忌服。

文獻 《滙編》下，810。

3822 金線草

來源 茜草科植物金線草 Rubia membranacea (Franch.) Diels 的全草。

形態 草本，攀援狀或披散狀。莖有稜，節疏離，被鈎狀刺毛。葉輪生，通常 4，心形，長 3～8cm，寬 1.7～3.5cm，先端尾狀漸尖，基部心形；上面密被短柔毛，下面密生長柔毛或星狀毛；綠色或紅褐色；葉柄長 4～6cm。聚傘花序頂生或腋生，總花梗和分枝纖細；花小。漿果球狀，直徑約 5mm，成熟時黑色。

分佈 生於蔭濕林下。分佈於雲南西北部、四川西部。

採製 8～10 月採集，曬乾。

性能 退熱，止血。

應用 用於感冒發燒，外傷出血。

文獻 《川生科技》二，49。

3823 活血丹

來源 茜草科植物鈎毛茜草 Rubia oncotricha Hand.-Mazz. 的葉、莖和根。

形態 草本，披散或稍作藤狀，全株密生鈎狀刺毛；枝纖長，有稜角，節疏離。葉較小，4 片輪生，披針形或卵狀披針形，長 8～25mm，寬 4～7mm，先端漸尖，基部淺心形至近圓形，邊緣反捲，基出脈 3；柄長 0.3～1.5cm。聚傘花序頂生和腋生，總花梗和分枝纖細；花小，黃綠色，有短梗；花冠外面被短硬毛。漿果近球形，通常僅有種子 1。

分佈 生於空曠山坡或林緣。分佈於雲南、貴州、廣西西北部。

採製 全年可採，切碎曬乾。

性能 苦，寒。行血止血，通經活絡，止咳祛痰。

應用 用於病後虛弱，咳嗽。

文獻 《廣西藥用植物名錄》，397。《雲南省中藥資源普查名錄》四，173。

3824　水錦樹

來源　茜草科植物水錦樹 Wendlandia uvariifolia Hance 的根、葉。

形態　常綠小喬木，高 4～10m。樹皮褐色，小枝、葉柄、葉下面和花均有黃褐色長柔毛。葉橢圓形或長圓形，長 5～15cm，寬 4～8cm，上面散生短硬毛，下面被長柔毛，脈上尤密，側脈 8～10 對，羽狀排列規則；托葉廣圓形或腎形，上部稍反曲。頂生密集的圓錐花序，長 15～25cm，花白色，芳香，直徑約 8mm，4～5 裂，喉部有白色硬毛。蒴果球形，直徑約 2mm，被毛。

分佈　生於向陽山坡的次生雜木林中。分佈於台灣、廣東、廣西和雲南。

採製　全年可採，鮮用或曬乾。

性能　微苦，涼。祛風除濕，散瘀消腫，止血生肌。

應用　根用於風濕性關節炎，跌打損傷。用量 12～15g。外傷出血，瘡瘍潰爛久不收口，鮮葉適量搗敷患處；瘡瘍潰爛，亦可煎水洗患處。

文獻　《滙編》下，137。

3825　大花甘松

來源　敗醬科植物大花甘松 Nardostachys grandiflora DC. 的根。

形態　多年生草本。全株具芳香氣。根有強烈腐敗物臭氣。基生葉成對，葉片披針形，全緣，平行脈，質薄平滑。花莖直立，有節，節上對生葉抱莖，頂生頭狀聚傘花序，小花紫色，5 裂；花萼有直立或外展淺齒；花絲伸出筒外。瘦果不發育 2 室扁平而厚，較發育室為寬；小苞片果時增大，貼生於瘦果背部成膜質圓翅。

分佈　生於高山草地或林中。分佈於雲南。

採製　夏秋採挖，曬乾。

性能　苦、辛，溫。芳香，理氣，健胃，止痛。

應用　用於胃痛腹脹，頭痛，急性胃腸炎。牙疳，齲齒，腳氣浮腫。用量 3～9g。外用適量水煎漱口或洗患處。

文獻　《麗江中草藥》，170。《迪慶藏藥》下，404。

3826　大頭續斷

來源　川續斷科植物大頭續斷 Dipsacus chinensis Batal. 的果實。

形態　多年生草本，高達 1.5m。主根粗長，紅褐色；根狀莖粗短。莖有 8 縱稜，稜有疏短刺。葉披針形或稍寬，長達 25cm，寬達 7cm，3～7 琴裂，兩面被疏粗毛。圓頭狀花序頂生或三出，直徑達 4cm，總花梗粗壯，總苞片 6～8，被粗毛；苞片披針形或倒卵狀披針形，有粗壯針狀長喙；花萼皿狀，外被長毛；花冠白色，被短毛，基部細筒狀。瘦果窄橢圓形。

分佈　生於林下和草坡。分佈於雲南、四川。

採製　秋季採收，曬乾。

性能　苦，微溫。補肝腎，強筋骨，利關節。

應用　肝腎不足，風濕骨痛。用量 5～10g。

文獻　《滙編》下，618。

3827 細葉刺參

來源 川續斷科植物刺參 Morina nepalensis D. Don 的幼嫩全草。

形態 多年生草本，有粗短根狀莖，主根稍肉質。葉叢生，橢圓狀條形或橢圓狀披針形，長 6～15 cm，寬 0.5～1.5cm，邊緣有硬刺，側脈 1～2 對，與中脈平行，基部漸窄，近無柄。花莖由葉叢側旁抽出，高 20～50cm，葉 2～4 對，短披針形，邊緣多刺，兩葉基部合生成長鞘。聚傘花序密集成頭狀，頂生或少數腋生；苞片卵形，小苞片菱狀披針形，具硬刺；花萼斜裂，中央 3 齒，花冠紫紅色。

分佈 生於高山草坡溝邊。分佈於雲南、四川、西藏、甘肅。

採製 6～8 月挖取，切碎曬乾。

性能 甘、苦，溫。健胃，催吐，消腫。

應用 用於胃痛等症。用量 3～6g。(大劑量則催吐。)外用治瘡癰腫痛。

文獻 《西藏常用中草藥》，253。

3828 白花刺參

來源 川續斷科植物白花刺參 Morina nepalensis D. Don. var. alba (Hand.-Mazz.) Y.C. Tang 的幼嫩全草。

形態 多年生草本，主根粗長，黑褐色。不育葉成叢，條形或窄披針形，長 5～18cm，全緣，有刺毛，平行脈 3～5 條。花枝自葉叢旁抽出，高 20～70cm；葉 3～4 對，二葉基部合生抱莖。聚傘花序頭狀，頂生或近頂生；苞片卵形，先端窄長突尖，花萼筒狀，斜裂，上唇頂端 3 齒裂，下唇短 2 齒裂，頂端有細長刺。花冠白色。

分佈 生於山谷草坡或矮林下。分佈於雲南、四川。

採製 6～8 月挖取幼嫩全草，切碎曬乾。

性能 甘、苦，溫。健胃，催吐，消腫。

應用 用於胃痛等症。用量 3～6g。(大劑量則催吐)。外用治瘡癰腫痛。

文獻 《迪慶藏藥》下，409。《西藏常用中草藥》，253。

3829 土敗醬

來源 川續斷科植物雙參 Triplostegia glandulifera Wall. ex DC. 的根。

形態 多年生草本，高 20～60 cm，主根肉質。基生葉與莖生葉同形，葉片倒卵狀披針形，連柄長 4～7cm，羽狀琴裂，裂片 2～3 對，中央裂片大而圓，兩側裂片疏離，依次漸小。聚傘圓錐花序頂生，各分枝處有條狀苞片 1 對，分枝和花梗被多數腺毛和少量非腺毛；花冠白色，短漏斗狀，長約 5mm，5 裂；雄蕊 4。瘦果包藏於橢圓球形囊苞內。

分佈 生於山坡草地或沙質坡地上。分佈於雲南、四川、湖北、陝西、甘肅。

採製 秋季採挖，曬乾。

性能 辛、甘，溫。補氣壯陽，養心止血。

應用 用於陽痿，白帶，風濕性心臟病，虛癆久咳，刀傷出血。

文獻 《大辭典》上，2340。

3830 雲南沙參

來源 桔梗科植物泡參 Adenophora bulleyana Diels 的根。

形態 多年生草本，高 40～60 cm。根粗壯，圓錐形或近紡錘形，肉質。莖直立，具稜，被柔毛。葉二型，基生葉闊卵形或心形，長 3～5cm，寬 3～4cm，先端尖，基部圓形或心形，邊緣具齒，兩面被毛；莖生葉橢圓形，上面被疏柔毛，下面被密柔毛，葉柄短或近無柄。圓錐花序頂生，腋生花序多為總狀，花鐘形，藍紫色。蒴果基部開裂，種子細小，多數。

分佈 生於草坡、灌叢。分佈於雲南。

採製 秋季採挖，曬乾。

性能 甘、淡，涼。清熱養陰，潤肺止咳。

應用 用於貧血，盜汗，虛癆咳嗽。用量 15～30g。外感初起無汗者忌用。

文獻 《雲南中草藥選》續集，336。

3831 細萼沙參

來源 桔梗科植物細萼沙參 Adenophora capillaris Hemsl. subsp. leptosepala (Diels) Hong 的根。

形態 多年生草本，莖單生，高 50～100cm，多少被毛。葉卵形或卵狀披針形，長 3～19cm。花序具長分枝，常組成大而疏散的圓錐花序，花序梗和花梗常纖細如絲；花萼筒部球狀，長(4)9～14mm，多數有小齒；花冠較大，長 13～18mm。蒴果球形或卵球形。

分佈 生於高山疏林下或灌叢中。分佈於雲南、四川。

採製 秋季採挖。切片曬乾。

性能 甘，涼。潤肺止咳，養胃生津。

應用 用於氣管炎，百日咳，肺熱咳嗽，咯痰黃稠。不宜與藜蘆同用。

文獻 《綱要》一，486。

3832 天藍沙參

來源 桔梗科植物天藍沙參 Adenophora coelestis Diels 的根。

形態 多年生草本，植株高 50～80cm，無毛至密被剛毛。常有橫走的莖基分枝。莖單支或兩支發自一條莖基上。葉無柄，卵狀菱形或倒卵形至條狀披針形，長 20～100 mm，寬 5～30mm，邊緣具粗齒，兩面被毛。花少數在莖頂成假總狀花序，或有長分枝，花梗短；萼無毛。裂片狹三角狀鑽形；花冠鐘狀，藍色或藍紫色。

分佈 生於林下或草地。分佈於雲南。

採製 秋季採挖，去粗皮曬乾。

性能 甘，涼。清熱養陰，潤肺止咳。

應用 用於氣管炎，百日咳，肺熱咳嗽，咯痰黃稠。用量 6～12g。

文獻 《綱要》一，485。《滙編》下，396。

3833 川藏沙參

來源 桔梗科植物川藏沙參 Adenophora liliifolioides Pax et Hoffm. 的根。

形態 多年生草本，莖通常單生，不分枝，高 30～100cm，通常被硬毛，稀無毛。基生葉心形，具長柄，邊緣有粗齒；莖生葉卵形，披針形至條形，邊緣具疏齒或全緣，長 2～11cm，寬 0.4～3cm，背面常有硬毛，稀完全無毛。花序通常有短分枝，組成狹圓錐花序，有時少花。花萼無毛，筒部圓球狀，裂片鑽形，基部寬近 1mm；花冠細小，紫藍色至淡紫色。蒴果卵狀或長卵狀。

分佈 生於高山草地或灌叢中。分佈於雲南、四川、西藏。

採製 秋季採挖，去粗皮曬乾。

性能 甘，涼。清熱養陰，潤肺止咳。

應用 用於氣管炎，百日咳，肺熱咳嗽，咯痰黃稠。用量 6～12g。

文獻 《滙編》上，398。

3834 昆明沙參

來源 桔梗科植物昆明沙參 Adenophora stricta Miq. ssp. confusa (Nannf.) Hong 的根。

形態 多年生草本，莖高 40～80cm，不分枝，疏生長毛或無毛。基生葉心形，大而具長柄；莖生葉無柄或有極短帶翅的柄；葉片橢圓形，狹卵形，長 3～11cm，寬 1.5～5cm，先端急尖，基部楔形，邊緣有不整齊的鋸齒，兩面疏生長毛或無毛。花序常不分枝而成假總狀花序或有短分枝而成極狹的圓錐花序。花長不足 5mm，花萼常被短柔毛或顆粒狀毛；花冠寬鐘狀，藍色或紫色。蒴果橢圓狀球形。

分佈 生於開曠山坡或林內。分佈於雲南。

採製 夏季採挖，曬乾。

性能 微苦，甘。滋補，祛寒熱，清肺止咳，止血。

應用 用於心脾痛，頭痛，白帶多，咳嗽咯血。用量 15～30g。

文獻 《綱要》一，486。《雲南中草藥選》續集，336。

3835 巖蘭花

來源 桔梗科植物西南風鈴草 Campanula pallida Wall. 的根。

形態 多年生草本，根胡蘿蔔狀，有時比莖略粗。莖單生或雙生，有時數枝叢生於同一條莖基上，被開展的硬毛。莖下部的葉有翼狀柄，上部的無柄，橢圓形，菱狀橢圓形或長圓形，長 1～4cm，寬 0.5～1.5cm，上面被貼伏剛毛，下面僅葉脈有剛毛或密被硬毛。花下垂，頂生於主莖及分枝上；花萼被粗剛毛，裂片三角形至三角狀鑽形，花冠紫色或藍紫色，管狀鐘形，長 8～15mm。蒴果倒圓錐狀。

分佈 生於山坡草地或疏林下。分佈於雲南、四川、西藏。

採製 夏秋採收。切碎曬乾。

成分 含甾醇和三萜烯類。

性能 甘，溫。養血除風，利濕。

應用 用於風濕癱瘓，破傷風，虛癆咳血。用量 15～30g。燉肉服。

文獻 《大辭典》上，2794。

3836　珠子參

來源　桔梗科植物珠子參 Codonopsis convolvulacea Kurz var. forrestii (Diels) Ballard 的根。

形態　多年生纏繞草本，有乳汁。根肉質，近球形，表面淺棕黃色。莖纖細，稍帶紫色。葉紙質，近全緣，長可達 10cm，寬約 3.5cm。具極短或長達 1.2cm 的葉柄。花單生，花梗長而有旋曲，下部有 2 苞葉；花萼半上位，裂片 5，窄三角形，花冠鐘狀，淺藍紫色，5 深裂達基部，裂片橢圓形或長圓狀卵形；花絲下部正三角形，邊緣密生柔毛。蒴果倒卵形。

分佈　生於山坡林緣。分佈於四川、雲南、西藏。

採製　秋季採挖，洗淨曬乾。

性能　甘、微苦，微溫。補養氣血，潤肺生津。

應用　用於貧血，自汗，肺陰虛咳嗽，神經衰弱。用量 15～30g。

文獻　《滙編》下，329。《迪慶藏藥》下，344。

3837　大萼黨參

來源　桔梗科植物大萼黨參 Codonopsis macrocalyx Diels 的根。

形態　多年生草本，有乳汁。莖基具多數瘤狀莖痕，根常肥大呈圓錐狀或圓柱狀，較少分枝。葉互生或在側枝上近於對生，葉柄長 1～6cm，被疏柔毛，葉片寬卵形或卵狀披針形，長 3～9cm，寬 1.5～7cm，不規則羽狀深裂至淺裂或邊緣具粗鈍鋸齒，稀近全緣，花頂生，花梗長，疏生柔毛；花萼貼生至子房中部；花冠管狀，黃綠色，基部微帶褐紅色。

分佈　生於山坡草地。分佈於雲南、四川、西藏。

採製　秋季採挖，洗淨曬至半乾，用木板搓揉，然後再曬再搓，如此反復，直至乾燥。

性能　甘，平。補脾，益氣，生津。

應用　用於脾虛，食少便溏，四肢無力，心悸，氣短，口乾，自汗。用量 6～15g。

文獻　《綱要》一，490。

3838　高山黨參

來源　桔梗科植物高山黨參 Codonopsis nervosa (Chipp) Nannf. 的全草。

形態　多年生草本，高達 40～100cm，全株被白色伏毛，斷面有乳汁。根肉質肥厚。莖纖細，自根部叢生。莖基部葉為 1 回羽狀複葉，具長柄，通常具小葉 6～8 片，小葉片卵形至心形，莖中部葉為單葉，無柄，全緣。花單生莖頂；花冠鐘形，灰紫色，5 裂，花萼 5 深裂。蒴果包藏於宿存萼內。

分佈　生於林緣及山坡草叢。分佈於雲南、西藏、四川。

採製　7～9 月採收，曬乾。

性能　辛，甘，寒。祛風濕，解毒消腫。

應用　用於風濕性關節炎，瘡癤癰腫。用量 3～9g。

文獻　《大辭典》下，3764。《西藏常用中草藥》，213。

3839 臭參

來源 桔梗科植物球花黨參 Codonopsis subglobosa W.W. Sm. 的根。

形態 草質藤本。具淡黃色乳汁及強烈臭氣。根肥大，紡錘形。莖纏繞，直徑3～4mm，被稀疏白色刺狀毛。葉片闊卵形、卵形至狹卵形，長0.5～3cm，寬0.5～2.5cm，上面有短伏毛，下面沿網脈上疏生短糙毛，葉柄長0.5～2cm。花單生於小枝頂端或與葉對生；花梗被刺狀毛；花萼貼生至子房頂端，萼筒具明顯輻射脈10條，上面疏被白色刺狀毛，裂片近圓形或菱狀卵形，長0.9～1.3cm；花冠上位，球狀闊鐘形。蒴果下部半球狀。

分佈 生於高山草坡多石礫處或溝邊灌叢中。分佈於雲南、四川。

採製 秋季採挖，切片曬乾。

性能 甘，平。補中益氣，和胃生津。

應用 用於脾虛食少便溏，四肢無力，心悸，氣短，口乾，自汗，脫肛，子宮脫垂。用量3～9g。

文獻 《綱要》一，491。

3840 馬鬃參

來源 桔梗科植物總花藍鐘花 Cyananthus argenteus Marq. 的全草。

形態 多年生草本。莖基粗壯而木質化，具宿存的鱗片。高10～30cm，不分枝或具多數短枝，密生灰白色茸毛。葉互生或在短枝上簇生，近無柄，卵狀披針形，長0.5～1cm，寬1～3mm，兩面被疏柔毛。花單生於主莖和分枝頂端，近無梗；花萼筒狀，長約8mm，寬5～6mm，被柔毛，裂片披針形，長5～7mm；花冠長筒狀鐘形，長2.8～3.5cm，藍色或紫色，內面喉部密生柔毛，裂片倒卵狀長圓形。

分佈 生於高山草坡。分佈於雲南。

採製 秋季採挖，曬乾。

性能 甘、苦，溫。健脾除濕，通經活絡。

應用 用於小兒乳毒(吃宿奶)腹瀉，風濕痛，跌打損傷。用量3～9g。

文獻 《綱要》一，492。《麗江中草藥》，100。

3841 中甸藍鐘花

來源 桔梗科植物中甸藍鐘花 Cyananthus chungdianensis C.Y. Wu 的全草。

形態 多年生草本。莖基肥大，先端多頭，密被鱗片，鱗片卵狀披針形，長約3mm，乾膜質。莖多條並生，伏地或上升，長5～10cm，下部具小而遠離的鑽形鱗片狀葉，上部密被白色柔毛。葉小，菱形，倒披針形或倒卵圓形，連楔形葉柄一起長3～11mm，寬1～5mm，上面被疏柔毛，背面密被白色柔毛。花單生莖頂，花梗長約4mm。花萼筒狀，外面密被鏽黃色或白色糙硬毛，筒長8～10mm；花冠紫藍色，長2.3～3.2cm，開裂達⅓。

分佈 生於高山草甸，灌叢。分佈於雲南。

採製 夏秋採集。切碎曬乾。

性能 甘、淡，溫。緩瀉，乾"黃水"，下引諸病。

應用 用於黃水病，便秘。

文獻 《迪慶藏藥》下，309。

3842 黃鐘花

來源 桔梗科植物黃鐘花 Cyananthus flavus Marq. 的全草。

形態 多年生草本。莖基粗壯，具宿存的鱗片，莖數條並生，高7～12cm，無分枝或有短分枝，密生灰白色開展的長柔毛。葉互生，唯花下4或5枚呈輪生狀，自莖下部向上逐漸增大，密生，幾無柄；葉片橢圓形或卵圓形，長5～14mm，寬3～8mm，兩面被白色柔毛或無毛。花單生於莖頂，梗長1～2cm，花萼短筒狀，長寬相近，8～10mm；花冠黃色，內面喉部密生白柔毛，裂片倒卵狀長圓形，長1.4～1.6cm。

分佈 生於高山草甸或灌叢中。分佈於雲南。

採製 7～9月採集。切碎曬乾。

性能 辛、甘、微苦，平。消食，解毒。

應用 用於消化不良，肉食中毒。

文獻 《迪慶藏藥》下，464。

3843　光葉黃鐘花

來源　桔梗科植物光葉黃鐘花 Cyananthus flavus Marq. var. glaber C.Y. Wu 的全草。

形態　多年生草本。莖基粗壯，頂部具宿存的長卵形鱗片。莖數條並生，密被灰白色開展的長柔毛。近花處葉 4～5 枚聚集呈輪生狀，其餘自莖下部向上逐漸增大，近無柄；葉片橢圓形或卵圓形，長 5～14mm，寬 3～6mm，兩端銳尖，邊緣反捲，無毛。花單生於莖頂端，花梗長 1～2cm；花萼短筒狀，筒長寬近相等，裂片三角形；花冠直徑 3～3.5cm，裏面喉部密生白色柔毛，裂片倒卵狀長圓形或倒卵狀橢圓形。

分佈　生於高山草坡。分佈於雲南中甸。

採製　7～9月採集，切碎曬乾。

性能　辛、甘、微苦，平。消食，解毒。

應用　用於消化不良，肉食中毒。

文獻　《迪慶藏藥》下，465。

3844　小白棉

來源　桔梗科植物灰毛藍鐘花 Cyananthus incanus Hook. f. et Thoms. 的全草。

形態　多年生草本。莖基粗狀，頂部具有宿存的卵狀披針形鱗片。莖多條並生，被白色短柔毛。葉自莖下部而上稍有增大，僅花下 4 或 5 枚葉子聚集呈輪生狀，其餘互生；葉片卵狀橢圓形，長 4～6mm，兩面均被短柔毛。花單生於主莖和分枝的頂端，花萼短筒狀，密被倒伏剛毛至無毛，裂片三角形，密生白睫毛；花冠藍色或藍紫色，內面喉部密生柔毛。蒴果長超出花萼。

分佈　生於高山草地、灌叢。分佈於雲南、四川、西藏。

採製　夏季採收。曬乾。

性能　甘、苦，溫。滋補。

應用　用於小兒體虛，奶毒；也用於治勞傷疼痛。

文獻　《綱要》一，492。《迪慶藏藥》下，310。

3845 脹萼藍鐘花

來源 桔梗科植物脹萼藍鐘花 Cyananthus inflatus Hook. f. et Thoms. 的根。

形態 一年生草本。高達 30cm，通常自下部稀疏分枝，被疏柔毛。葉菱形或卵狀寬菱形，長 7～15mm，寬 3～8mm，基部驟狹成葉柄，全緣或有不明顯鈍齒，兩面被疏柔毛。花通常單一頂生；花萼寬卵形，花後下部膨大，長 8～12mm，外面被鏽色糙毛，裂片 5，長 2.5～4mm；花冠淡藍色，筒狀，外面無毛，長 1.5～2cm，裂片 5；雄蕊 5，長約 6mm；雌蕊無毛。

分佈 生於高山灌叢下。分佈於雲南西北部、四川西部。

採製 夏秋採挖，曬乾。

性能 利水消腫。

應用 用於腎炎水腫，便秘。

文獻 《雲南省中藥資源普查名錄》四，215。

3846 麗江黃鐘花

來源 桔梗科植物麗江藍鐘花 Cyananthus lichiangensis W. W. Sm. 的全草。

形態 一年生草本。莖數條並生，高 10～25cm。葉片卵狀三角形或菱形，長 5～7mm，兩面被疏短柔毛；柄長 2～3mm。花單生於莖頂端，花梗長 2～5mm；花萼筒狀，筒長 8～10mm，寬 6～8mm，外面被紅棕色剛毛，毛基部膨大；花冠淡黃色或綠黃色，有時具藍色或紫色條紋，筒狀鐘形，冠筒長約萼筒的 2 倍，裏面近喉部密生柔毛，裂片長圓形。蒴果成熟後長於花萼。

分佈 生於高山草地或林緣。分佈於滇西北、川西、藏東南。

採製 7～9 月採集。切碎曬乾。

性能 辛、甘、微苦，平。消食，解毒。

應用 用於消化不良，肉食中毒。

文獻 《迪慶藏藥》下，465。

3847 木空菜

來源 桔梗科植物楔瓣花 Spheno-clea zeylanica Gaertn. 的全草。

形態 一年生草本。莖高 20～60cm，常於下部分枝，全株無毛。葉披針形或長圓狀披針形，長 2.5～9cm，寬 0.5～1.6cm；脈纖細不明顯。穗狀花序生於分枝頂端，長 1～4cm；花無柄，排列緊密，花冠白色，寬鐘狀，長約 1.5mm，5 淺裂，雄蕊 5。蒴果直徑 2.5～4mm，蓋裂；種子多數，長圓珠形，長約 0.4mm。

分佈 生於水田中或田邊沼澤地區。分佈於台灣、廣東、廣西和雲南。

採製 夏、秋間採集，通常鮮用，亦可曬乾研粉。

性能 消炎消腫，拔毒生肌。

應用 外用於瘡瘍腫毒。鮮品適量搗敷患處；煎水外洗或乾粉撒敷。

文獻 《廣西藥用植物名錄》，448。

3848 刀口藥

來源 菊科植物寬穗兔兒風 Ain-sliaea latifolia (D. Don) Schultz-Bip. 的葉。

形態 多年生草本。莖高 30～60cm，直立，不分枝，多少被蛛絲狀綿毛。葉基生，卵形或心形，長 4～7cm，寬 3～4cm，頂端急尖或漸尖，基部急狹成具寬翅的葉柄，上面被疏長毛，下面被白色絨毛，邊緣具不明顯圓齒；葉柄與葉片近等長。頭狀花序多數，長約 1cm，排成較疏而短的穗狀花序，具披針形小苞葉；總苞片卵形至披針形，長 2～7mm；每頭狀花序有 3 小花，花冠白色或帶紫色。瘦果長 3mm。

分佈 生於山坡林下。分佈於雲南、貴州、四川、陝西。

採製 夏季採集，切碎曬乾。

性能 辛、澀，平。止血，生肌，收口。

應用 用於刀傷。乾葉研末撒傷處。

文獻 《滙編》下，814。

3849 五香草

來源 菊科植物黏毛香青 Ana-phalis bulleyana (J.F. Jeffr.) Chang 的全草。

形態 草本，全株被蛛絲狀長綿毛及鏽褐色黏質有柄的節毛。高 30～80cm。基部葉蓮座狀，倒卵形；中部莖葉和上部的葉倒披針形或倒卵狀匙形，長 3.5～10cm，寬 1～2.5cm，沿莖下延成楔形寬翅，兩面被腺毛，脈上被長綿毛。頭狀花序多數，排成複傘房狀；總苞倒卵狀，總苞片 4～5 層，淺褐色，透明；花托蜂窩狀；頭狀花序外圍有多數雌花，中央為雄花。瘦果被稀疏腺體。

分佈 生於高山陰濕坡地。分佈於四川、貴州和雲南。

採製 7～9 月採集，切碎曬乾。

性能 辛，溫。消炎止痛，健胃行氣。

應用 用於扁桃腺炎，急性腸胃炎，膀胱炎，尿道炎，小兒疳積。

文獻 《貴州中草藥名錄》，586。

3850　旋葉香青

來源　菊科植物薄葉旋葉香青 Anaphalis contorta (D. Don) HK. f. var. pellucida (Franch.) Ling 的全草。

形態　草本，根狀莖木質。高 15～80 cm，莖密被白色綿毛。葉線形，長 1.5～6cm，寬 0.6～1cm，上面被疏蛛絲狀毛或近無毛，質薄，乾後常透明。頭狀花序極多數，無梗或具短梗；總苞鐘狀；總苞片 5～6 層，外層淺黃褐色或帶白色，被長綿毛，卵圓形，長約 2.5 mm，最內層匙形，有長達⅔的爪部。花托蜂窩狀。雌株頭狀花序外圍有多層雌花；雄株頭狀花序全部雄花。瘦果長圓形，具小腺體。

分佈　生於高山山坡草地。分佈於雲南、四川。

採製　7～9 月採集，切碎曬乾。

性能　辛、苦，溫。解表祛風，鎮咳平喘，清熱解毒。

應用　用於熱性病症，感冒，咳嗽。

文獻　《阿壩州藥用植物名錄》，278。《雲南省中藥資源普查名錄》四，227。

3851　纖枝香青

來源　菊科植物纖枝香青 Anaphalis gracilis Hand.-Mazz. 的全草。

形態　多枝半灌木；根狀莖粗壯，根出條和不育莖有明顯的腋芽和頂芽。花莖高 5～40cm，被蛛絲狀毛或具柄腺毛。葉條形，條狀披針形或倒披針形，長 1～3.5cm，寬 0.1～0.7cm，基部沿莖下延成不等的翅，兩面密被蛛絲狀綿毛。不育莖頂部葉密被綿毛。頭狀花序 5～50，組成傘房或複傘房狀；總苞狹鐘狀，長 4～5mm；苞片白色；瘦果密被乳頭狀突起。冠毛較花冠稍長。

分佈　生於高山坡地及石礫地。分佈於滇西北、川西。

採製　7～9 月採集，切碎曬乾。

性能　活血，祛瘀。

應用　用於瘀血包塊。

文獻　《阿壩州藥用植物名錄》，279。

3852　紅花乳白香青

來源　菊科植物粉苞乳白香青 Anaphalis lactea Maxim. f. rosea Ling 的全草。

形態　多年生草本，根狀莖粗壯，有頂生蓮座狀葉叢或花莖。高 10～40cm。蓮座狀葉披針形或匙狀長圓形，長 6～13cm，寬 0.5～2cm，基部漸狹成具翅的鞘狀長柄；莖生葉向上漸小；葉全面密被白色或灰色綿毛。頭狀花序多數排成複傘房狀；總苞鐘狀，總苞片幼時粉紅色，長 6mm；雄花頭狀花序全部雄花。瘦果黃褐色，圓柱形；冠毛白色。

分佈　生於高山及低山草地或針葉林下。分佈於雲南、四川、青海。

採製　7～9 月採集，切碎曬乾。

性能　辛、苦，寒。活血散瘀，平肝潛陽，祛痰，止血。

應用　用於瘀血包塊，創傷出血，肺熱咳嗽。

文獻　《阿壩州藥用植物名錄》，279。

3853　打火草

來源　菊科植物尼泊爾香青 Anaphalis nepalensis (Spreng.) Hand.-Mazz. 的全草。

形態　多年生草本；根狀莖細或稍粗；匍匐枝長 20～40cm，有頂生的蓮座狀葉叢。莖高 5～30cm，密被白色綿毛。中部葉長圓形或倒披針形，基部稍抱莖，不下延；葉兩面或僅下面被白色綿毛及柄腺毛。頭狀花序 1～6，傘房狀排列；總苞近球狀，長 8～12mm，寬 15～20mm；苞片於花期放射開展，白色，中部以下或基部深褐色。瘦果被微毛；冠毛白色。

分佈　生於高山山坡草地、林緣。分佈於雲南、四川、西藏、甘肅、陝西。

採製　7～9 月採收，切碎曬乾。

性能　甘，平。清涼解毒，平咳定喘。

應用　用於感冒咳嗽，急、慢性氣管炎，風濕性腿痛，高血壓。用量 3～9g。

文獻　《大辭典》上，1317。

3854 四川香青

來源 菊科植物四川香青 Anaphalis szechuanensis Ling et Y.L. Chen 的全草。

形態 多年生草本，根狀莖粗壯，扭曲，先端被枯葉殘片，基生葉蓮座狀。莖高約 20cm，被灰白色綿毛。蓮座狀葉與基部葉同型，匙形，長 0.5～3.5cm，寬 0.3～0.7cm，基部極狹，成紫色細柄；中部葉倒披針形，上部葉漸小，線狀披針形，兩面密被灰白色棉毛。頭狀花序 5～18，密集成傘房狀。總苞狹鐘狀，總苞片 5～6 層，由外層卵圓形至內層長圓狀橢圓形。花托有縫狀突起。瘦果長圓形。

分佈 生於高山草坡或石灰巖縫隙中。分佈於雲南、四川。

採製 6～8 月採集，切碎曬乾。

性能 甘、平。袪風濕，消痞。

應用 藏醫用於"培根病"，痞塊，風濕病，流感，灰色水腫。

文獻 《迪慶藏藥》下，271。

3855 臭蒿

來源 菊科植物臭蒿 Artemisia hedinii Ostenf. 的地上部分。

形態 草本。莖直立，粗壯，高 20～40（～60）cm，不分枝或有密集的腋生花序枝，無毛或被微柔毛，有時帶紫紅色。下部葉長 6～12cm，寬 2～4cm，二次羽狀深裂，裂片長圓形，有鋸齒，基部常有抱莖的細裂片，上部葉漸小，一次羽狀深裂，下面被微腺毛。頭狀花序半球狀，直徑 3～4mm，數個至 20 餘個密集於腋生花序梗上；總苞片 2～3 層，花序托球形；花筒狀，帶紫色。瘦果長圓形，長 1mm。

分佈 生於高山、河谷、沙灘。分佈於雲南、貴州、四川、西藏、甘肅、青海、新疆。

採製 7～8 月採集，切碎曬乾。

性能 苦、辛，溫。退黃。

應用 用於急性黃疸型肝炎，膽病。

文獻 《迪慶藏藥》下，522。

3856 唐古特青蒿

來源 菊科植物唐古特青蒿 Artemisia tangutica Pamp. var. tomentosa Pamp. 的葉。

形態 多年生草本。莖直立，高 50～90cm，被蛛絲狀茸毛，上部通常有開展的花序枝。葉長圓形，二次羽狀深裂，長達 10cm，寬 6～8cm，下面被白色茸毛，上面微被腺毛，側裂片 4～6 對，羽狀淺裂，小裂片全緣或淺裂，基部的裂片常抱莖。頭狀花序多數，密集成狹長的複總狀花序，有細長苞葉；總苞卵形，總苞片 3～4 層，卵形，邊緣寬膜質，有綠色中脈；花淡黃色，外層雌性花，內層兩性花。瘦果具白色冠毛。

分佈 生於高海拔山坡草地，路旁。分佈於四川、西藏、青海、甘肅。

採製 5～8 月採集，曬乾。

性能 苦，辛。理氣活血，祛濕，調經，安胎。

應用 用於心腹痛，月經不調，胎動不安，赤白帶下，吐血，衄血，久痢。用量 6～9g。

文獻 《西藏常用中草藥》，297。

3857 白頭草

來源 菊科植物堅葉山白菊 Aster agerotoides Turcz. var. firmus (Diels) Hand. -Mazz. 的根。

形態 多年生草本，高 70～120 cm。根莖匍匐橫走，側根發達，多數，棕紅色；鬚根纖細。莖多分枝，圓柱形。葉卵狀披針形，長 4～7cm，寬 1.5～3cm，先端漸尖，基部楔形，具疏鋸齒，上面綠色，粗糙，被糙毛，下面色較淡，被糙毛。頭狀花序多花排列成傘房花序，頂生；舌狀花白色或帶紅色。管狀花黃色。瘦果壓扁，具白色冠毛。

分佈 生於荒地或林下。分佈於雲南、四川、陝西等地。

採製 秋冬採挖，切片曬乾。

性能 辛，溫。清熱消炎，拔膿生肌。

應用 用於乳腺炎，肺炎。用量 3～6g。用於感冒。用量 15g。

文獻 《雲南中草藥選》續集，172。

3858 巴塘紫菀

來源 菊科植物巴塘紫菀 Aster batangensis Bur. et Franch. 的花。

形態 亞灌木，根狀莖平臥或斜升，多分枝，木質，徑達 1.5cm。基出莖有密集的葉和頂生的蓮座狀葉叢；葉片匙形或線狀匙形，長 1.5～8cm，寬 0.3～1cm。花莖直立或斜升，纖細，被疏短柔毛。頭狀花序單生，徑 3～4.5cm。總苞半球狀，約 2 層，線狀披針形，長 7～12mm。舌狀花紫色，舌片長 12～22mm，寬 1～2.5mm；管狀花長約 5mm。瘦果長圓形，長約 4mm，稍扁，下部漸狹。

分佈 生於林下和草坡。分佈於雲南、四川、西藏。

採製 7～8 月採集，陰乾。

性能 苦，涼。清熱解毒，止痛。

應用 用於炭疽病，疔瘡，腫毒，各部疼痛。

文獻 《迪慶藏藥》下，483。

3859　寒風參

來源　菊科植物重冠紫菀 Aster diplo-
stephioides (DC.) C.B. Clarke 的花。

形態　多年生草本，莖基為枯葉纖維鞘
包圍，具柔毛和腺毛；基生葉與莖下部
葉長圓狀匙形或倒披針形，連柄長 6～
22cm，寬 1～4cm，先端尖或近圓形，
基部漸狹成細長或具狹翅的柄，全緣或
具小尖齒；上部葉漸小，先端較尖，兩
面被長疏毛或腺毛。頭狀花序徑 6～
9cm，單生莖頂，總苞寬 2～2.5cm，總
苞片條狀披針形，背面具黑腺毛。舌狀
花 80～100 個，藍或紫藍色，筒狀花上
部紫褐色或紫色，下部黃色。

分佈　生於高山草坡或灌叢中。分佈於
雲南及青藏高原。

採製　7～8 月採集，陰乾。

性能　淡，涼。清熱解毒，斂膿血。

應用　用於流行性感冒，發燒，食物中
毒，瘡癤。

文獻　《迪慶藏藥》下，578。

3860　灰毛萎軟紫菀

來源　菊科植物灰毛萎軟紫菀 Aster flac-
cidus Bunge f. griseobarbatus Griers. 的
花。

形態　多年生草本，高 5～30cm，根莖
細長，有時具匍匐枝。，莖不分枝，上
部被紫褐色或灰褐色毛。葉叢蓮座狀，
花莖基部葉近匙形，長 2～7cm，寬
0.5～2cm，先端圓或略尖，基部漸狹成
短或長的柄，全緣或有少數淺齒，上部
葉近披針形或條形。頭狀花序頂生，總
苞寬 15～20mm，總苞片外被紫褐色或
灰褐色毛。舌狀花紫色，筒狀花黃色。
瘦果長圓形，長 3mm。

分佈　生於高山草坡。分佈於雲南、西
藏。

採製　7～8 月採集，陰乾。

性能　苦、甘，涼。清熱解毒，解痙，
乾膿血。

應用　用於瘟疫病，邪熱，痙攣，中毒
病，癬瘡。

文獻　《迪慶藏藥》下，581。

3861 須彌紫菀

來源 菊科植物須彌紫菀 Aster himalaicus C.B. Clarke 的花。

形態 多年生草本，高 8～25cm，根莖粗壯。莖下部彎曲斜升，被長柔毛和腺毛。蓮座狀葉倒卵形或倒披針形，長 2～4.5cm，寬 1～2.5cm，全緣或有 1～2 對小齒；莖生葉基部半抱莖，兩面或下面沿脈及邊緣被長柔毛和腺毛。頭狀花序頂生，直徑 40～45mm；總苞半球形，寬 15～20mm，總苞片 2 層；舌狀花 50～70，藍紫色，筒狀花紫褐色或黃色。瘦果長 2.5～3mm，褐色，具 2 肋，有絹毛和腺點，冠毛白色。

分佈 生於高山草甸。分佈於雲南、四川、西藏。

採製 7～8 月採集，陰乾。

性能 苦、甘，涼。清熱。

應用 用於瘟病，時疫。

文獻 《迪慶藏藥》下，324。

3862 燈掌花

來源 菊科植物滇西北紫菀 Aster jeffreyanus Diels 的花。

形態 多年生草本。高 10～25cm。莖單生或與蓮座狀葉叢並生，不分枝，被長毛。蓮座葉與莖下部葉卵形至倒披針形，寬 1～2cm，全緣；中、上部葉少且較小，半抱莖；離基三脈。頭狀花序單生莖頂端，總苞半球形，寬約 10 mm，總苞片 2～3 層，卵狀披針形，長約 8mm。舌狀花藍色或紫色，舌片長 15～18mm；管狀花長 4～5mm。瘦果倒卵圓形，扁，邊緣具翅。

分佈 生於高山草坡。分佈於雲南、四川。

採製 7～8 月採集，陰乾。

性能 苦、甘，涼或平。清熱解毒，解痙，乾膿血。

應用 用於瘟疫病，邪熱，痙攣，中毒病，癬瘡。

文獻 《迪慶藏藥》下，581。

3863 野冬菊

來源 菊科植物野冬菊 Aster oreophilus Franch. 的花。

形態 多年生草本,高約 25～50 cm,主根稍彎曲,具多數根。莖直立,不分枝,圓柱形,帶紫色,密被白色短粗毛。基生葉叢生,近蓮座狀,匙狀倒披針形,長 3～5cm,寬 0.6～1cm,先端鈍圓,基部楔形,漸收縮成柄,全緣,兩面密被短粗毛;莖生葉向上漸小,基部抱莖。頭狀花序 3～5 着生莖頂,排成傘房狀,花序總梗長 1.8～6cm,基部有 1 苞葉;總苞 2～3 層,半球形,向內漸長,舌狀花為雌花,1 層,淺紫色。瘦果倒卵形。

分佈 生於山坡路邊草叢中。分佈於雲南。

採製 夏秋採收,曬乾。

性能 苦,涼。清熱消炎。

應用 用於牙痛,喉痛,眼痛,口腔炎。用量 9～15g。

文獻 《昆明民間常用草藥》,270。

3864 緣毛紫菀

來源 菊科植物緣毛紫菀 Aster souliei Franch. 的根及根莖。

形態 多年生草本,高 5～45cm。根狀莖粗壯,木質。莖單生或與蓮座狀葉叢生,有疏或密長粗毛。基部葉倒卵形,長圓狀匙形或倒披針形,長 2～7(11)cm,寬 0.7～1.3 cm,先端鈍或尖,基部漸狹成具寬翅抱莖的葉柄,全緣;上部葉狹小,長圓狀條形;兩面具疏毛或近無毛,邊緣具白色長睫毛。頭狀花序直徑 3～4cm,頂生。總苞半球形,總苞片約 3 層,近等長;舌狀花 30～50 朵,藍紫色;筒狀花黃色。

分佈 生於高山林緣或草地。分佈於雲南、四川、西藏。

採製 春秋採挖,切片曬乾。

性能 苦、辛,溫。溫肺,下氣,消痰,止咳。

應用 用於風寒咳嗽氣喘,虛癆咳吐膿血,喉痹,小便不利。用量 1.5～9g。

文獻 《大辭典》下,4866。

3865 東俄洛紫菀

來源 菊科植物東俄洛紫菀 Aster tongolensis Franch. 的全草。

形態 多年生草本,高 14～42cm。根狀莖細,通常分匍枝。莖直立與蓮座狀葉叢生,不分枝或有一至數條分枝,或多或少被長柔毛。基部葉長圓狀匙形或匙形,長 7～12 cm,寬 0.5～1.8cm,先端鈍或圓形,基部漸狹或急狹成具翅半抱莖的柄,全緣或上半部有淺齒;上部葉漸小,兩面被長粗毛。頭狀花序直徑 3～5(6.5)cm。總苞半球形,總苞片有密粗毛;舌狀花 30～60,藍色或淡紅色;筒狀花黃色。瘦果微扁。

分佈 生於高山林下或草坡。分佈於雲南、四川、甘肅。

採製 夏季採集,切碎曬乾。

性能 清熱消炎,止痛,退燒。

應用 用於感冒,牙痛,發燒,肝炎。

文獻 《川生科技》2。《甘孜州藥用植物》,53。《納西族藥用民族植物學研究》,21。

3866 滇藏紫菀

來源 菊科植物滇藏紫菀 Aster tsarungensis (Griers.) Ling 的花。

形態 多年生草本，高 15～25cm。根莖細長。莖單生或與蓮座葉叢叢生，有密腺毛或疏毛。下部葉匙形，長 5～10cm，寬 0.5～2.5cm，葉基部漸狹成柄，全緣或有小尖齒狀疏齒；莖中上部葉長圓形或披針形，半抱莖，兩面均有粗毛和腺毛或僅下面脈上被毛。總狀花序頂生，總苞寬 2～3cm，總苞片 2～3 層，條狀披針形，長 15～35mm；舌狀花 60～80，藍紫色；筒狀花黃色或帶紫色。

分佈 生於高山草甸。分佈於雲南、四川、西藏。

採製 7～8 月採集。陰乾。

性能 苦、甘，涼。清熱解毒，解痙，乾膿血。

應用 用於瘟疫病，邪熱，痙攣，中毒病，癬瘡。

文獻 《迪慶藏藥》下，582。

3867 火油草

來源 菊科植物千頭艾納香 Blumea lanceolaria (Roxb.) Druce 的葉。

形態 多年生草本或半灌木，高 75～100cm。嫩枝葉被毛，揉之有煤油氣。葉橢圓形或橢圓披針形至狹倒披針形，長 10～30cm，寬 2.5～6cm，邊緣具疏齒，下面中脈有疏短柔毛。多數小形頭狀花序排列成頂生大圓錐花序；總苞寬鐘狀，4～5 層，外層卵狀披針形，內層狹披針形，先端尖，有柔毛；花托平，蜂窩狀，密被長柔毛。花黃色。瘦果具黃色冠毛，乾後變褐色。

分佈 生於低山溝谷陰濕處。分佈於雲南、廣西。

採製 全年可採，多為鮮用。

性能 辛，平。祛風濕，消腫止痛。

應用 用於風濕骨痛，產後關節痛，跌打腫痛，鮮葉適量搗敷或加酒炒熱外敷。頭痛，用鮮葉 60g，水煎劑兌酒 15～30g 內服。

文獻 《滙編》下，95。

3868 藏天名精

來源 菊科植物尼泊爾天名精 Carpesium nepalense Less. 的全草。

形態 多年生草本。莖高 40～70cm，被稀疏綿毛，有縱條紋。莖下部葉卵狀橢圓形，長 6～8cm，寬 4～5cm，先端漸尖，基部圓形或心形，邊緣有不整齊的鋸齒，兩面被柔毛；葉柄頂端與葉片連接處有翅。頭狀花序單生於莖或分枝頂端，苞葉 4～6 枚，橢圓形長約 3cm。總苞盤狀，苞片 4 層；雌花狹筒狀，長約 1.5mm，兩端稍收縮；兩性花筒狀，長約 2.5mm。末成熟瘦果長約 3.5mm。

分佈 生於山地灌叢中。分佈於雲南、西藏及台灣。

採製 7～8 月採集，切碎曬乾。

性能 苦，涼。清熱解毒，消腫。

應用 用於咽喉腫痛，瘡腫。

文獻 《迪慶藏藥》下，455。

3869 貢山薊

來源 菊科植物貢山薊 Cirsium eriophoroides (Hook. f.) Petrak 的根，幼苗。

形態 多年生草本，高 0.35～1m。莖直立粗壯，上部密生蛛絲狀綿毛。莖中下部葉披針形；長 12～20cm，寬 3.5～5cm，先端漸尖，基部耳狀半抱莖，羽狀半裂，裂片寬三角形，邊緣具不規則齒裂，頂端刺長 5～15mm，下面被毛；莖上部葉條狀披針形，具疏刺齒。頂生頭狀花序 1～5，球形，徑 35～120mm，無梗或具短梗，下面具苞狀小葉。總苞鐘形，3 層，總苞片先端具針刺。花冠紫色。瘦果長圓形。

分佈 生於高山草坡。分佈於雲南、四川、西藏。

採製 根於春或秋末採挖，幼苗 5 月採收。切碎曬乾。

性能 淡，涼或平。托引"培根"，消腫，催吐。

應用 藏醫用於托引"培根"病，治瘡癤，水腫。幼苗作催吐劑。

文獻 《迪慶藏藥》下，412。

3870　灰薊

來源　菊科植物灰薊 Cirsium griseum Lévl. 的根。

形態　多年生草本，高 0.5～1m，塊根紡錘形或蘿蔔形，直徑達 1.5cm。莖直立，通常分枝，莖和枝密被多細胞的長節毛和混生蛛絲狀毛，頭狀花序下部灰白色，密被灰白色絨毛。莖生葉披針形或卵狀披針形，羽狀深裂或近全裂，長 12～16cm，寬 6.5～8cm，基部擴大成耳狀抱莖，裂片頂端具長針刺，下面灰白色，被稠密絨毛。頭狀花序，小花白色或黃白色。瘦果壓扁，楔狀倒披針形。

分佈　生於山坡或草地。分佈於西南地區。

採製　7～9 月採挖。切片曬乾。

性能　甘，溫。養精保血，破宿血，生新血，暴下血。

應用　用於月經不調，乳癌，燒傷。亦治金瘡，血崩。

文獻　《滇南本草》1，360。《雲南藥用植物名錄》，284。

3871　狹葉垂頭菊

來源　菊科植物狹葉垂頭菊 Cremanthodium angustifolium W.W. Sm. 的花序。

形態　多年生草本，高 20～50cm，上部被褐色長柔毛。基部葉狹披針形，長 7～23cm，寬 0.3～4.3 cm，先端尖，基部漸狹成柄，全緣，兩面光滑，葉脈羽狀；莖生葉披針形至線形。頭狀花序盤狀，單生，下垂；總苞寬 13～32mm，總苞片一層，披針形，紫色，背面被褐色長柔毛；舌狀花黃色，筒狀花長 7～8mm。瘦果長 5～6mm，有條紋。

分佈　生於高山草地。分佈於雲南、四川、西藏。

採製　7～8 月採集。陰乾或曬乾。

性能　苦，涼。清熱解毒，止痛。

應用　用於疔癰，腫痛。

文獻　《迪慶藏藥》下，484。

3872 鐘花垂頭菊

來源 菊科植物鐘花垂頭菊 Creman-
thodium campanulatum (Franch.) Diels
的全草。

形態 草本，高 10～25cm。莖紫色，
上部有紫或褐色綿毛。葉近革質，腎
形，長 10～20mm，寬 15～30mm，基
部心形，邊緣具圓齒，葉脈扇狀，紫
色，有時葉下面及柄疏被長柔毛；柄長
20～40mm，基部鞘狀；莖上部葉條
形，3 淺裂或稍尖。頭狀花序莖端單
生，下垂；總苞寬鐘狀，徑 3～4cm，
舌狀花紫色，卵狀長圓形，長 2～2.5
cm，先端鈍而流蘇狀，密被紫色長柔
毛；筒狀花，紫色，短於總苞。瘦果長
圓形。

分佈 生於高山草地，石縫或灌叢中。
分佈於雲南、四川。

採製 7～8 月採集，切碎曬乾。

性能 甘、苦、澀，平。養骨，補骨，
接骨。

應用 用於頭傷，骨折。

文獻 《迪慶藏藥》下，498。

3873 露肖

來源 菊科植物須彌垂頭菊 Creman-
thodium decaisnei C.B. Clarke 的全草。

形態 草本，高 10～25cm。莖上部有
褐色蛛絲狀毛。基生葉革質，圓腎形，
長 1～2.5cm，寬 2～4mm，邊緣有淺圓
齒，下面密被白色或淡褐色蛛絲狀毛，
稀無毛；葉柄長 3～6cm，基部擴大成
鞘狀；莖下部葉與基生葉同形；莖上部
葉披針形。頭狀花序單生，下垂；總苞
半球形，徑 15～25mm，總苞片條狀披
針形，基部密被褐色綿毛；舌狀花黃或
橙色，舌片條狀長圓形。瘦果圓柱形，
長約 6mm。

分佈 生於高山草地或石巖縫中。

採製 7～8 月採集，切碎曬乾。

性能 苦、澀，涼。解瘡熱。

應用 用於麻疹黑痘內陷，炭疽病，傷
口。

文獻 《迪慶藏藥》下，588。

3874 向日垂頭菊

來源 菊科植物向日垂頭菊 Cremanthodium helianthus (Franch.) W.W. Sm. 的花序。

形態 多年生草本，高 150～450mm。莖基有殘葉柄纖維。葉厚紙質，基部的葉片卵狀橢圓形，長 30～80mm，寬 20～35mm，近全緣，兩面粉綠色；莖上中部葉數片，直立半捲，披針形，全緣，無柄。頭狀花序單生莖端，下垂；總苞半球形，徑 25～30mm，總苞片綠或稍帶紫色，披針形，舌狀花黃色，舌片條狀披針形，先端具 2～3 小齒；筒狀花冠黃色，長約 6mm。瘦果長圓形，稍扁，冠毛白色。

分佈 生於高山草甸。分佈於雲南、四川。

採製 7～8 月採集，切碎曬乾。

性能 苦，涼。清熱解毒，止痛。

應用 用於炭疽病，疔瘡，腫毒，各部疼痛。

文獻 《迪慶藏藥》下，482。

3875 側莖垂頭菊

來源 菊科植物側莖垂頭菊 Cremanthodium pleurocaule (Franch.) Good 的花序。

形態 草本，高 30～80cm。莖側生，基部為纖維狀的殘存葉柄所包圍，上部被疏短柔毛和蛛絲狀毛。基生葉常密集成蓮座狀，近無柄，窄橢圓狀倒披針形或寬披針形，長 10～20cm，寬 2～5cm，先端漸尖，基部鞘狀；莖生葉條形或鑽形，基部稍抱莖。頭狀花序小，常數個或多數在莖上部排列成總狀；總苞半球形，總苞片卵狀披針形；花異型，舌狀花黃色，舌片圓匙形，頂端 2～3小齒；筒狀花黃色，長 5～6mm。瘦果長圓形。

分佈 生於高山草地，湖邊沼澤地。分佈於雲南、四川、西藏。

採製 7～8 月採集，切碎曬乾。

性能 苦，涼。清熱解毒，止痛。

應用 用於疔癰，腫痛。

文獻 《迪慶藏藥》下，485。

3876　紅花垂頭菊

來源　菊科植物紅花垂頭菊 Creman-
thodium rhodocephalum Diels 的全草。

形態　一年生草本，高 7～33cm。莖被
紫色短柔毛，下部近無毛。葉心狀腎形
或圓形，長 1～2cm，寬 2～3.5cm，邊
緣具粗齒，脈扇狀，下面與葉柄被紫色
短柔毛，柄長 3～8cm，莖上部葉狹披
針形，幾全緣，近無柄。頭狀花序頂
生，半下垂，總苞寬鐘形，徑 15～20
mm；舌狀花淡粉紫色，舌片寬倒披針
形，先端有 2～3 小齒；筒狀花淡黃
色，長 8～12mm。瘦果長圓形。

分佈　生於高山草地，林緣。分佈於雲
南、四川、西藏。

採製　7～8 月採集，切碎曬乾。

性能　甘、苦、澀，平。養骨，補骨，
接骨。

應用　用於頭傷，骨折。

文獻　《迪慶藏藥》下，497。

3877　紫莖垂頭菊

來源　菊科植物紫莖垂頭菊 Creman-
thodium　smithianum　(Hand. -Mazz.)
Hand. -Mazz. 的全草。

形態　草本，高 10～25cm。莖紫色，
上部密被褐色綿毛。葉革質，腎形，長
1.5～2.5cm，寬 3～5mm，邊緣具細
齒，下面通常紫色，網脈明顯隆起；葉
柄紫色，基部擴大成鞘。莖生葉 3～4，
中部的腎形，柄擴大抱莖，上部的條
形，無柄。頭狀花序單生莖頂，下垂；
總苞半球形；總苞片狹披針形，被褐色
毛或近無毛；舌狀花黃或橙色，舌片橢
圓形，先端具 2～3 小齒；筒狀花橙黃
色，長 7mm，冠毛白色。

分佈　生於高山草地、流石灘。分佈於
雲南、四川、西藏。

採製　7～8 月採集，切碎曬乾。

性能　甘、苦、澀，平。養骨，補骨，
接骨。

應用　用於頭傷，骨折。

文獻　《迪慶藏藥》下，498。

3878 口瘡葉

來源 菊科植物魚眼草 Dichrocephala integrifolia (L.f.) O. Ktze. 的全草。

形態 一年生草本，直立或鋪散。葉卵形，橢圓形或披針形，長 3～10cm，大頭羽裂，側裂片常 1 對，稀 2 對，兩面無毛或被稀疏短柔毛。頭狀花序極小，球形，徑約 5mm，生於叉狀分枝頂端，多數頭狀花序在莖頂或分枝頂端排成稀疏的傘房狀，梗長達 3cm；雌花線形，頂端 3～5 齒，中央兩性花頂端 4～5 齒。

分佈 生於山地及平壩空曠地上。分佈於華東、華南、西南。

採製 全年可採，曬乾。

性能 苦、辛，平。活血調經，解毒消腫。

應用 用於月經不調，扭傷腫痛，毒蛇咬傷，疔毒。用量 9～15g。

文獻 《滙編》下，390。

3879 厚葉川木香

來源 菊科植物厚葉川木香 Dolomiaea berardioidea (Franch.) Shih 的根。

形態 多年生草本。高 3～10cm，葉蓮座狀，貼地展開，寬倒卵形至近圓形，長 10～18cm，寬 7～15cm，邊緣具不整齊的鋸齒或不明顯的淺裂，背面蒼白色，兩面被糙伏毛，柄長 3～8cm，近花序的葉小型。頭狀花序單生，長 5cm，寬 4cm；總苞片數層；花冠紫色，長約 3cm。瘦果有稜，冠毛 3 層，剛毛狀。

分佈 生於高山草坡，灌叢或疏林下。分佈於雲南西北部。

採製 9～10 月採挖，切片曬乾。

性能 辛、苦，溫。理氣，止痛。

應用 用於乾瘦，肝氣脅痛，消化不良。

文獻 《迪慶藏藥》下，593。

3880 紫舌厚喙菊

來源 菊科植物紫舌厚喙菊 Dubyaea atropurpurea (Franch.) Stebb. 的全草。

形態 多年生草本，高 25～70cm。莖被長硬毛。莖生葉多數，下部的較大，倒卵狀橢圓形，長 7～22cm，寬 2.5～6cm，先端急尖，大頭羽狀分裂，邊緣具鋸齒，下面中脈被密毛；上部葉小，橢圓形，具齒，無柄。頭狀花序 3～8，總梗密被黑色具腺長硬毛；總苞寬鐘形，長約 20mm，2 層，紫黑色，背面被具腺長硬毛。筒狀花 60～70；舌狀花深紫色，長 15～18mm，舌片先端 5 齒裂。瘦果長圓形，具稜 10 條。

分佈 生於高山林緣。分佈於雲南西北部及川西。

採製 7～8 月採集，切碎曬乾。

性能 苦，寒。清熱，通脈。

應用 藏醫用於"赤巴"病，膽病，肝炎，筋脈病。

文獻 《迪慶藏藥》下，505。

3881 厚喙菊

來源 菊科植物厚喙菊 Dubyaea hispida (D. Don) DC. 的全草。

形態 多年生草本，有匍匐根狀莖，高 15～60cm。莖具長硬毛。基生葉卵狀披針形，長 4～9cm，寬 1.8～3cm，具短柄，邊緣具波狀鋸齒至大頭羽狀分裂。莖生葉 2～8，上部葉漸小，橢圓形或卵形，基部心形抱莖。頭狀花序 2～6，排成傘房狀，梗被黑色長梗毛，總苞鐘狀，長 15～20mm，具小花 40～50，外層總苞片狹披針形或條形，內層總苞片約 18～20，披針形；舌狀花黃色。瘦果紡錘形。

分佈 生於高山草地或灌叢。分佈於雲南、四川、西藏。

採製 7～8 月採集，切碎曬乾。

性能 苦，寒。清熱，通脈。

應用 用於"赤巴"病，膽病，肝炎，筋脈病。

文獻 《迪慶藏藥》下，505。

3882 地膏藥

來源 菊科植物寬葉鼠麴草 Gnaphalium adnatum Wall. ex DC. 的全草。

形態 一年生草本，高 60～100cm。莖粗壯，直立，基部木質，上部分枝，密被白色厚綿毛。基生葉花期枯萎，莖生葉倒卵狀披針形或倒披針狀條形，長 4～8cm，寬 7～25mm，基部狹窄抱莖，全緣，葉脈 3 條，兩面密被絨毛，混生糠秕狀短毛，上部葉漸小，披針形或條狀披針形。頭狀花序多數，總苞球狀；總苞片 5～6 層，白色或淡黃白色，外層苞片短，密被絨毛。花黃色，外圍有多數雌花。瘦果具乳頭狀突起。

分佈 生於林緣、灌叢或草坡。分佈於西南、華南、華東。

採製 秋季採收，多鮮用。

性能 苦，寒。清熱解毒。

應用 用於痢疾，小兒驚風，口瘡，瘡毒，外傷出血。

文獻 《大辭典》上，1659。

3883 水朝陽花

來源 菊科植物水朝陽花 Inula helianthus-aquatilis C.Y. Wu ex Ling 的全草。

形態 多年生草本，高 30～50cm，鬚根多，莖直立，上部分枝，紫紅色，被粗柔毛。葉卵狀披針形，長 4～5cm，寬 2～4cm，邊緣有尖鋸齒，下面有黃色腺體。頭狀花序單生於枝頂，直徑 2.5～4.5cm；緣花舌狀，黃色，頂端有 3 齒裂；盤花管狀，5 齒裂，總苞片數裂，外面被毛。瘦果 4～5 稜，頂端截形，有污白色刺狀冠毛。

分佈 生於低山水溝邊或低凹潮濕的草地上；分佈於雲南、四川和貴州西部。

採製 秋季採收，切段，曬乾。

性能 微苦，涼。清肝明目，祛痰止咳。

應用 用於感冒頭痛，發熱，咳嗽，鼻炎，眼痛。用量 5～15g；口腔潰爛，用鮮根搗爛貼太陽穴。

文獻 《雲南中草藥選》續集，140。《滙編》上，732。

3884 戟葉火絨草

來源 菊科植物戟葉火絨草 Leontopodium dedekensii (Bur. et Franch.) Beauv. 的全草。

形態 多年生草本。根狀莖分枝短，有數個至十餘個簇生的花莖和少數與花莖同形的不育莖。莖直立或有彎曲的基部，高 10～80cm，稍細弱，全部被灰白色棉毛。葉寬或狹線形，長 10～40 mm，被灰色綿狀毛。苞葉多數，與莖上部葉多少等長，披針形或線形，被密絨毛，開展成星狀苞葉羣。頭狀花序，3～5 個，密集。總苞片約 3 層；小花異形，有少數雌花，或雌雄異株。花冠長約 3mm，雄花花冠漏斗狀，雌花花冠絲狀。

分佈 生於高山和亞高山的針葉林下，灌叢中或草地上。分佈於西南、西北地區。

採製 6～7 月採集，曬乾。

性能 苦，平。清熱解毒，止血。

應用 用於流感，時疫，礦物藥中毒，砒毒，瘡疔，肉瘤，出血。

文獻 《迪慶藏藥》下，414。

3885 堅桿火絨草

來源 菊科植物堅桿火絨草 Leontopodium franchetii Beauv. 的全草。

形態 多年生草本。根狀莖粗壯，有多數簇生的花莖和不育的幼莖，無蓮座狀葉叢。莖高 15～50cm，有黃色具短柄的密腺，上部微被蛛絲狀毛。葉狹條形，長 1～3cm，寬 0.1～0.3cm，邊緣極反捲，使全葉呈針形，基部等寬或有小耳，被黏質短密腺毛。下面被較疏的腺毛，除葉脈和葉基部外被平伏的白色綿毛。苞葉多數，狹條形，長 5～10 mm；苞葉羣長 1.5～4cm。頭狀花序直徑 3～5mm。瘦果有短粗毛。

分佈 生於高山礫石草坡或河灘濕地。分佈於滇西北和川西。

採製 6～7 月採集，切碎曬乾。

性能 退燒，止咳，平喘，驅蟲，止瀉。

應用 用於感冒咳嗽，發燒，哮喘，蛔蟲，小兒腹瀉。外用治外傷出血。

文獻 《納西族藥用民族植物學研究》，23。《阿壩州藥用植物名錄》，295。

3886　毛香火絨草

來源　菊科植物毛香火絨草 Leontopo-dium stracheyi (Hook. f.) C.B. Clarke ex Hemsl. 的全草。

形態　多年生草本，高 12～60cm。根莖橫走，花枝與不育枝簇生狀。莖被短腺毛，上部混生蛛絲狀毛。葉卵狀披針形，長 2～5cm，寬 0.4～1.2cm，先端具尖頭，基部圓形或近心形，抱莖，上面密被腺毛，下面密被灰色絨毛。苞葉多數，與莖上部葉同形或較小，兩面密被灰白色長絨毛，開展成徑 20～60mm 的苞葉羣。頭狀花序直徑 4～5mm，密集，雄花漏斗狀，雌花絲狀。

分佈　生於高山草地、灌叢。分佈於雲南、四川、西藏及青、甘、黔、湘，陝。

採製　6～7 月採集，切碎曬乾。

性能　苦，平。清熱，解毒，止血。

應用　用於流感，時疫，礦物藥中毒，砒毒，瘡疔，肉瘤，出血。

文獻　《迪慶藏藥》下，414。

3887　大黃橐吾

來源　菊科植物大黃橐吾 Ligularia duci-formis (C. Winkl.) Hand. -Mazz. 的根。

形態　多年生草本。莖直立，粗壯，高約 60cm，有溝紋，被密短毛。下部葉有長柄，葉片扁圓形、腎形或心形，基部常盾狀着生於葉柄上，寬達 30cm，邊緣有不整齊鋸齒，具掌狀脈；中部葉有擴大抱莖的鞘；上部葉寬鞘狀；葉柄及葉脈被短密毛。頭狀花序極多數排列成複總狀傘房狀，多分枝，有短梗及絲狀苞葉；總苞圓柱形，長 6～8mm，總苞片 5，小花 4～6，筒狀，簷部超出總苞之上，黃色。瘦果長圓柱形，兩端較狹。

分佈　生於高山林下溪邊。分佈於雲南、四川、西藏、甘肅。

採製　8～9 月採集，切片曬乾。

性能　辛、微酸，涼。解毒，消腫。

應用　用於瘡節，傷口發炎，蟲咬。

文獻　《迪慶藏藥》下，332。《圖鑒》四，579。

3888 滇紫菀

來源 菊科植物四川橐吾 Ligularia hodgsoni Hook. var. sutchuensis (Franch.) Henry 的根。

形態 多年生草本，高 40～75cm。根莖短。莖直立，圓柱形，基部紅色。基生葉具長柄，基部紅色；葉片馬蹄形或心狀腎形，長 5～7cm，寬 10～12cm，先端圓，基部耳狀心形，邊緣有不規則鋸齒；莖生葉向上漸小，終成苞片；葉柄基部向上擴大成鞘狀。頭狀花序大，總苞筒狀鐘形，苞片1列，長卵狀披針形；舌狀花鮮黃色，長約 2.7cm；管狀花褐紫色。瘦果長 5.5mm。

分佈 生於高山草地或灌叢中的陰濕處。分佈於滇中、滇東北。

採製 秋季採挖，切碎曬乾。

性能 苦，溫。潤肺，化痰，止咳。

應用 用於支氣管炎，咳喘，肺結核，咯血。用量 6～9g。

文獻 《滙編》上，850。《滇南本草》二，312。

3889 山紫菀

來源 菊科植物寬戟橐吾 Ligularia lati-hastata (W.W. Sm) Hand.-Mazz. 的根。

形態 多年生草本，高 40～60 cm。下部葉有基部擴大抱莖的長柄，長約 35cm，葉片近三角狀寬戟形，長 5～9cm，寬 7～15cm基部心形，先端及兩側有小尖頭，邊緣有齒，掌狀脈；中部葉小，1～2，有擴大成鞘狀抱莖的短柄，葉片卵形。花序總狀，由 3～10 頭狀花序組成，具短梗及卵形苞葉；總苞短圓柱形，長約 9mm；總苞片約 10；舌狀花 6～8，舌片黃色，長達 2cm。瘦果圓柱形，有縱溝。

分佈 生於山坡草地、林緣及溪邊。分佈於雲南、四川。

採製 秋季採挖，切片曬乾。

性能 甘，溫。溫肺下氣，消炎止咳，平喘。

應用 用於風寒感冒，咳嗽頭暈，失眠，風濕痛。

文獻 《雲南省中藥資源普查名錄》四，277。

3890　一碗水

來源　菊科植物蓮葉橐吾 Ligularia ne-lumbifolia (Franch.) Hand. -Mazz. 的根。

形態　多年生草本。莖直立，高約80cm，有溝紋，被短茸毛。葉片扁圓形，寬過於長，寬約 40～80cm，基部深心形，邊緣具尖齒，盾狀着生，掌狀脈；基部及下部葉具擴大抱莖的長柄，莖部葉漸小，具擴大成葉狀的短柄。頭狀花序極多數，有梗及條形苞葉；總苞圓柱形；總苞片 1 層，約 6～7 片，長圓形，長約 1cm；小花筒狀，約 6～8，黃色，瘦果圓柱形。

分佈　生於山坡林下及灌叢中。分佈於雲南、四川、甘肅南部及陝西。

採製　8～9 月採挖，切碎曬乾。

性能　辛、微酸，涼。解毒，消腫。

應用　用於瘡癤，傷口發炎，蟲咬。

文獻　《迪慶藏藥》下，332。

3891　東俄洛橐吾

來源　菊科植物東俄洛橐吾 Ligularia tongolensis (Franch.) Hand. -Mazz. 的幼苗。

形態　多年生草本。莖稍細，高 30～70cm，被蛛絲狀毛。基生葉具長柄，基部稍擴大抱莖，葉片近心狀卵形，長 6～10cm，寬 4～7cm，頂端漸狹，基部多少下延，邊緣有細齒，下面色較淺，兩面被糙毛；莖生葉具長柄，下部漸寬而抱莖；頂端葉狹小，無柄而半抱莖。頭狀花序約 10，總苞片約 8，條狀長圓形，微被綿毛；花黃色，外層舌狀。

分佈　生於高山草地及灌叢。分佈於滇西北、川西。

採製　4～5 月採集，切碎曬乾。

性能　辛，溫。催吐、癒瘡。

應用　用於"赤巴"病，外用治瘡瘍。

文獻　《迪慶藏藥》下，282。《甘孜州藏藥植物名錄》一，31。

3892 黃帚橐吾

來源　菊科植物黃帚橐吾 Ligularia vir-gaurea (Maxim.) Mattf. 的根、嫩苗。

形態　多年生草本，高 30～50cm。莖細無毛。葉橢圓形、長圓狀披針形或卵形，長10～18cm，下部漸狹成翅狀抱莖的長柄，葉脈羽狀；中部葉漸狹，頂端漸細尖；上部葉狹或條形。花序總狀，有數個至 20 餘個初直立後下傾的頭狀花序；總花梗短，有細條形苞葉；總苞寬鐘狀，長 8～10mm，總苞片 10～12 個，條狀長圓形；舌狀花 10 餘個，黃色，條形，長約 15mm，筒狀花約 20 個。瘦果狹圓柱形。

分佈　生於高山草甸。分佈於雲南、四川、西藏、青海、甘肅。

採製　嫩苗 5～6 月、根 9～10 月採挖。切碎曬乾。

性能　苦，平。清宿熱，解毒，乾"黃水"，癒瘡。

應用　藏醫用於"培根""赤巴"合病，中毒病，"黃水"病，瘡瘍。根能托引，袪風。

文獻　《迪慶藏藥》下，566。

3893 小舌菊

來源　菊科植物小舌菊 Microglossa py-rifolia (Lam.) O. Ktze. 的全草。

形態　攀援狀小灌木。葉卵形或寬卵形，長 2～4.5cm，寬 1.5～2cm，全緣。花序頂生，由多數頭狀花序密集成圓球狀複聚傘花序；總苞鐘狀，雌花舌狀，兩性花筒狀，花冠 3～4 齒裂，冠毛白色。瘦果長圓形，有稜角。

分佈　生於山坡林緣。分佈於雲南、廣西、廣東、海南。

採製　全年可採。切碎曬乾。

性能　袪風除濕，解毒，生肌，明目。

應用　用於風濕諸症，目赤腫痛，膿腫，瘡毒。用量風濕諸症，15g，泡酒1000g，每服 5～10ml。

文獻　《元江哈尼族藥》，22。《雲南藥用植物名錄》，295。

3894　小葉帚菊

來源　菊科植物小葉帚菊 Pertya phyli-coides J.F. Jeffr. 的花。

形態　小灌木，高 50～150cm，有細長而勁直的分枝。葉簇生，卵形，長 3～4mm，頂端具小尖頭，邊緣背捲，下面被白色絲狀毛，無葉柄。頭狀花序有 4～5 小花，單生於葉腋，長 1.5cm，無總花梗；總苞鐘狀筒形，長約 1cm；總苞片多層，邊緣被疏柔毛，外層短小，卵形，頂端急尖，內層長圓狀披針形；花兩性，筒狀，花冠白色，5 深裂，裂片狹。瘦果長約 5mm，兩頭漸狹，稍扁，具縱肋。

分佈　生於向陽山坡草叢中。分佈於雲南、四川。

採製　5～7 月採收。陰乾。

性能　淡，微寒。消炎，殺菌。

應用　用於氣管炎，肺結核。

文獻　《迪慶藏藥》下，422。

3895　禾葉風毛菊

來源　菊科植物禾葉風毛菊 Saussurea gramlnea Dunn 的地上部分或花。

形態　多年生草本，高 3～25cm。根莖部常生出不育枝和花莖，莖直立，密被白色絹毛。基生葉成叢多數，葉片狹條形，長 8～15cm，寬 1～3mm，基部鞘狀，邊緣反捲，上面疏被絹狀絨毛，後漸無毛或幾全脫毛，下面密被白色絨毛。莖生葉少數，較短。頭狀花序單生莖頂，直徑 1.5～2cm，總苞鐘狀，長 16～18mm，總苞片紫色，被絹狀長柔毛；花紫色，長 13mm。瘦果圓柱形，長 3～4mm。

分佈　生於高山草坡。分佈於雲南、四川、西藏。

採製　7～8 月採集，切碎曬乾。

性能　苦，寒。清熱。

應用　藏醫用於膽病，"赤巴"病，發熱，經絡病。

文獻　《迪慶藏藥》下，507。

3896 長毛風毛菊

來源　菊科植物長毛風毛菊 Saus-sura hieracioides Hook. f. 的全草。

形態　多年生草本，高 10～20cm。根狀莖密被乾膜質的殘葉柄。莖直立，被長柔毛。基生葉蓮座狀，葉片橢圓形或長圓狀倒披針形，長 5～16cm，寬 2～3cm，基部漸狹成具翅的短柄，兩面被疏長柔毛或僅邊緣有睫毛；莖生葉 2～3，條狀長圓形或條形，無柄。頭狀花序在莖頂端單生，直徑 2～3.5cm；總苞鐘形，長約 2cm；總苞片紫色或僅邊緣帶紫色，先端長漸尖，基部密被長柔毛；花紫色。瘦果圓柱形，長 4mm。

分佈　生於高山草坡。分佈於雲南、四川、西藏、甘肅、青海。

採製　秋季採挖，切碎曬乾。

性能　苦、澀，寒。滲濕，利尿。

應用　用於腹水，腎型或心型水腫。

文獻　《迪慶藏藥》下，305。

3897 綿頭雪兔子

來源　菊科植物綿頭雪兔子 Saus-surea laniceps Hand. -Mazz. 的帶根全草。

形態　多年生墊狀草本，上寬下窄，呈圓錐棒狀，高 10～25cm，全體密被交織的白色或淡黃色長綿毛。葉密集，無柄，條形或窄倒卵形，長 2～10cm，寬 5～15mm，邊緣羽裂或具粗齒。頭狀花序多數密集於頂部，不外露，總苞片窄長倒披針形，長約 12mm；花管狀，長約 1cm，花冠直立，裂片與管同長。瘦果扁平，棕色，有不明顯 4 稜，冠毛 2 層，外層較短，內層長，羽毛狀。

分佈　生於高山流石灘。分佈於雲南、四川。

採製　夏季採集，將全株拔起，除泥沙，涼乾。

性能　甘，微苦，溫。補腎壯陽，調經止血。

應用　用於雪盲，牙痛，風濕性關節炎，陽痿，月經不調，崩漏，白帶，用量 9～15g。外用治創傷出血，鮮品適量搗敷。

文獻　《滙編》上，735。

3898 長葉風毛菊

來源　菊科植物長葉風毛菊 Saus-surea longifolia Franch. 的全草。

形態　多年生草本，高 15～30cm。根狀莖粗壯，頸部有殘存的葉柄。莖直立，不分枝，被白色長柔毛。基生葉長圓形或披針形，長 12～15cm，寬 2～2.5cm，基部漸狹成翼狀的葉柄；中部葉長圓狀披針形或長圓狀卵形，長 5～8cm，基部漸狹，近無柄，半抱莖，被開展的長柔毛；上部葉小，頂端紫色。頭狀花序單生於莖頂端，總苞卵狀鐘形，長約 2cm，總苞片 4 層，紫色；花冠紫色，長約 13mm，瘦果長圓形。

分佈　生於高山草地。分佈於雲南、四川、西藏。

採製　秋季採挖，切碎曬乾。

性能　苦、澀，寒。滲濕，利尿。

應用　用於腹水，腎型或心型水腫。

文獻　《迪慶藏藥》下，305。

3899 麗江風毛菊

來源 菊科植物麗江風毛菊 Saussurea likiangensis Franch. 的全草。

形態 多年生草本，高 15～25cm，根頸密被乾膜質殘葉柄，莖被綿毛。基生葉窄長圓形，長 8～15cm，寬 1～2 cm，羽狀淺裂至中裂，裂片三角形，先端有小尖刺，近全緣或有 1～2 細鋸齒，上面被蛛絲狀毛或無毛，下面密被白色綿毛；葉柄基部常擴大成鞘。莖生葉 3～4，無柄或具短柄。頭狀花序近無梗，於莖端密集，6～8 個成球狀，每個直徑 6～8mm，總苞片卵形，邊緣紫色；花紫色，長 7～8mm。瘦果長 3 mm。

分佈 生於高山草地或灌叢。分佈於雲南、四川、西藏、青海、陝西。

採製 7～8 月採集。切碎曬乾。

性能 苦，涼。止血，清解脈熱。

應用 用於外傷出血，瘡癤，肉食中毒。

文獻 《迪慶藏藥》下，242。

3900 水母雪蓮花

來源 菊科植物水母雪蓮花 Saussurea medusa Maxim. 的帶根全草。

形態 多年生草本，高 8～15cm，根狀莖細長，有褐色殘留葉柄，自頸部發出蓮座狀葉叢。莖直立，被蛛絲狀綿毛。葉密集，基部葉倒卵形或卵狀菱形，葉上部邊緣有粗齒，基部楔形漸狹成長達 2.5cm 的鞘狀葉柄，基部紫色；上部葉漸小，兩面被白色綿毛；最上部葉近條狀披針形，邊緣有條裂或細齒。頭狀花序多數，在莖頂端密集成球狀，無梗，總苞片外層條狀長圓形，紫色；花冠紫色。瘦果條狀紡錘形。

分佈 生於高山多礫石山坡和流石灘。分佈於青海、甘肅、四川、雲南、西藏。

採製 夏季採收，將全株拔起，除泥沙，晾乾。

性能 甘、微苦，溫。補腎壯陽，調經止血。

應用 用於雪盲，牙痛，風濕性關節炎，陽痿，月經不調，崩漏，白帶。用量 9～15g。外用治創傷出血，鮮品適量搗敷。

文獻 《滙編》上，736。

3901　羽裂風毛菊

來源　菊科植物羽裂風毛菊 Saussurea pachyneura Franch. 的全草。

形態　多年生草本，高 5～20cm。基生葉蓮座狀，長圓形或披針形，長 9～23cm，寬 2.5～4cm，羽狀深裂，裂片 7～9 對，稍斜，長圓形或卵形，具不規則粗裂，頂端具刺狀尖頭，上面被褐色腺狀短毛，下面密被白色絨毛，葉柄長，紫色，被蛛絲狀毛，莖生葉 2～4，較小。頭狀花序單 1，頂生，直徑 2.5～3cm；總苞鐘狀，長 2～2.5cm，總苞片 5～6層，長圓形或卵狀長圓形；花紫色，長約 2cm。瘦果長圓形，長約 4mm。

分佈　生於高山草坡。分佈於西藏、四川、貴州和雲南西北部。

採製　7～8 月採集。切碎曬乾。

性能　苦，涼。止血，清解脈熱。

應用　用於外傷出血，瘡瘍，肉食中毒。

文獻　《迪慶藏藥》下，241。

3902　槲葉雪兔子

來源　菊科植物槲葉雪兔子 Saussurea quercifolia W.W. Smith 的全草。

形態　多年生草本，高 4～6cm，叢生。根狀莖粗，通常分枝，頸部有褐色宿存殘葉柄。基部葉橢圓形或狹倒卵形，長 3～4cm，寬 6～15mm，邊緣有粗鋸齒，上面有白色疏毛，下面密被白色絨毛；上部葉漸小，披針形或條狀披針形，先端漸尖，邊緣有疏齒。頭狀花序多數，無梗，在莖頂端密集成球狀，基部有白色絨毛；總苞片約 4層，外層倒卵形，頂端尖，有黑褐色絨毛，內層線狀披針形，托片剛毛狀；花紫紅色。瘦果冠毛黑褐色。

分佈　生於高山草坡。分佈於雲南、四川。

採製　7～8 月採集。切碎曬乾。

性能　苦、甘，溫。暖宮，利痰，斂傷。

應用　用於月經不調，咳嗽，外傷。

文獻　《迪慶藏藥》下，485。

3903　蛇眼草

來源　菊科植物線葉風毛菊 Saussurea romuleifolia Franch. 的全草。

形態　多年生草本，根粗壯，紫黑色，根頸處密生纖維狀枯葉殘存物，有纖細鬚根。基生葉叢生，線形，先端尖，邊緣全緣而內捲，下面被灰白色柔毛。花葶自莖部抽出，密被白色絲狀長絨毛，頭狀花序單一，頂生，總苞卵狀筒形，總苞片多層，披針形，全部或上部及邊緣紫色，先端長漸尖，具刺尖，邊緣有疏鋸齒或全緣；花紫色，全部管狀，有腺點；雄蕊着生於花冠上。瘦果具縱稜，紫黑色，無毛，有斑點。

分佈　生於高山草地。分佈於四川、雲南。

採製　秋末採挖，洗淨鮮用或曬乾。

性能　辛、苦，涼。有小毒。祛風活絡。

應用　用於風濕關節痛，跌打損傷，小兒疳積。外用治毒蛇咬傷。用量 6～9g。

文獻　《滙編》下，576。

3904　紫苞風毛菊

來源　菊科植物紫苞風毛菊 Saussurea tangutica Maxim. 的全草。

形態　多年生草本，高 7～30cm，根頸密被褐色枯葉柄。莖直立，淡紫色，具細條稜，光滑或疏被白色柔毛。葉長圓形，長 2～6cm，寬 1～3cm，邊緣有細鋸齒。莖生葉葉柄半抱莖並下延成短翅，最上部的莖生葉為淡紫色。頭狀花序 1～5，無總梗，聚生莖頂，外被苞葉；總苞鐘狀，總苞片黑紫色，4 裂，線狀披針形，不等長，先端漸尖成尾狀，被白色長柔毛。花全部管狀，兩性，瘦果有稜。

分佈　生於高山草甸或灌叢。分佈於雲南、四川、西藏。

採製　夏秋採挖。曬乾。

性能　辛，苦。清熱消炎，止痛，退熱。

應用　用於白喉，乳蛾，流行性感冒，咽腫痛，麻疹。

文獻　《晶珠本草》，113。《迪慶藏藥》下，585。《青藏高原藥物圖鑒》一，307。

3905　三指雪蓮花

來源　菊科植物三指雪蓮花 Saussurea tridactyla Sch. -Bip. 的帶根全草。

形態　多年生墊狀草本，根較粗大，堅硬木質，葉密集，兩面被白毛，條形或窄倒卵形，邊緣具羽裂或具粗齒，下面密被白色長綿毛。紫紅色頭狀花序在莖頂集成半球狀，半外露於白色葉和苞片之外。瘦果內層冠毛為單毛。

分佈　生於高山流石灘中或山頂巖石縫中。分佈於西藏、雲南。

採製　夏季採收，將全株拔起，除泥沙，晾乾。

性能　甘、微苦，溫。補腎壯陽，調經止血。

應用　用於雪盲，牙痛，風濕性關節炎，陽痿，月經不調，崩漏，白帶，用量 9～15g。外用治創傷出血，鮮品適量搗敷。

文獻　《滙編》上，736。

3906　一枝黃花

來源　菊科植物川西千里光 Se-necio solidagineus Hand.-Mazz. 的枝、葉、花。

形態　多年生草本。莖木質，高可達 1m，被灰白色短柔毛，具縱稜。葉長圓形至長圓狀披針形，長 5～13cm，寬 1.5～2.5cm，邊緣具三角狀鋸齒，下面被疏柔毛或近無毛；葉柄長 1～1.5cm。頭狀花序多數；密集成頂生和腋生的傘房狀圓錐花序，花序梗極短，密被白色短柔毛；總苞筒狀，長約 3mm；總苞片 4；無苞片或僅 1 枚苞片；管狀花 3(～2)，黃色。瘦果被柔毛，具肋。

分佈　生於高山路旁、林緣及河灘。分佈於雲南西北部、四川西部及西藏。

採製　夏秋採集，切碎曬乾。

性能　苦，涼。清熱解毒。

應用　用於肝膽諸熱，熱毒，外傷，骨折。對瘡癰，創傷效果尤佳。煎膏同效。

文獻　《迪慶藏藥》下，548。

3907　南苦蕒菜

來源　菊科植物南苦蕒菜 Sonchus wightianus DC. 的全草。

形態　多年生草本，高 60～70cm，具白色乳汁，莖杆空心，外有條紋和腺毛。葉長圓形或披針形，長 6～11cm，寬 2～4cm，不分裂或羽狀深裂，邊緣有不規則的尖齒，頂端的裂片闊心形或三角形，基部耳狀抱莖。頭狀花序數個排列成疏圓錐花序，頂生或腋生，花軸上有腺毛，花冠舌狀、黃色。瘦果卵形，壓扁，無喙，有白色冠毛。

分佈　生於路旁，田野，荒地。分佈於雲南。

採製　春末夏初採集。曬乾。

性能　苦，寒。清熱解毒，消炎止血。

應用　用於火牙痛，鼻衄，乳腺炎，瘡毒。用量 9～15g。外用適量搗敷。

文獻　《雲南中草藥選》，626。

3908　金沙絹毛菊

來源　菊科植物金沙絹毛菊 Soro-seris gillii (S. Moore) Stebb. 的全草。

形態　多年生草本，植株大小、形態變異較大，高 5～30cm，莖中空。葉羽狀深裂，長 2～10cm，寬 0.2～2.5cm。頭狀花序，直徑約 7cm，或圓柱狀，長約 12cm，寬約 3.5cm，通常有棕色長柔毛；總苞片長 9～14mm，外層總苞片 2，線形，通常被毛，內層總苞片 4，被鏽色柔毛或無毛。小花 4，舌片長 14mm，黃色，基部帶黑色，管長 3.5～6mm。瘦果長圓形，具肋 20 條。

分佈　生於高山草甸、礫石坡。分佈於雲南、西藏、青海。

採製　7～9 月採集。切碎曬乾。

性能　苦，涼。清熱解毒，止痛，舒脈，乾"黃水"。

應用　用於炎症發燒，虛熱，咽喉痛，上半身疼痛，胸腔四肢"黃水"病，頭傷。

文獻　《迪慶藏藥》下，644。

3909 蓮狀絹毛菊

來源 菊科植物蓮狀絹毛菊 Soro-
seris rosularis (Diels) Stebb. 的全
草。

形態 多年生草本，高 1.5～4cm，
地下莖具退化鱗片狀葉；地面正常
葉與多數密集頭狀花序共成頭狀，
外圍葉片寬卵形至橢圓形，長 7～
12mm，基部下延成長達 15mm 的
柄或成寬翅。邊緣有疏淺齒，頭狀
花序有花 5，總苞片直徑約
10mm，外層總苞片 2 枚，線形，
具毛，有時缺，內層 4～5 枚，背
有白色柔毛。花冠長約 13mm，管
長 7mm，舌片白、粉紅或黃色。
瘦果倒卵狀長圓形。

分佈 生於高山礫石地。分佈於雲
南、西藏。

採製 7～9 月採集。切碎曬乾。

性能 苦，涼。清熱解毒，止痛，
舒脈，乾“黃水”。

應用 用於炎症發燒，虛熱，咽喉
痛，上半身疼痛，胸腔四肢“黃水”
病，頭傷。

文獻 《迪慶藏藥》下，645。

3910 空桶參

來源 菊科植物糖芥絹毛菊 Soro-
seris hookeriana (C. B. Clarke)
Stebb. ssp. erysimoides (Hand.
-Mazz.) Stebb. 的全草。

形態 草本，高 10～30cm。根長
圓錐形，不分枝。莖直立，粗壯。
葉倒披針形至條形，長 3～10cm，
寬 3～11mm，密集於莖的中下
部。頭狀花序小，多數，密集在莖
頂成球狀；總苞片長 9～12mm；
花舌狀，黃色，長 12～15mm，頂
端 5 齒裂，管部長 5～6mm。瘦果
倒卵狀長圓形，稍扁，長 2.5～
6mm，上部收縮，有多數縱肋。

分佈 生於高山灌叢或草地。分佈
於雲南、西藏、四川、青海、甘
肅、陝西。

採製 秋季花剛開時採挖。切碎曬
乾。

性能 苦、微辛，平。潤肺止咳，
調經止血，消炎，下乳。

應用 用於感冒咳嗽，支氣管炎，
乳汁不下，乳腺炎，月經不調，紅
崩，白帶，衄血，瘡癤癧腫。用量
6～12g。

文獻 《滙編》下，342。

3911 雪條參

來源 菊科植物傘花絹毛菊 Soro-
seris umbrella (Franch.) Stebb. 的
根。

形態 多年生草本，肉質，高 5～
18cm；具木質根狀莖。基生葉多
數，暗紫紅色，下部葉卵形，上部
葉披針形或條形，長 3～12cm，寬
0.8～5cm，邊緣具鋸齒，葉片下部
有時具小裂片；葉柄具疏長硬毛。
頭狀花序密集，梗長 1.5～8cm。
具 1～4 小葉或披針形苞片；總苞
長 15～20mm；外層總苞片寬條
形，內層總苞片披針形；舌狀花黃
色，長 12～20mm，舌片頂端 5 齒
裂。瘦果狹長圓形，暗褐色；冠毛
白色。

分佈 生於山頂、石坡。分佈於雲
南、四川、西藏。

採製 秋季採挖，洗淨鮮用或曬乾。

性能 苦、甘，溫。補氣血。

應用 用於身體虛弱，四肢無力。
用量 6g。

文獻 《滙編》下，822。

3912　花鈕扣草

來源　菊科植物絨毛戴星草 Sphaeranthus indicus Linn. 的全草。

形態　宿根草本，高 20～60cm，多分枝，全株被灰白色柔毛，莖有狹翅，翅緣有刺狀尖齒。基生葉倒卵狀長圓形，長 3.5～6.5cm，寬 1～2.5cm；莖生葉較小。複頭狀花序球形或橢圓球形，長 1～1.4cm，直徑約 1cm，玫紅色，單生於枝頂；雌花 12～16，絲狀，兩性花 2～5，花冠管近鐘狀。瘦果圓柱形，具 4 稜，長約 1mm，外面有腺點。

分佈　生於河灘、旱田草叢中，分佈於雲南南部和西南部。

採製　全年可採，夏、秋間尤佳。鮮用或曬乾。

性能　辛香，溫。有小毒。消炎止痛。

應用　用於麻風，皮癬，風濕性關節痛，腹脹。用量 10～15g。外用適量搗敷患處。

文獻　《傣藥誌》三，262。

3913　小銅錘

來源　菊科植物美形金鈕扣 Spilanthes callimorpha A.H. Moore 的全草。

形態　多年生草本，高 20～40cm，莖圓柱形，微帶紫色，匍匐上升，在節上生鬍根，全株無毛。葉片寬披針形，長 3～5cm，邊緣有淺粗齒或波狀，側脈 2～4 對。頭狀花序頂生或腋生，通常單生，總花梗長 6～9cm，邊緣有 1 輪舌狀花，盤花為管狀花。瘦果扁形，有白色冠毛。

分佈　生於田邊、溝邊或潮濕的草地上。分佈於雲南西部和南部。

採製　全年可採，秋季尤佳。洗淨鮮用或曬乾研粉。

性能　苦、麻，寒。有小毒。消炎消腫，止血止痛。

應用　用於風濕關節痛，腰痛，跌打損傷，痛經，胃寒痛，牙痛。用量 3～10g；外傷出血，用乾粉適量撒敷患處。

文獻　《滙編》下，84～85。《雲南中草藥選》，42。

附註　本品有小毒。內服量過大，出現全身發麻。

3914　天文草

來源　菊科植物金鈕扣 Spilanthes paniculata Wall. ex DC. 的全草。

形態　一年生草本，高 30～90cm，莖紫紅色，有時斜生傾臥，着地生根，全株被疏柔毛。葉橢圓形或卵狀披針形，長 4～7cm，邊緣有鈍鋸齒或近全緣，兩面被疏柔毛，側脈約 4 對。卵球形頭狀花序 1～3，頂生，總花梗長 1～5cm，總苞片 2 層，綠色，花管狀，深黃色。瘦果 3 稜，壓扁，黑色，邊緣有睫毛，頂端冠毛有時具芒刺 2～3。

分佈　生於田邊，溪溝邊。分佈於兩廣、四川和雲南。

採製　全年可採，鮮用或曬乾。

性能　辛、微麻，溫。解毒利濕，祛風除濕，消炎止痛。

應用　用於風濕性關節炎，跌打損傷，牙痛，腸炎，痢疾。用量 10～15g。外用毒蛇咬傷，狗咬傷，癰癤腫毒；鮮品適量，搗敷患處。

文獻　《大辭典》上，0647。《雲南中草藥選》，354。

3915　滇康合頭菊

來源　菊科植物滇康合頭菊 Syncalathium souliei (Franch.) Ling 的全草。

形態　莖極短縮。外圍葉片大頭羽狀分裂，先端裂片卵狀橢圓形或闊心形，長 10～20mm，邊緣波狀淺裂，側裂片 1～2 對，葉柄長達 4cm，基部膨大呈鞘狀。頭狀花序下面具卵狀橢圓形小苞片，總苞長約 10mm，總苞片 5，具小花 4；花冠長約 12mm，舌片長約 5mm，紫紅色。瘦果倒卵狀橢圓形，長約 3mm，寬約 1.1mm，極扁。

分佈　生於山坡砂礫土上。分佈於雲南西北部、四川西部及西藏。

採製　7～9 月採集，切碎曬乾。

性能　苦，淳。清熱解毒，止痛，舒脈，乾"黃水"。

應用　藏醫用於炎症發燒，虛熱，咽喉痛，上半身疼痛，胸腔四肢"黃水"病，頭傷。

文獻　《迪慶藏藥》下，646。

3916　短喙蒲公英

來源　菊科植物短喙蒲公英 Taraxacum brevirostre Hand.-Mazz. 的全草及根。

形態　多年生草本。葉片通常深裂。花黃色，頭狀花序直徑 25～30mm，總苞長 9～10mm。瘦果狹長圓球形，長 3.5～3.8mm，黃綠色，中部以上具小刺，向上漸小至近無刺，頂端漸狹成不顯著的錐體，長 0.2～0.5mm，喙較粗壯，長 1.5～2.5mm，冠毛長 4～5mm，污黃色。

分佈　生於高山草坡。分佈於雲南中甸、四川鄉城、西藏西部。

採製　7～8 月採集。

性能　苦，微甘，寒。清熱，解毒，健胃，催乳。

應用　藏醫用於舊熱，"培根"病，"木保"病，"赤巴"病，肝膽病，血病，胃病，喉熱病，急性中毒，疔癰。

文獻　《迪慶藏藥》下，254。

3917　大頭蒲公英

來源　菊科植物大頭蒲公英 Taraxacum calanthodium Dahlst. 的帶根全草。

形態　多年生草本，高達 25cm。葉片較薄，基生，蓮座狀，葉片倒披針形，長 4～8cm，寬 0.5～1cm，通常深裂，每側 4～7 裂，裂片三角形。花序徑 4～6cm，總苞片墨綠色具白色膜緣，花黃色。瘦果棕色，長 4～5mm，徑 1mm，上半有小刺，錐體 2～3mm，喙 4～8mm。

分佈　生於高山草地。分佈於西藏、雲南、四川。

採製　7～8 月花期採集。切碎曬乾。

性能　苦、微甘，寒。清熱解毒，健胃。

應用　用於舊熱，"培根"病，"木保"病，"赤巴"病，肝膽病，血病，胃病，喉熱病，急性中毒。

文獻　《迪慶藏藥》下，255。

3918 川甘蒲公英

來源 菊科植物川甘蒲公英 Taraxacum lugubre Dahlst. 的全草。

形態 多年生草本。根垂直，頸部有宿存褐色殘葉基。葉基生，蓮座狀，條狀披針形，長10～25cm，寬2.5～3.5cm，羽狀深裂，側裂片多數，短三角形或寬三角形，下傾，全緣，中裂片較大，戟狀三角形或戟形，下面被稀疏蛛絲狀長柔毛；葉柄長，通常粉紫色。花葶數條。頭狀花序頂生，總苞暗紫色；外層總苞片寬卵狀披針形，邊緣白色；內層寬條形；舌狀花黃色，外圍的舌片同色，外面有紫色條紋。瘦果暗黑褐色，長約3mm，有縱溝。

分佈 生於高山草地、河邊。分佈於川西、藏東。

採製 夏秋採集。

性能 苦、微甘，寒。清熱解毒。

應用 用於潰瘍，高燒，腸胃炎，膽囊炎，膽熱病。

文獻 《甘孜州植物藏藥名錄》一，12。

3919 川藏蒲公英

來源 菊科植物川藏蒲公英 Taraxacum maurocarpum Dahlst. 的全草。

形態 多年生草本。根垂直。葉蓮座狀，開展，葉片狹條形，長4～10cm，寬5～15mm，羽狀深裂，側裂片5～6對，下傾，狹三角形或近條形，頂端的裂片狹戟形或長圓狀披針形，頂端尖，全緣。花葶單一或數條，長於葉片，被稀疏蛛絲狀毛，上部毛被尤密。總苞小，外層總苞片狹條狀披針形，頂端狹長，粉白色；內層長圓狀條形；舌狀花黃色，外圍的舌片外面有褐紫色條紋。瘦果暗褐色，長約2.5mm，有縱溝。

分佈 生於高山草坡，河邊。分佈於藏東、川西。

採製 夏季採集。

性能 清熱解毒，消癭散結。

應用 用於流行性腮腺炎，急性扁桃體炎，瘡癰。

文獻 《阿壩州藥用植物名錄》305。

3920 錫金蒲公英

來源 菊科植物錫金蒲公英 Taraxacum sikkimense Hand.-Mazz. 的全草，根、莖葉。

形態 多年生草本。葉倒披針形，長5～12cm，通常半裂至深裂，稀僅具淺齒，每側4～6裂；裂片三角形至全條狀披針形，先端直伸或後向，近全緣，稀被蛛絲狀毛。花葶長5～20cm，頭狀花序，直徑4～5cm，花黃色至白色，頂端微帶紅暈；總苞長約15mm，總苞片乾後墨綠色，具極狹的膜質邊緣。果倒卵狀長圓形，深紫、紅棕或橘紅色，長約3mm。

分佈 生於高山草坡或碎石堆。分佈於滇西北、藏南。

採製 7～8月花期採集全草，8～10月挖根。

性能 苦、微甘，寒。清熱，解毒，健胃。

應用 藏醫用於舊熱，"培根"病，"木保"病，"赤巴"病，肝膽病，血病，胃病，喉熱病、急性中毒，疔癰，催乳。

文獻 《迪慶藏藥》下，254。

3921　西藏蒲公英

來源　菊科植物西藏蒲公英 Taraxacum tibetanum Hand. -Mazz. 的全草。

形態　多年生草本，高 15～40 cm，全株有白色乳汁。葉全部基生成叢，倒向羽狀分裂，裂長圓形，有小尖頭。頭狀花序單生莖頂，總苞片深綠色，內層狹長，外層者卵圓形，小花多數，黃色，舌狀。瘦果上有瘤狀凸起，具細長的喙；冠毛羽狀，白色。

分佈　生於山坡草地，路旁。分佈於西藏、雲南、四川。

採製　5～10 月開花前或剛開花時連根挖出。切碎曬乾。

性能　苦、甘，寒。清熱解毒。

應用　用於流行性腮腺炎，急性扁桃體炎，乳腺炎，胃炎，肝炎，骨髓炎。用量 6～12g。

文獻　《滙編》上，873。《西藏常用中草藥》，92。

3922　九頭妖

來源　菊科植物黃纓菊 Xanthopappus subacaulis C. Winkl. 的全草。

形態　多年生無莖草本。根狀莖粗，頸部被纖維狀的殘存葉柄。葉蓮座狀，平展，長圓狀披針形，長 20～30cm，寬 5～8cm，羽狀深裂，裂片邊緣有不規則小裂片，下面密被灰白色蛛絲狀絨毛。頭狀花序數個至 10 餘個密集成近球形，無梗或有 1～3cm 粗的梗；總苞片數層覆瓦狀排列，條狀披針形，頂端尖；花黃色，長約 3～4cm。瘦果倒卵形，長 8mm，扁平，有褐色斑點；冠毛淡黃色剛毛狀。

分佈　生於高山草地灌叢中。分佈於雲南、四川、甘肅、青海、新疆。

採製　全年可採，切碎曬乾。

性能　苦，微寒。有小毒。止血，催吐。

應用　用於吐血，子宮出血，食物中毒。用量 3～9g。

文獻　《滙編》下，823。

3923　穬麥蘖

來源　禾本科植物裸麥 Hordeum vulgare L. var. nudum Hook. f. 的發芽穎果。

形態　一年生草本，高 100～120cm，稈直立，光滑，具 4～5 節。葉鞘先端兩側具葉耳；葉舌膜質。葉片長 9～23cm，寬 8～15mm，微粗糙。穗狀花序直立，呈四稜形，成熟後黃棕色或帶紫色，長 4～8cm，（芒除外）；穎基部線形，稀被短柔毛，先端狹窄呈芒狀，芒細弱，長約 1cm；外稃光滑，僅頂部具短硬毛。成熟後的穎果肥大易脫落，長約 7mm。

分佈　中國西部常有栽培。

採製　全年皆可生產。取揀淨的穎果，用水浸泡後置於能排水的容器內，每日淋水一次，至發芽 3mm 時，取出曬乾即成。

性能　鹹，溫。消食，和中。

應用　用於食積脹滿，食慾不振，嘔吐泄瀉。用量 9～15g。孕婦慎服。

文獻　《大辭典》上，2827。

3924　假燈草

來源　莎草科植物豬毛草 Schoenoplectus grossus (L.f.) Palla 的全草。

形態　一年生或多年生草本。根狀莖不明顯，鬚根稠密。稈直立，叢生，圓柱形，纖細，高 10～40cm，平滑。無葉片，葉鞘管狀，2～3 枚着生於植株的基部，近膜質，長 3～9cm。苞片 1，為稈的延長，直立，長約 4.5～13cm；小穗單生或 2～3 穗簇生，長圓狀卵形，有多數花；鱗片長圓狀卵形，長 4～5.5mm，近半透明狀；剛毛 4 條，較小堅果長，上部有倒刺；雄蕊 3；柱頭 2。小堅果寬橢圓形，長 2mm。

分佈　生於稻田中或近水處。分佈於雲南、貴州、華南及台灣、江西、福建。

採製　春夏採收。切碎曬乾。

性能　甘、淡，涼。消熱解毒，涼血利水。

應用　用於肺熱咳嗽，尿路感染，腎炎水腫。用量 10～20g。

文獻　《廣西藥用植物名錄》，592。《圖鑒》五，216。

3925　觀音蓮

來源　天南星科植物越南萬年青 Aglaonema pierreanum Engl. 的莖、葉。

形態　多年生常綠草本，高 40～80cm，莖深綠色，光滑，粗 1～2cm，節間長 2～3cm，下部節上生肉質根。葉通常集生於莖上部，5～6 片，卵狀長圓形，長 10～25cm，先端尾狀漸尖，基部圓或微心形，側脈 6～8 對，細脈橫出，柄長 6～15cm，下部具寬鞘。肉穗花序長 2.5～4.5cm，比佛焰苞稍長或等長，下部雌花序長約 5mm，上部雄花序長約 2.3cm；子房球形，外面有微小的灰白色疣點，無花柱。果成熟時長圓形，長 1.2～1.8cm。

分佈　生於河谷、箐溝蔭濕的密林下。分佈於雲南南部。

採製　全年可採，通常鮮用。

性能　辛、微苦，寒。祛濕止痛。

應用　用於風濕腰痛；適量搗爛，加熱，包敷患處。

文獻　《傣藥誌》一，126。

3926　旱生南星

來源　天南星科植物旱生天南生 Arisaema aridum H. Li 的塊莖、果、花。

形態　草本。塊莖近球形，直徑 1.5cm，膜質鱗片 2，線狀披針形，第一片長 2～3cm。葉柄長 10～18cm，下部 ½ 具狹鞘。葉片鳥足狀分裂，裂片 5；中裂片長 4～5cm，寬 1.4～2cm。雌雄異株。花序柄長於葉柄，佛焰苞綠色或黃綠色；管部圓筒形，長約 2.5cm，粗約 8mm，喉部斜截形，無耳，通常不外捲，檐部狹卵狀披針形，長約 1.5cm，粗約 2mm。

分佈　生於乾旱河谷石灰巖山灌叢下。分佈於雲南、四川。

採製　塊莖 9～10 月挖採，果 8～9 月採收，花 6～7 月採收。曬乾。

性能　塊莖辛，溫。祛胃風，消瘤塊，去惡肉，殺蟲。果破毒結，花治胎病，開產門。

應用　塊莖用於：胃痛，驚風，鼻息肉，骨刺，骨瘤，瘡癤。果破毒結。水煎膏配驅蟲藥。

文獻　《迪慶藏藥》下，370。

3927　八仙過海

來源　天南星科植物雲南隱棒花 Cryptocaryne yunnanensis H. Li 的全草。

形態　多年生宿根草本，根莖圓柱形，長 3～4cm，通常分叉。葉叢生，無柄，線形，連鞘長 10～20cm，寬 0.5～1cm，鞘大部埋藏於土中；側脈 2～3 對，幾與中脈平行。花序 1～3，腋生，花序柄上粗下細，長 0.5～1cm，佛焰苞長 6～7cm，先端螺旋狀管筒無縫，長約 1.5cm，埋藏於土中，裏面淡紫色，密佈暗紫色斑點和曲紋，有光澤，雌雄花序之間距離長 7～8mm，白色，光滑。聚合果卵球形，徑約 1cm，黃棕色；種子多數，淡紫色，密佈暗紫色斑點。

分佈　生於河邊、河灘的沙土中。分佈於雲南南部。

採製　夏秋間採收，曬乾。

性能　辛、麻，溫。舒筋絡，祛風濕，活血止痛。

應用　用於跌打損傷，風濕性關節炎，類風濕關節痛，痧症，急性胃腸炎。用量 6～10g。

文獻　《思茅中草藥選》，8～9。

3928 葫蘆藤

來源 天南星科植物地柑 Pothos pilulifer Buchet ex Gagn. 的全株。

形態 革質藤本，附生於石上或樹上。小枝有縱條紋，具四稜；節間長 2～3cm。葉片橢圓形，急漸尖，頂端有芒尖，長 7～9cm，寬 2.5～4.5cm，側脈 3 對從中肋伸出，另一對基出；葉柄短，長 0.8～2.5cm，寬 0.7～1.5cm，約為葉片長的¼，倒卵形，截平，具耳。花序腋生；苞片 4～5，具縱脈；序柄及梗長 1～2cm；佛燄苞卵形，反折，長 5mm。肉穗花序黃綠色，球形，直徑約 5～6mm。

分佈 生於密林中石上，樹幹上。分佈於雲南、廣西。

採製 全年可採。鮮用或曬乾。

性能 清心火。

應用 用於癲狂。

文獻 《廣西藥用植物名錄》，557。

3929 高山谷精草

來源 谷精草科植物高山谷精草 Eriocaulon alpestre Hook. f. et Thoms. ex Koern. 的全草。

形態 草本。葉基生，寬條形，長 5～16cm，寬 4～8(～10)mm，向上漸窄，有明顯的方格狀網紋。花葶多數，頭狀花序半圓球形，直徑 4～6mm；總苞片近長圓形，長 2～2.5mm，頂端圓；花托無毛；花苞片匙狀倒卵形，頂端鈍，無毛，長約 1.5mm；雄花外輪花被片合生成苞狀，倒卵形，頂端 3 裂；內輪花被片合生成細管狀；雄蕊 6，花藥黑色；雌花外輪花被片長約 2mm，倒卵形；內輪花被片 3，離生，披針狀匙形。

分佈 生於低濕地。分佈於雲南西北部、西藏、河北及東北。

採製 8～9 月採集花莖或全草。曬乾備用。

性能 辛、苦，涼。清肝散熱，袪風明目。

應用 用於各種炎性眼疾病，感冒頭痛，牙痛，喉痹。用量 3～9g。

文獻 《西藏常用中草藥》，180。

3930 黑珍珠

來源 鴨跖草科植物粗柄杜若 Pollia hasskarlii Rolla Rao 的全草。

形態 直立草本；莖粗壯，高 0.5～1.3m。葉大，披針形或寬披針形，長 15～28cm，寬 3.5～8cm，頂端尾尖，基部漸狹，無毛，腹面略粗糙，邊緣微皺波狀，近無柄。組成圓錐狀聚傘花序，總花梗長 3～8cm，粗壯，被長柔毛，中部有葉狀苞片，苞片平展，長圓形，長 1～2cm；小苞片卵形，長 1～3mm；花紫色，萼片花瓣狀，比花瓣寬。蒴果圓球形，直徑約 5mm，種子扁平，有稜角。

分佈 生於低山溝谷密林下。分佈於雲南、廣西、廣東、貴州、四川。

採製 全年可採，曬乾。

性能 袪風除濕，消炎。

應用 用於風濕骨痛，膀胱炎。外用治脫肛，癰瘡腫毒。

文獻 《廣西藥用植物名錄》，522。

3931 野韭

來源 百合科植物稜沙韭 Allium forrestii Diels 的全草。

形態 多年生草本，鱗莖外皮常被灰褐色網狀纖維。葉狹條形，長 10～25cm，寬 1.5～3mm。花葶高 15～30cm，下部常被紫色葉鞘；總苞單側開裂，早落；傘形花序疏散，具少數花。花冠鐘狀，開展，花被片紫色至黑紫色，橢圓形至卵狀橢圓形；花絲長約花被的½，基部合生並與花被貼生，合生部高約 1mm，內輪的基部有時擴大，外輪的成錐狀；子房近球形。

分佈 生於高山草坡或碎石坡。分佈於滇西北、川西南、藏東。

採製 7～8 月採集，切碎曬乾。

性能 辛，溫。散寒解表，提升胃溫。

應用 用於感冒風寒，胃寒，食慾不振。

文獻 《迪慶藏藥》下，563。

3932 大花韭

來源 百合科植物大花韭 Allium macranthum Baker 的全草。

形態 草本。根狀莖不明顯，根粗壯。鱗莖柱形，外皮白色，膜質。花葶高 25～50cm，具 2～3 條縱稜。葉條形，扁平，長 25～50cm，寬 4～10mm；下部具葉鞘。總苞 2～3 裂，早落；傘形花序球形，鬆散；花梗長 3～5cm，無苞片；花被鐘狀，鮮紅紫色，花被片 6，長 8～12mm，頂端截平至內凹，外輪被片長圓形，背部舟狀突起，花絲基部合生。

分佈 生於高山草坡。分佈於雲南、四川、西藏。

採製 7～10 月採集，曬乾。

性能 辛，溫。風寒發散，止痛退熱。

應用 用於傷風感冒，頭痛，發燒。

文獻 《川生科技》二，59。

3933 野葱

來源 百合科植物太白韭 Allium prattii C.H. Wright 的全草。

形態 草本，具根狀莖。鱗莖柱狀圓錐形，外皮黑褐色，網狀纖維質。葉基生，通常成 2 枚對生狀，條狀披針形至橢圓狀披針形，基部漸狹成不明顯的葉柄。花葶高 10～30cm，總苞 1～2 裂；傘形花序球形，多花；花梗長為花被的 2～4 倍，無苞片；花紫紅色至淡紅色，稀白色；花被片 6，2 輪，長 4～7mm，頂端常凹陷或鈍頭，內輪的長圓狀披針形比外輪的狹而長，外輪的長圓形；花絲伸出花被之外。

分佈 生於陰濕山坡。分佈於雲南、四川、西藏、甘肅、陝西、河南。

採製 夏季採集。曬乾。

性能 辛，溫。發汗，散寒，消腫。

應用 用於傷風感冒，頭痛發燒，腹部冷痛，消化不良。用量 9～15g。

文獻 《滙編》下，844。

3934　多刺天冬

來源　百合科植物多刺天冬 Asparagus myriacanthus Wang et S.C. Chen 的塊根。

形態　多年生草本，高 1～2m。塊根較細長。葉狀枝成簇，3～14 條，銳三稜形，長 6～12mm，寬 5～10mm。葉鱗片狀，基部具長的硬刺，長 2.5～5mm。雄花 2～4 腋生，黃綠色；花梗長約 2mm，與花被近等長，上部具關節。漿果直徑 5～6mm，有種子 2～3。

分佈　生於山坡、乾旱谷地或灌叢下。分佈於雲南、西藏。

採製　9～10 月採挖，曬乾。

性能　甘、苦、澀、辛，溫。滋補延年，祛風，乾"黃水"。

應用　藏醫用於"龍"病，虛弱，"黃水"病，淋病，瘰癧，滲出性皮膚病。

文獻　《迪慶藏藥》下，339。

3935　漏蘆

來源　百合科植物小鷺鷥草 Diuranthera minor (C.H. Wright) Hemsl. 的根。

形態　多年生草本，根狀莖粗壯，具鬚根多條。葉條形，長 15～35 cm，寬7～11cm，下部葉顯著下彎，邊緣具極細的鋸齒，先端長漸尖，基部漸狹。總狀花序，稀近圓錐花序，花少而稀疏，雙生。花白色，直徑 2.5～3.5cm，梗長 6～7.5mm，具關節；花被片 6 枚，內外兩輪，近等長，具縱脈 5，外輪為條形，長 2cm，寬3.5mm，頂端漸尖，內輪較寬。蒴果具 3 裂片。

分佈　生於高山草地，松林下或路旁。分佈於雲南。

採製　夏末採挖。切碎曬乾。

性能　解毒。

應用　用於蛇咬傷，毒蟲咬傷。

文獻　《雲南省中藥資源普查名錄》五，82。

3936　大劍葉木

來源　百合科植物矮龍血樹 Dracaena terniflora Roxb. 的根。

形態　常綠灌木，高 50～100cm，莖多節。葉長圓狀披針形，長 20～50cm，稍肉質，光滑無毛，通常 4～6 片聚生於頂部或莖上部。總狀花序頂生；花小，淡黃色，花被片 6，下部合生成短管，雄蕊 6，子房上位，3 室。果序圓柱狀，長約 12cm，總梗長 8～10cm；漿果橢圓球形，長約 8mm，成熟時暗紅色，稍肉質，不開裂；種子長卵形，白色，光滑而堅硬。

分佈　生於低山溝谷密林下。分佈於雲南南部。

採製　全年可採，曬乾。

性能　甘，溫。補虛，祛風濕，通經。

應用　用於風濕性關節炎，腰腿痛，陽痿，膀胱炎，產後大流血。用量 15～30g。

文獻　《大辭典》上，0278。《思茅中草藥選》，42。

3937　獨尾草

來源　百合科植物獨尾草 Eremurus chinensis O. Fedtsch. 的根。

形態　多年生草本，具短的根狀莖，鬚根肉質紡錘狀。葉基生，條形，長 25～40cm，寬 0.8～1.5cm。總狀花序較疏散；苞片狹三角形，長 6～10mm，頂端細長；花梗纖細，長 1.5～2.7cm，近頂部具關節；花被片白色，具深色中肋，倒披針形，長 13～19mm，寬 3～5mm；花絲錐形，基部微擴大，長 7～12mm；花藥條形，長 2～3mm；花柱與花被片近等長；子房球形，寬約 2mm。蒴果球形，徑約 8mm。

分佈　生於巖石上和石縫中。分佈於雲南、四川、甘肅。

採製　夏季採挖，切碎曬乾。

性能　辛、甘，溫。祛風除濕，補腎強身。

應用　用於風濕關節炎，腎虛，陽痿。

文獻　《雲南省中藥資源普查名錄》五，83。《阿壩州藥用植物名錄》，323。

3938　尖被百合

來源　百合科植物尖被百合 Lilium lophophorum (Bur. et Franch.) Franch. 的鱗莖。

形態　草本，莖直立，高 7～45cm。鱗莖長圓狀球形，高 2.5～4.0cm，白色。葉變化很大，由叢生至散生，橢圓狀長圓形、長圓形至條形，長 3.5～12cm，寬0.2～2.0cm，邊緣微波狀，具 3～5 條脈。花單生，成水平開展，鐘形，黃色；花被片 6，披針形，長漸尖，長 4.5～5.0cm，寬 1.0～1.5cm，具稀疏的紫色斑點或無斑點，內輪花被片密腺兩邊具流蘇狀突起。蒴果長圓狀球形。

分佈　生於潮濕的高山林緣、灌叢或高山草甸。分佈於雲南、四川。

採製　9～10 月採挖。曬乾。

性能　甘、澀，溫。潤肺止咳。

應用　用於肺結核，咳嗽，體虛。

文獻　《迪慶藏藥》下，353。

3939　大理百合

來源　百合科植物大理百合 Lilium taliense Franch. 的鱗莖。

形態　直立草本，鱗莖球形，直徑 4.5cm，鱗莖瓣片長圓狀披針形，長 3cm，寬 1.5cm。莖高約 1m，具紅色或紫色斑點。葉條形或條狀披針形，長 6～12cm，寬 3～8 mm，邊緣具小突起。總狀花序，花多達 12，下垂，花梗長 3～5.5 cm；花被片 6，2 輪，長 5cm，寬 7～9mm，內輪花被片稍寬，白色，有紫色斑點；花絲鑽形，長 3.5～4cm；子房圓柱形，長 1.7 cm；花柱與子房等長或稍長。蒴果長圓形，長 3.5cm，寬 2.5cm；具多數種子。

分佈　生於山地林下。分佈於雲南、四川、貴州、陝西。

採製　夏季採挖，曬乾。

性能　甘、苦，寒。清熱解毒，潤肺止咳。

應用　用於咯血，虛癆咳嗽，無名腫毒。

文獻　《貴州中草藥名錄》679。《雲南省中藥資源普查名錄》，91。

3940　太白米

來源　百合科植物太白米 Notholirion bulbiliferum (Lingelsh) Stearn 的鱗莖及地下珠芽。

形態　多年生草本。高 0.6～1.5 m。鱗莖卵形，其下生多數具三角形珠芽的鬚根。基生葉 5～10 枚，長條形，長約 30cm，寬約 2.5 cm；莖生葉互生，條狀披針形，長 10～14cm，寬 1.5～2cm。總狀花序有花 10～20，苞片葉狀，長披針形，梗長 5～8mm，花被片 6，紫藍色，倒披針形，長 2.5～3.5cm，寬 8～12mm。蒴果倒卵狀長圓形、稜鈍、頂有臍。

分佈　生於高山草地或針葉林下。分佈於雲南、四川、西藏、甘肅、陝西。

採製　9～10 月採挖。切碎曬乾。

成分　珠芽(小鱗莖)含甾體生物鹼。

性能　甘、澀，溫。潤肺止咳。

應用　用於肺結核，咳嗽，體虛，胃痛，氣管炎。

文獻　《迪慶藏藥》下，354。

3941　毛葉重樓

來源　百合科植物毛葉重樓 Paris mairei Lévl. 的根狀莖。

形態　多年生草本，植株高 35～100 cm；根狀莖粗壯，直徑達 2.5cm，密生多數環節。莖通常帶紫色，基部殘存膜質鞘 1～3。葉 7～10 輪生，長圓形或倒卵狀披針形，長 7～15cm，寬 2.5～5 cm，先端短尖或漸尖，基部楔形，上面被疏短柔毛或近無毛，下面密被短柔毛，邊緣被睫毛；葉柄長 5～10mm。外輪花被片綠色，5～6 枚，卵狀披針形或披針形，內輪花被片條形；花梗長 5～16cm。

分佈　生於山地林下。分佈於雲南、貴州。

採製　秋季採挖，曬乾研末。

性能　辛、微苦，寒。清熱解毒，平喘止咳，熄風定驚。

應用　用於小兒驚風抽搐，癰腫，疔瘡，瘰癧，喉痹，慢性氣管炎，蛇蟲咬傷。

文獻　《貴州中草藥名錄》，681。

3942　垂葉黃精

來源　百合科植物垂葉黃精 Polygonatum curvistylum Hua 的根莖。

形態　多年生草本，根狀莖圓柱狀，通常分出短枝。莖高 15～35cm，葉輪生，通常 3～6，稀單生或對生，條狀披針形至條形，長 3～7cm，寬 1～5 mm，先端漸尖，初時上舉，現花後向下俯垂。花單生或成對，花被淡紫色，長 6～8mm，花冠裂片長 1.5～2mm；花絲長約 0.7mm，花柱長約 2mm，與子房近等長。漿果紅色，直徑 6～8mm，有種子 3～7。

分佈　生於林下或草地。分佈於雲南西北部、四川西部。

採製　9～10 月採挖，曬 1～2 天後邊用水輕揉邊再曬，反復多次，揉至軟而無硬心時可再曬至乾燥為止。

性能　甘，平。祛寒，滋潤心肺，補精髓。

應用　用於局部浮腫，寒濕引起的腰腿痛，瘙癢性和滲出性皮膚病及精髓內虧。

文獻　《大辭典》下，4157。《甘孜州植物藏藥名錄》一，132。

3943 滇竹根七

來源 百合科植物格脈黃精 Polygonatum tessellatum Wang et Tang 的根狀莖。

形態 多年生草本,根狀莖粗壯,唸珠狀,直徑約 1.5cm。莖高 50～80cm。葉輪生,每輪 3～5,革質,長圓狀披針形至披針形,有時微偏斜,先端漸尖,長 7～12cm,寬 15～25mm,平行脈明顯。花(1～)3～12 輪生葉腋,花梗長 1.5～3.5cm;花被淡黃色,長 10～12mm,花冠裂片長約 2.5mm;花絲微扁平,長約 3mm,具乳頭狀突起;子房卵球形,長約 4mm。漿果成熟時紅色,直徑約 8mm。

分佈 生於林下石縫間或附生樹上。分佈於雲南西北部。

採製 夏秋採挖,切片曬乾。

性能 甘,溫。舒筋絡,祛風濕,補虛。

應用 用於虛弱頭昏,風濕關節痛,跌打損傷。用量 9～15g。

文獻 《滙編》下,846。

3944 長柱鹿藥

來源 百合科植物長柱鹿藥 Smilacina oleracea (Baker) Hook. f. 的根及根莖。

形態 草本,植株高 50～80cm,根狀莖粗 1～2cm。莖中部以上被硬毛。葉橢圓形、卵形或長圓形,長 9～15cm,先端漸尖或具銳尖,兩面被伏毛,基部具短柄或近無柄。圓錐花序頂生,花序軸長 5～10cm,具長的側枝,花多數;花被片橢圓形,雄蕊長為花被片長的 ½～⅗;花柱長為子房的 2～3 倍。漿果卵球形。

分佈 生於高山林下。分佈於雲南、貴州、西藏。

採製 秋季採挖。切碎曬乾。

性能 甘,苦,溫。祛風止痛,強筋壯骨。

應用 用於頭痛,勞傷,風濕,背疽,乳癰。

文獻 《貴州中草藥名錄》,685。

3945 復生草

來源 百合科植物叉柱巖菖蒲 Tofieldia divergens Bur. et Fr. 的全草。

形態 多年生草本,具短的根狀莖,高 15～25cm。葉基生,套折,長 10～15cm,寬 0.4～0.5cm。花莖自葉基部抽出,總狀排列,長 8～15cm,開花後通常下垂,花小,淡綠色,花被片 6,宿存。蒴果 3,倒卵狀橢圓形,長於花被片,室間開裂;種子紡錘形,長約 1mm。

分佈 生於山坡的草地、灌叢或林下石縫中。分佈於西藏東南部、雲南西北部、四川西部和貴州西南部。

採製 秋季採收,切段,曬乾。

性能 淡,平。利尿,調經,滋陰,補虛。

應用 用於水腫,頭暈,耳鳴,小兒營養不良,月經不調,胃痛,小兒腹瀉。用量 10～30g。

文獻 《雲南中草藥選》續集,358。《滙編》下,846。

3946　網球花

來源　石蒜科植物網球花 Hae-manthus multiflorus Martyn 的鱗莖。

形態　多年生草本，高 30～50cm，鱗莖扁球形，徑約 7.5cm。葉自鱗莖頂部的短莖抽出，3～6片，通常集生於莖上部，橢圓形至長圓形，長 15～30cm，寬 8～12cm，全緣，光滑無毛。花開於葉前，花莖高 25～40cm，綠色帶紫色斑點。頂生圓球狀聚傘花序，直徑 10～15cm，有小花 30～100朵，鮮紅色。漿果圓球形，稀見發育成熟。

分佈　原產南非熱帶；中國各大城市園圃常見栽培。

採製　冬季採收，通常鮮用。

成分　鱗莖中含網球花鹼（hae-manthamine）及網球花定鹼（hae-manthidine）。

性能　消炎消腫，拔毒生肌。

應用　用於無名腫毒。鮮品適量搗爛外敷患處。

文獻　《綱要》一，505。

3947　長葶鳶尾

來源　鳶尾科植物長葶鳶尾 Iris delavayi Micheli ex Franch. 的種子。

形態　多年生草本，高 0.6～1.2m。基生葉劍形或條形，長 50～80cm，寬 8～15mm，基部鞘狀。花莖中空，中、下部具葉 3～4。苞片 2～3，長 7～11cm，寬 1.8～2cm，每苞片內有花 2。花深紫色或藍紫色，具暗紫色及白色斑紋，直徑約 10cm，花梗長 3～6cm，花被管長 15～18mm，外花被裂片倒卵形，長約 7cm，寬約 3cm，頂端微凹。種子紅褐色，扁球形。

分佈　生於高山沼澤地，林緣草地。分佈於雲南、四川、西藏。

採製　7～9 月採集，曬乾。

性能　辛、甘，平。解毒，止痛，殺蟲，生肌。

應用　藏醫用於"培根"病，"木保"病，中毒病，胃腸寒熱往來，腸絞痛，脹悶，胸部壅塞，黃疸，蟲病，瘡口死肉，燙傷。

文獻　《迪慶藏藥》下，371。

3948 雞脝參

來源 薑科植物高山象牙參 Roscoea alpina Royle 的塊莖。

形態 多年生低矮草本。莖基部有 2 枚膜質鞘。葉通常僅 2～3，長圓狀披針形，長 3～12cm，寬 1.2～2cm，先端漸尖，基部近圓形；無柄；葉舌極短。花通常單生於莖頂端；萼管長 3～4cm；花冠管遠較萼管為長，白色，裂片 3，條形，長 1.5cm，反折，後方的 1 枚直立，圓形，長 1.3～2cm；側生退化雄蕊花瓣狀，較短；唇瓣楔狀倒卵形，長 1.3～2cm，頂端 2 裂至 ⅓ 處。

分佈 生於疏林下或濕地上。分佈於雲南。

採製 夏秋採挖，曬乾。

性能 辛，溫。活血解鬱，通經活絡，接骨止痛。

應用 用於風濕骨痛，跌打損傷，骨折。

文獻 《雲南省中藥資源普查名錄》五，145。

3949 土中聞

來源 薑科植物藏象牙參 Roscoea tibetica Bat. 的根莖。

形態 多年生草本，高 10～20cm。具粗壯肉質根 5～6，簇生，紡錘形，黃白色。葉嵌疊着生，基部相抱而成筒狀；葉片披針形，長 6～9cm，寬 0.9～1.4cm。花頂生，單一或成對，深紫紅色；花冠管長而纖細，長約 3cm，裂片 3，上裂片闊，直立，風帽狀，長約 2.5cm，側面 2 裂片較短；唇瓣大，楔形，下彎；側生假雄蕊 2，膜質，倒披針形，花瓣狀，雄蕊 1，花藥彎曲，基部 2 歧成距。蒴果圓柱狀。

分佈 生於山坡草地或松林下。分佈於雲南、四川、西藏。

採製 秋季採挖，洗淨曬乾。

性能 苦，涼。潤肺止咳，定喘。

應用 用於咳嗽，哮喘。用量 9～15g。或兌白糖服或燉肉吃。

文獻 《昆明民間常用草藥》，376。《大辭典》上，0146。

3950 硬葉吊蘭

來源 蘭科植物硬葉吊蘭 Cymbidium pendulum (Roxb.) Sw. 的葉、莖、果。

形態 附生草本。假鱗莖粗壯，長達 7.6cm。葉肥厚，乾時厚革質，4～5 片叢生，直立，劍形，長達 75cm，寬 1.5～4cm，頂端 2 圓裂，基部兩側合抱，關節明顯。花葶長 25～85cm，下垂，被數枚覆瓦狀排列的鞘，總狀花序，花多數，苞片小；花深紫褐色；萼片近相等，狹長圓形，長約 1.5cm，寬 3～4mm；花瓣與萼片等長而較寬，邊緣亮黃色；唇瓣貼生於蕊柱腳上，基部淺囊狀，3 裂，側裂片狹長，頂端尖，中裂片近圓形。

分佈 生於山谷巖石上和樹上。分佈於雲南、貴州、廣西、廣東。

採製 葉、莖全年可採。果秋季採收，曬乾研粉。

性能 甘、淡，平。止咳化痰，散瘀消腫，止血消炎。

應用 用於肺結核，肺炎，氣管、支氣管炎，喘咳，骨折筋傷，風濕骨痛，乳腺炎。用量 15～24g。外用鮮品搗敷；外傷出血，用果粉撒敷。

文獻 《思茅中草藥選》，394。《廣西藥用植物名錄》，574。

3951 黃花杓蘭

來源 蘭科植物黃花杓蘭 Cypripe-dium flavum Hunt et Summ. 的根或全草。

形態 陸生蘭，高 30～45cm。莖具短柔毛，葉片 3～5，橢圓狀披針形，長 10～16cm，寬 4～8cm。花苞片船形，葉狀。花單生，黃色或棕黃色，微具紫色條紋與斑點，中萼片寬橢圓形，長 3～3.5cm，寬 1.5～2.5cm，合萼片與中萼片相似而稍小，多少被毛；花瓣斜披針形，長 2.5～3cm，寬約 1cm，裏面基部被疏柔毛；唇瓣囊形，直徑約 3cm，囊前面內彎，邊緣高 3～4mm，囊內被毛；退化雄蕊近圓形，子房條形。

分佈 生於草坡或疏林下。分佈於雲南、四川、湖北。

採製 6～8 月採集，切碎曬乾。

性能 苦，溫或平。利尿消腫，通經絡。

應用 用於下肢水腫，淋帶，風濕跌打。

文獻 《迪慶藏藥》下，379。

3952 雞爪蘭

來源 蘭科植物黑毛石斛 Dendro-bium williamsonii Day et Rchb.f. 的肉質莖。

形態 肉質草本，莖叢生，圓柱形或長紡錘形，長 10～20cm，節間長 2～3cm，表面具條紋。葉長圓形，頂端為不等 2 圓裂；葉和葉鞘均被黑色柔毛。總狀花序頂生，常有花 2 朵；花苞片卵形；花梗連子房長 2～2.5cm；花淡黃色；花瓣卵狀披針形，與萼片近等大，長 2.5～3cm，寬 5～8mm；萼片的背面中脈具龍骨，萼囊向下延伸為直立的距；唇瓣黃色帶紫紅色斑點，扇形，3 裂，唇盤中央被長柔毛。

分佈 附生於山地林中樹上或石上。分佈於雲南、廣西、廣東。

採製 全年可採收，曬乾。

性能 養陰益胃，生津止渴。

應用 用於熱病傷津，口乾煩渴，病後虛熱。

文獻 《廣西藥用植物名錄》，577。

3953 落地金錢

來源 蘭科植物落地金錢 Habena-ria aitchisonii Rchb. f. ex Aitchison 的根。

形態 陸生蘭，高 15～30cm。塊莖長圓形，肉質。葉近對生，通常 2 枚生於莖的近基部，圓形或卵圓形，長 2.5～5cm，寬 2～4.5cm，頂端鈍或急尖。總狀花序長 5～12cm，花苞片卵狀披針形，急尖，短於或等於子房；中萼片卵形，長 3～5mm，寬 2.5～4mm；側萼片反折，卵狀長圓形；花瓣舌狀披針形，較萼片狹，直立；唇瓣 3 裂，裂片狹條形。

分佈 生於山坡林下或草坡。分佈於雲南西部、四川西部、西藏東部。

採製 夏末採挖，曬乾。

性能 壯陽，消炎，解毒。

應用 用於陽痿，胃疼，蛇咬傷。

文獻 《納西族藥用民族植物學研究》，33。

3954　腎陽草

來源　蘭科植物長距玉鳳花 Habenaria davidii Franch. 的塊根。

形態　陸生蘭，高達 70cm。塊莖長圓球形，肉質葉 5～7，披針形或長圓形，基部抱莖。總狀花序，花大而疏散；花苞片披針形，漸尖，萼片綠色，長約 15mm，中萼片長圓形，和花瓣靠合成廣橢圓形的兜；側萼片反折，卵形，漸尖，近偏斜；花瓣白色，近舌狀，邊緣具細的短緣毛；唇瓣淡黃色，具爪，3深裂，側裂片外側成條狀深裂，裂條剛毛狀，中裂片條形；距懸重。

分佈　生於山坡草地或雜木林下。分佈於西南、西藏、湖南。

採製　夏季採挖，曬乾。

性能　補腎消腫。

應用　用於腎虛，陽痿。

文獻　《雲南種子植物名錄》下，2041。《雲南省中藥資源普查名錄》五，165。

3955　雙葉蘭

來源　蘭科植物粉葉玉鳳花 Habenaria glaucifolia Bur. et Franch 的塊莖。

形態　陸生蘭。高 15～50cm。塊莖長圓球形，肉質。葉 2 枚，着生於塊莖的近頂部，圓形或卵圓形，先端驟短尖或漸尖。花葶直立，被短柔毛，總狀花序疏散，有花 3～10；花苞片披針形或卵形，短於子房；花大，白色或微帶綠色；萼片長約 13mm，寬約 6mm，中萼片長圓形，先端鈍；側萼片卵形，外折，急尖；花瓣直立和中萼片緊貼，2深裂，後裂片和中萼片近等大，前裂片小；唇瓣具短爪，3深裂。

分佈　生於高山草坡。分佈於滇西北、川西。

採製　夏季採挖，曬乾。

性能　甘，溫。補腎健脾，行氣活血。

應用　用於腎虛腰痛，遺精，脾虛，腹瀉，病後體虛，疝氣痛，睪丸腫痛，胃脘疼痛，月經不調及神經衰弱，夜臥不寧。

文獻　《阿壩州藥用植物名錄》342。《雲南省中藥資源普查名錄》五，165。

3956　珍珠參

來源　蘭科植物廣佈門蘭 Orchis chusua D. Don 的根。

形態　多年生草本，高 7～35cm。塊莖長圓形，肉質。葉 1～4 枚，長圓狀披針形或條狀披針形，先端急尖或漸尖。花序稀疏或密集，花多偏向一側；花苞片披針形；萼片長 6.5～9mm，寬 3～4mm；花瓣紫色，狹卵形，較萼片小，先端鈍；唇瓣較萼片長，3 裂，中裂片長圓形或四方形，頂端具短尖或微凹，側裂片擴展，近全緣，距和子房近平行，多長於子房；子房強烈扭曲；合蕊柱短。

分佈　生於山坡，灌木草叢中。分佈於西南、華西、西北、東北。

採製　夏秋採挖。曬乾。

性能　滋補。

應用　用於身體虛弱。

文獻　《雲南藥用植物名錄》，404。

3957　壯精丹

來源　蘭科植物緣毛鳥足蘭 Satyrium ciliatum Lindl. 的塊根。

形態　陸生蘭，高 14～30cm。塊莖長圓狀橢圓球形。莖具葉及鞘狀鱗片 1～2。葉片卵狀披針形或卵形，下面 1 葉長 6～15cm，寬 2～5cm。總狀花序長 3～15cm，具多數密集的花；花苞片卵狀披針形，外折；花粉紅色，萼片頂端邊緣具細緣毛，中萼片條狀橢圓形，長 5～6mm，寬約 1.3mm；側萼片長圓狀匙形，與中萼片近等長，花瓣匙狀倒披針形，較萼片短，寬 1.2mm；唇瓣兜狀，近半球形，長 6mm。

分佈　生於草坡或林下開曠處。分佈於雲南、四川、西藏。

採製　夏秋採挖。曬乾。

性能　甘，溫。溫腎回陽，壯陽，縮泉。

應用　用於遺尿，陽痿。

文獻　《貴州中草藥名錄》，726。

3958　雲南鳥足蘭

來源　蘭科植物雲南鳥足蘭 Satyrium yunnanensis Rolfe 的根和塊莖。

形態　陸生蘭，高 20～35cm。塊莖橢圓球形或卵球形，長 1～2cm。莖具葉 1～2，鞘狀苞片 2～3。葉片卵形或橢圓形，長 6～11cm，寬 3～5cm，急尖，基部呈鞘狀抱莖。總狀花序縮短，長 2～4.5cm，具 10 餘朵稀疏的花；苞片卵形；花黃色；中萼片長圓形，長約 5mm；花瓣近長圓狀匙形，稍短於中萼片；唇瓣兜狀近半球形，徑約 5mm，兜的背面具龍骨狀突起，裏面基部被毛。

分佈　生於高山林下，灌叢或山坡草地。分佈於滇西北、川西。

採製　夏季採集，曬乾。

性能　補腎，壯陽。

應用　用於腎虛，陽痿，膀胱炎。

文獻　《納西族藥用民族植物學研究》，33。

3959 卵黃寶貝

來源 寶貝科動物卵黃寶貝 Cypraea vitellus (Linnaeus) 的貝殼。

形態 貝殼呈卵圓形，前端稍瘦，殼質結實。殼長 76mm，寬 45mm，高 39mm。螺旋部被琺瑯質遮蓋，背部膨圓。貝殼表面光滑。殼面黃褐色或灰黃色，兩側色深。殼背有散佈均勻的乳白色色斑及不明顯的褐色色帶 3 條。殼兩側有延伸至基部細密的線紋。殼口狹長，殼內面白色或淡紫色。

分佈 生活在低潮線以下珊瑚礁間。分佈於中國南海沿岸和台灣。

採製 四季捕捉，除去軟體，取貝殼洗淨曬乾。

性能 鹹，平。清熱解毒，清心安神，平肝明目。

應用 用於熱毒目翳，驚悸心煩，頭痛眩暈，高血壓等症。用量 5～15g。

文獻 《海藥趣談》，48。

3960 東風螺

來源 蛾螺科動物泥東風螺 Babylonia lutosa (Lamarck) 的貝殼。

形態 貝殼長卵形，殼質堅硬，高 70mm，寬 37mm，殼頂部各螺層膨圓，殼面平滑，生長紋細而明顯。殼表面黃褐色，外被薄的殼皮。殼口長卵形，外唇薄，弧形，內唇稍向外反折。前溝短而深，後溝為一小而明顯的缺刻。臍孔明顯，不深。靨角質，褐色，核位於前端。

分佈 生活於數米水深的沙泥質海底。分佈於東海和南海。

採製 秋、冬季捕採，採後用沸水煮去肉，取殼曬乾。

成分 貝殼主含碳酸鈣。

性能 鹹，平。清熱解毒，制酸止痛。

應用 用於胃酸過多，疥癬瘡毒。用量 15～25g。煅研細末服。

文獻 《中國動物藥》，29。

3961 彩榧螺

來源 榧螺科動物彩榧螺 *Oliva ispidula* (Linnaeus) 的貝殼。

形態 貝殼略小，呈香榧子狀，殼質堅硬。殼高 30mm，寬 12mm。螺旋部較高。殼面一般為淡黃或淡青白的底，佈有深褐色斑點，有光澤。殼口狹長，外唇較肥厚，內唇褶弱。殼內面紫棕色。

分佈 生活於低潮線附近至數米深沙質海底。分佈於東海和南海。

採製 四季採捕，沸水燙死，取殼曬乾。

性能 甘，微寒。清燥潤肺，平肝潛陽。

應用 用於高血壓，頭暈，青盲內障，骨蒸癆熱等。用量 15～50g。

附註 調查資料。

3962 吐鐵

來源 阿地螺科動物泥螺 *Bullacta exarata* (Philippi) 的軟體。

形態 貝殼呈長圓方形，質薄而脆。幼貝白色透明，成體灰黃色，不透明。體前有大而肥厚的頭盤，呈托鞋狀，貝殼表面有許多細緻的環紋和縱紋。開口廣大，內面光滑，黃褐色。

分佈 生活於海灣內的潮間帶，多見於富含泥沙、硅藻較多的地方。分佈於黃海、東海和南海。

採製 夏、秋季於海灘上捕捉，去殼，取軟體，曬乾。

性能 甘、鹹，寒。補肝腎，益精髓，明目，生津，潤燥。

應用 用於咽喉腫痛，肺結核，陰虛咳嗽，視物不清等症。用量 10～25g。

文獻 《中國動物藥》，32。

3963 丁蠣

來源 鉗蛤科動物丁蠣 Malleus malleus (Linnaeus) 的貝殼。

形態 貝殼呈丁字形，略呈波狀彎曲。殼質堅厚。一般殼長 150mm 左右，殼高 52mm，兩殼相等。殼頂極小，位於中央。殼頂前後各具一個翼狀的大型突起，使整個貝殼呈錘形。殼面呈黃白色，同心生長紋粗糙，略呈鱗片狀。鉸合線長，無齒。

分佈 暖海性種類。分佈於中國南海。

採製 四季捕捉，除去軟體，取殼洗淨，曬乾。

性能 鹹，寒。清熱解毒。

應用 用於濕瘡癧腫。用量 5～15g。外用適量。

文獻 《中國藥用動物誌》二，46。

3964 江珧柱

來源 江珧科動物櫛江珧 Pinna (Atrina) penctinata Linnaeus 的貝殼。

形態 貝殼略呈三角形或扇形。殼質稍薄而脆。一般殼長達 300mm，殼高 185mm，殼寬 75mm。殼頂尖細，後端寬大。成體多呈黑褐色。貝殼透明度隨年齡的增長而逐漸減弱。貝殼內面顏色與殼表略同，殼前半部具珍珠光澤。

分佈 生活於水深 30～40m 泥沙底的淺海。分佈於渤海、黃海、東海和南海。

採製 四季均可採捕，去淨軟體部分，將貝殼洗淨曬乾。

成分 貝殼主含角殼硬蛋白、碳酸鈣等。全體含類黏蛋白 (mucoid)，由近 80% 糖及 10% 蛋白組成。

性能 甘、鹹，平。滋陰，補腎，調中。

應用 用於消渴，高血壓頭痛，濕瘡等症。用量 15～25g。

文獻 《大辭典》上，1912。《中國藥用動物誌》二，50。

3965 射線裂脊蚌

來源 蚌科動物射線裂脊蚌 Schistodesmus lampreyanus (Baird et Adams) 的貝殼。

形態 貝殼中等大，殼質厚，堅固。稍呈三角形，殼面光滑。殼面呈黃綠色，從殼頂至邊緣有許多黃色、深綠色或暗綠色的放射條紋。鉸合部發達，左殼有一強大的三角形的擬主齒，有 2 條溝把齒分成 3 部分，並有兩個側齒，右殼有一個強大的帶裂縫的擬主齒和一個側齒。

分佈 生活於泥沙底的河流及湖泊內。分佈於河北、山東、江蘇、浙江、湖北及雲南。

採製 夏、秋季捕捉，取貝殼放碱水中煮，然後清水洗淨，煆用。

成分 貝殼含碳酸鈣。

性能 鹹，寒。平肝熄風，益陰潛陽，定驚止血。

應用 用於癲狂驚癇，頭目眩暈，心悸耳鳴，吐血，衄血，崩漏，翳障等症。用量 15～50g。

文獻 《中國藥用動物誌》一，34。

3966 蚶形無齒蚌

來源 蚌科動物蚶形無齒蚌 Anodonta arcaeformis (Heude) 的貝殼。

形態 殼長達 90mm，殼高 59mm，殼寬 45mm，殼質薄，易碎。兩殼膨脹，外形似蚶子。殼面呈淡黃綠色或黃褐色，有光澤，具有細弱同心圓的生長輪脈。珍珠層灰褐色或青灰色，有珍珠光澤。鉸合部弱，無齒。

分佈 棲息於游泥或沙底的緩流或靜水的湖泊、池塘內。分佈於黑龍江、吉林、遼寧、內蒙古、陝西、河北、河南、江蘇、江西、湖南、湖北等省區。

採製 夏、秋季捕捉，除掉軟體，取貝殼放碱水中煮，然後洗淨，煆用。

成分 貝殼主含碳酸鈣、貝殼硬蛋白。尚含膽固醇、鍶、鎂、鋇等。

性能 鹹，寒。平肝熄風，清熱明目，斂瘡生肌，涼血止血。

應用 用於頭目眩暈，心悸耳鳴，癲狂驚癇，吐血，衄血，崩漏，翳障等症。用量 15～50g。

文獻 《中國藥用動物誌》二，54。

3967　褶紋冠蚌（珍珠母）

來源　蚌科動物褶紋冠蚌 Cristaria plicata (Leach) 的貝殼。

形態　貝殼大型，殼長可達 290mm，殼寬 100mm。殼質較厚，堅固。呈不等邊三角形。前部短而低，前背緣極短，具有不明顯的冠突，後部長而高，後背緣向上傾斜，伸展成大型的冠。殼面呈深黃綠色至黑褐色，全部殼面佈有粗糙的同心圓生長線。珍珠層白色或鮭肉色。鉸合齒不發達。

分佈　棲於泥底水流緩的河流、湖泊中。分佈於東北、華北、華東及華南等地區。

採製　夏、秋季捕捉，去掉軟體部分，將貝殼於鹼水中煮，然後洗淨，刮去黑皮，煅用。

成分　主含碳酸鈣，常含微量的鍶 (Strontium, Sr)。

性能　鹹，寒。平肝潛陽，定驚明目。

應用　用於頭痛眩暈，煩躁失眠，肝熱目赤，肝虛目昏等症。用量 10～25g。

文獻　《中國動物藥》，46。《藥典》一，195。

3968　閃蜆

來源　蜆科動物閃蜆 Corbicula nitens (Philippi) 的貝殼。

形態　殼長 28mm，寬 15mm，高 25mm。殼質薄而堅硬，外形略呈卵圓形，兩側等稱或不等稱，殼頂小，不突出或稍突出於背緣之上。貝殼前後部皆呈弧形，殼面黃褐色或黑褐色，具低矮、細密的生長線紋。珍珠層紫色。鉸合部弱，左右殼皆有 3 枚主齒。

分佈　棲息於河流及湖泊內。分佈於遼寧、陝西、湖北、湖南、廣東及貴州等省。

採製　全年可採，捕後置沸水中燙死，待殼張開，去肉，將殼曬乾。

成分　含碳酸鈣、貝殼硬蛋白。

性能　鹹，溫。止咳化痰，制酸止痛，生肌斂瘡。

應用　用於痰喘咳嗽，反胃吞酸，濕瘡潰瘍等症。用量 5～15g。外用適量。

文獻　《中國藥用動物誌》二，58。

3969　小刀蟶

來源　竹蟶科動物小刀蟶 Cultellus atte-
nuatus Dunker 的貝殼。

形態　貝殼長形，背緣直，前緣圓，末
端腹緣向背方斜升，比前端尖。高度約
為長度的⅓。殼頂位於背方略靠前端。
殼表平滑光亮，生長線愈至腹緣愈清
楚。殼面被有一層淡黃綠色的外皮。殼
內面粉白色。鉸合部左殼具有 3 個主
齒，右殼僅有兩個主齒。

分佈　生活於潮間帶下區及淺海沙灘
中。分佈於渤海和黃海。

採製　四季捕捉，取殼洗淨，曬乾。

性能　鹹，平。消瘦，止帶。

應用　用於瘦氣，赤白帶下等症。用量
3～9g。

文獻　《中國藥用動物名錄》，15。

3970　火槍烏賊

來源　槍烏賊科動物火槍烏賊 Loligo
beca Sasaki 的全體。

形態　胴部細長，後端尖，長度約為寬
度 4 倍。肉鰭大，分列於胴後部兩側，
長度約為胴部的½。腕的長度不等，吸
盤兩行，各腕吸盤大小不一。觸腕一般
超過胴長，穗菱形，吸盤 4 行，大小不
一，中間者大。吸盤角質環外緣均具尖
錐形小齒。

分佈　為近海種類，游泳能力較弱。分
佈於渤海、黃海、東海和南海。

採製　四季捕捉，鮮用。

性能　甘、鹹，寒。利水，止瀉，解
毒。

應用　用於小兒腹瀉，石淋，下肢潰瘍
等症。用量 15～30g。

文獻　《中國藥用動物名錄》，15。

3971　石蜐

來源　鎧茗荷科動物龜足 Mitella mitella (Linnaeus) 的肉。

形態　動物體可分為頭狀部和柄部。一般個體頭狀部寬約 30mm，高 22mm；柄部寬約為 30mm，長 30mm，柄部長度隨生活環境而不同。頭狀部呈淡黃綠色，由 8 塊大的主要殼板和基部 24 片小型殼板所組成。柄部呈黃褐色，肌肉質，柔軟，其外表被有細小的石灰質鱗片，排列緊密，稍有規則。

分佈　生於海浪衝擊很大的沿岸高潮地帶，固着於海水清澄的巖石縫隙中。分佈於東海、南海和台灣。

採製　四季可採，取肉鮮用。

性能　甘、鹹，平。滋補，利小便。

應用　用於痞積，腫脹，小便不利。用量 3～5g。

文獻　《大辭典》上，1213。《中國藥用動物誌》二，65。

3972　寬身大眼蟹

來源　沙蟹科動物寬身大眼蟹 Macrophthalmus dilatatum de Haan 的全體。

形態　頭胸甲的寬度約當其長度的 2.5 倍，前半部較後半部為寬，表面具顆粒。胃區近方形，心區呈橫長方形。額窄而突出，眼窩很寬。可動指與掌節幾乎垂直，不動指基部向內彎。雄螯長大，掌部的長度大於高度的 3.1 倍。雌螯短小，步足細長。

分佈　穴居於近海或河口的泥灘上。分佈於渤海、黃海、東海及南海。

採製　秋季捕捉，沸水燙死，曬乾。

性能　鹹，寒。活血破瘀。

應用　用於腹痛積滯，產後血瘀，癥瘕，跌打損傷等症。用量 3～15g。

附註　調查資料。

3973 黃衣

來源 蜻科動物黃衣 Pantala fla-vescens Fabricius 的乾燥全體。

形態 體細長，翅長而寬，腹部長 29～35mm，後翅長 38‑41mm。身體淺黃色，顏面棕色。單眼間有一條黑色橫紋，足部脛節及跗節黑色。翅甚寬，透明，基部淺黃色，翅脈黃褐色，緣脈黑色。翅痣黃色。胸部黃色，腹部黃褐色。

分佈 飛翔能力極強，很少休息。廣泛分佈於全國各地。

採製 夏、秋季捕捉，用線穿起，放乾燥通風處陰乾。

性能 甘，微寒。補腎益精，解毒消腫，潤肺止咳。

應用 用於陽痿遺精，咽喉腫痛，百日咳等症。用量 3～8 隻，入丸散服。

文獻 《中國藥用動物誌》二，93。

3974 土鼈蟲

來源 鼈蠊科動物中華地鼈 Eu-polyphaga sinensis Warker 的乾燥雌蟲。

形態 雌蟲體長約 35mm，黑色，有光澤。體卵圓形，背腹扁平，但胸、腹部的背板稍隆起。頭部較小，隱於前胸腹面。觸角念珠狀，長約 20mm。複眼大，腎形。無翅，足強勁有力。雄蟲淡褐色，無光澤。體長 35mm，寬約 20mm。翅兩對，長於腹部，淡褐色。

分佈 喜棲於陰暗潮濕場所，晝伏夜出，雜食性。分佈於全國各地。

採製 夏、秋季捕捉，捕後用沸水燙死，曬乾或烘乾。

性能 鹹，寒。有小毒。破血逐瘀，舒筋接骨，止痛。

應用 用於跌打損傷，瘀血腫痛，血瘀經閉，產後瘀血腹痛，癥瘕積聚等症。用量 3～9g。

文獻 《藥典》一，12。《大辭典》下，5633。

3975 冀地鼈（土鼈蟲）

來源 鼈蠊科動物冀地鼈 Poly-phaga plancyi Bolivar 的乾燥雌蟲。

形態 雌蟲：體呈寬卵圓形，長 30～35mm，寬 20～25mm。蟲體表面暗黑色，無光澤。體背面不甚隆起。前胸背板前緣及身體周圍具紅褐色或黃褐色邊緣，內方漸淡，有些地方中斷。蟲體背面被有密集的小顆粒狀突起，無真正的毛，無翅。雄蟲：有發達的翅。翅深灰黑色。

分佈 多棲息於廚房、竈腳及陰濕處。分佈於河北、河南、山東、陝西、甘肅。

採製 5～8 月間捕捉，捕後燙死，曬乾。

性能 鹹，寒。逐瘀，破積，通絡，理傷。

應用 用於癥瘕積聚，血滯經閉，跌打損傷，產後瘀血腹痛，木舌，重舌等症。用量 3～6g。外用適量。

文獻 《藥典》一，12。《大辭典》下，5633。

3976 蟈蟈

來源 螽斯科動物螽斯 Gampsao-cleis gratiosa Brunner Wattenwyl 的乾燥成蟲。

形態 頭大，近於平直，觸角鞭狀，褐色，長於軀體。複眼卵圓形，前翅近膜質，較弱，前緣向下傾斜，靜止時左翅覆於右翅之上。雄蟲翅短，只達腹部之半或⅔處，發音器以外的區域具 3 條明顯翅脈，前翅具 1 發達的發音器。雌蟲無發音器。全體綠色或黃綠色。

分佈 棲於田野草叢或灌叢間，喜食豆科植物。分佈於東北、華北及江蘇等地。

採製 秋季捕捉，用沸水燙死，曬乾。

性能 甘，平。解毒，行水，止痛。

應用 用於中耳炎，水腫，腰腿痛。用量 2～3 隻，焙乾研粉用，外用適量。

文獻 《中國藥用動物誌》一，75。

3977 雀甕

來源 刺蛾科動物黃刺蛾 Cnido-campa flavescens walker 的帶有石灰質硬殼的蛹。

形態 成蟲體長 10～17mm，翅展 24～38mm，雌蟲大於雄蟲。頭和胸部黃色，足暗紅褐色，腹部黃褐色。前翅內半部黃色，外半部褐色。幼蟲老熟時長達 16～25mm，呈長方形。頭小，黃褐色，體黃綠色。繭橢圓形，長 11.5～14.5mm，質地堅硬，質白色，上有數條寬褐縱紋，形似雀卵。

分佈 常在樹枝分杈處結繭。除新疆、青海、甘肅、西藏外，均有分佈。

採製 四季採收。從杏、桃、梨、榆等樹枝上取下，鮮用或曬乾。

性能 甘，平。清熱鎮驚，散風解毒。

應用 用於小兒驚風，癲癇，乳蛾，流涎，臍風等症。用量 1～5個。

文獻 《大辭典》下，4311。《中國動物藥》，125。

3978 鑽稈蟲

來源 螟蛾科動物高粱條螟 Proceras venosatus (Walker) 的乾燥幼蟲。

形態 成蟲展翅 25～32mm。頭小，觸角細長，雄蟲觸角呈鞭狀，雌蟲觸角呈絲狀。前翅灰黃，外緣有 7 個小黑點，呈一直線，正面有多數黑褐色縱條。後翅顏色稍淺，雄蛾淡黃色，雌蛾近白色。幼蟲黃白色或黃褐色，體上有紫褐色縱紋 4 條，每節正面有褐色斑紋 4 個，排列成正方形。頭部黃褐色至黑褐色。

分佈 幼蟲在高粱秸稈內越冬，蛀食莖稈，遍佈全國各地。

採製 秋、冬季採收。劈開有蟲口的高粱秸，取出幼蟲，鮮用或沸水燙死，曬乾。

性能 甘，涼。涼血，解毒。

應用 用於便血。用量 2～5g。

文獻 《中國動物藥》，126。《大辭典》下，3807。

3979 眼斑芫青(斑蝥)

來源 芫青科動物眼斑芫青 Mylabris cichorii Linnaeus的乾燥全體。

形態 體長 10～15mm，每翅的中部有一橫貫全翅的黑色橫斑。在翅的基部自小盾片外側沿肩甲而下到距基約¼處，向內彎而到達翅縫有一弧圓形黑斑紋，左右二翅的弧圓斑紋在翅縫處聯合成一橫斑，在弧形斑紋內包圍着一個黃色小圓斑，兩側對稱，形似一對眼睛。

分佈 成蟲食害瓜、豆類作物。分佈於河北、安徽、江蘇、廣東、福建、廣西及雲南。

採製 夏、秋季清晨在斑蝥翅濕不能起飛時捕捉，用沸水燙死，曬乾或烘乾。

成分 蟲體主含斑蝥素。尚含脂肪、樹脂、蟻酸、色素及甲殼質等。

性能 辛，熱。有大毒。破血消癥，攻毒蝕瘡。

應用 用於癥瘕，癌腫，瘰癧，頑癬，贅疣，癰疽不潰，惡瘡死肌。用量 0.03～0.06g。炮製後服或入丸散。外用適量。

文獻 《藥典》一，292。《中國藥用動物誌》一，98。

3980 斑蝥

來源 芫青科動物大斑芫青 Mylabris phalerata Pallas 的乾燥全體。

形態 體長 15～30mm，頭部圓三角形，具粗密刻點，額中央有一條光滑縱紋。複眼大，略呈腎形。觸角 1 對，線狀。前胸長稍大於寬。鞘翅底基黑色，每翅基部各有 2 個大黃斑，翅中央前後各有 1 黃色波紋狀橫帶。膜質翅褐色，足 3 對。

分佈 多羣集於大豆、花生、棉花等作物上取食花葉。分佈於全國大部分地區，以安徽、河南、廣西、雲南較多。

採製 夏、秋季清晨採取，用沸水燙死。曬乾或烘乾。

成分 含斑蝥素 (cantharidin) 1～1.2%，脂肪 12%，及樹脂、蟻酸、色素等。

性能 辛，熱。有大毒。破血消癥，攻毒蝕瘡，發疱。

應用 用於癥瘕，癌腫，頑癬，瘰癧，贅疣，癰疽不潰，惡瘡死肌，狂犬咬傷等症。用量 0.03～0.06g。外用適量。

文獻 《常見藥用動物》，82。《藥典》一，292。

3981 長地膽

來源 芫青科動物長地膽 Meloe violaceus Mars. 的乾燥全體。

形態 體長 18～30mm，黑藍色，有光澤。頭部短而廣，比前胸寬，有粗糙的刻點。觸角黑色，細長，有 11 節。複眼黑褐，前胸略成長圓形，但在前方收縮，黑色。鞘翅極短，成葉片狀，黑色。足全部為黑色，密生黑色小毛。腹部大半露出，有紫黑色光澤。

分佈 幼蟲常寄生在蜂體及巢中。分佈於中國東北。

採製 夏季捕捉，用沸水燙死，曬乾。

成分 全蟲含斑蝥素 (cantharidin)。

性能 辛，寒。有毒。破血逐瘀，攻毒。

應用 用於瘰癧，癥瘕。外用治惡瘡，疥癬，鼻瘜肉及神經皮炎等。用量 1～3 隻，研末，入丸散。外用適量。

文獻 《中國藥用動物誌》二，139。

附註 本品有劇毒，用時宜慎。須注意炮製。

3982 桑天牛

來源 天牛科動物桑天牛 Apriona germari (Hope) 的乾燥成蟲。

形態 體長 26～50mm，全身密被絨毛。雄蟲觸角超過體長 2～3 節，雌蟲則略長。額狹。複眼下葉很大而橫闊，甚長於頰，前唇基棕紅色。前胸背板寬顯勝於長，中央具細尖刺突。鞘翅中縫、側緣及端緣通常有一條青灰色窄邊，基部¼範圍內密生黑色光亮瘤狀顆粒。

分佈 多在晚間活動，喜食嫩樹皮，為害果樹及桑樹。分佈於全國各地。

採製 夏季捕捉，沸水燙死，曬乾。

性能 甘，溫。活血祛瘀，鎮靜熄風。

應用 用於經閉，崩漏帶下，乳汁不下，跌撲瘀血，癰疽不潰，小兒驚風，疔腫惡毒等症。用量 5～10g。外用適量。

文獻 《中國藥用動物誌》一，102。《大辭典》上，0640。

3983　星天牛

來源　天牛科動物星天牛 Anoplophora chinensis (Foster) 的乾燥成蟲。

形態　體長可達 39mm，寬可達 13.5 mm。體色漆黑，有光澤，佈滿小白斑點。觸角 11 節，第 1～2 節黑色，第 3～11 節每節前半部黑色，後半部藍白色。鞘翅黑色，上面有白色細毛組成的白色毛斑，每翅有 20 個，排列成不整齊的 5 行。胸腹的背腹中央均有移動器。

分佈　成蟲喜食嫩樹皮，多損害桑、楊、柳、槭、梨等樹。分佈於吉林、遼寧、河南、四川、廣東、廣西、雲南。

採製　夏季捕捉，捕後用沸水燙死，曬乾。

性能　甘，溫。活血祛瘀，安神鎮靜。

應用　用於經閉腹痛，跌打損傷，瘀血作痛，癰腫瘡毒，小兒驚風抽搐等症。用量 5～10g，外用適量。

文獻　《常見藥用動物》，85。《大辭典》上，0604。

3984　獨角仙

來源　犀金龜科動物獨角蜣螂蟲 Allomyrina dichotoma Linnaeus 的乾燥蟲體。

形態　體型甚大，長 36～60mm，闊 20～33mm。雄蟲頭部有強大雙分叉角突。全體紅棕色、深褐色至深黑褐色，光亮，尤以鞘翅為強，頭較小，前胸背板闊大，中央有一強而前彎的單杈角突。鞘翅長大，臀板短闊。腹面有光澤，被黃褐色纖毛。

分佈　棲息在朽木或樹葉下面，夜出活動，趨光性頗強。分佈於東北、華北、華南、西南以及華東等省區。

採製　6～8 月捕捉，捉回後置沸水中燙死，曬乾或烘乾。

成分　有毒成分約 1%，有效物質能溶於水、乙醇及氯仿，但不溶於乙醚。

性能　鹹，寒。有毒。定驚，破瘀，通便，攻毒。

應用　用於驚癇，癲狂，癥瘕，噎膈反胃，腹脹便結，淋病，疳積，血痢，痔漏，疔腫惡瘡。用量 1～2.5g。

文獻　《大辭典》下，5174。《中藥誌》四，203(1961 年版)。

3985 蜂蜜

來源 蜜蜂科動物意大利蜂 Apis melli-fera Linnaeus 在蜂巢中貯存的糖類物質。

形態 形似中華蜜蜂，但個體較大，蜂王體長 16～17mm，工蜂體長 12～13mm，雄蜂體長 14～16mm，與中華蜜蜂主要區別在於唇基黑色，不具黃斑，後翅中脈不分叉。

分佈 為社會性昆蟲，有勞動分工的個體生活於同一巢內，以羣體為生存單位。全國各地均有飼養。

採製 夏、秋季將蜂巢中蜜搖出，用濾蜜篩除去雜質，貯存備用。

成分 蜂蜜含轉化糖(果糖和葡萄糖)70～80%、蔗糖 2.6%、糊精 1.4%、蛋白質 0.3%、礦物質(鈣、鈉、鉀、鎂、鐵、銅等)0.09%，並含有微量維生素、酶、有機酸、揮發油、色素及乙酰膽鹼。尚含少量花粉粒及蠟質。

性能 甘，平。補脾，潤肺，止咳，潤腸，緩中止痛，解毒。

應用 用於脾胃虛弱，腸燥便秘，乾咳，脘腹疼痛。外用治燙火傷，口瘡，瘡瘍等症。用量 15～50g。外用適量。

文獻 《藥典》一，318。《大辭典》下，5171。

3986 露蜂房

來源 胡蜂科動物斑胡蜂 Vespa manda-rinia Sm. 的乾燥蜂巢。

形態 雌蟲體長 37～44mm，黑色，具黃斑紋。頭部及觸角柄節紅褐色(複眼及上顎端黑色)，胸黑色，翅黃褐，半透明。足黑褐，前足腿節端半部及跗節暗褐。腹部第 1～2 節前緣及後緣、3～5 節後緣及第 6 節均黃褐色。

分佈 巢大型，築於樹洞中或樹枝上，性兇猛。分佈於全國各地。

採製 秋季採收，置日光下曬乾，倒出死蜂，切段。

性能 甘，平。有毒。祛風，殺蟲，攻毒，鎮驚。

應用 用於小兒驚癇，抽搐，關節疼痛，乳房脹痛，扁桃體炎，風疹瘙癢，風火牙疼，蜂螫腫痛等。用量 2～4g。外用適量。

文獻 《中國藥用動物誌》一，114

3987 鯰

來源 鯰科動物鯰 Parasilurus aso-tus (Linnaeus) 除去內臟的全體。

形態 體長，頭部扁平，尾部側扁，口寬闊。口裂向上傾斜，下頜突出明顯。鬚 2 對。眼小，蓋有透明薄膜。無鱗。皮膚富黏液腺，側線上有黏液孔 1 行。背鰭很小，具 5 根鰭條。臀鰭 77～83，與尾鰭相連。幼小時背側部一般為黃綠，隨個體成長體色逐漸加深變成黑褐色，頦部為白色，各鰭灰黑色。

分佈 多棲息江河、湖泊和水庫等寬闊的水體內。除西部高原地區外，其他各省區均有分佈。

採製 四季捕撈，除去內臟，取肉鮮用。

成分 食部 100g 含水分 64.1g、蛋白質 14.4g、脂肪 20.6g。

性能 甘，溫。補中，益陰，利水，下乳。

應用 用於水腫，乳汁不足，小便不利等症。用量 100～250g。

文獻 《常見藥用動物》，122。《中國藥用動物誌》一，144。

3988 黃鱔

來源 合鰓科動物黃鱔 Monopterus albus (Zuiew) 的新鮮血液及肉。

形態 體細長，呈蛇形，向後漸側扁，尾部尖細。頭圓，吻端尖，唇頗發達，下唇尤其肥厚。上下頜及腭骨上部有細齒。眼小，兩個鼻孔分離較遠，左右鰓孔在腹面聯合為一，呈"V"字形。體無鱗，無胸腹鰭，背鰭與臀鰭退化僅留低皮褶，無軟刺，都與尾鰭相聯合。體色微黃或橙黃，全體佈滿黑色小點，腹部白色。

分佈 喜棲於河道、湖泊、溝渠及稻田中，除西北及東北外，其餘省、區均有分佈。

採製 夏、秋季捕捉，活魚取血鮮用。

成分 每 500g 肉中含蛋白質 51.7g、脂肪 24.8g、維生素 A、B_1、菸酸、灰分 2.8g（內含鈣、磷、鐵等）。

性能 肉：甘、鹹，溫。祛濕，補五臟。血：祛風，通絡，解毒，明目。

應用 肉：用於虛勞消瘦，身熱身癢，臁瘡，腸風痔瘻；血：塗口眼喎斜。外用適量。

文獻 《中國藥用動物誌》一，151。

3989 陰蠅

來源 龜科動物大頭平胸龜 Platysternon megacephalus Gray 的全體。

形態 喙彎曲呈鉤狀，似鷹嘴，頭大，尾長，體略呈扁圓形。背腹均有堅硬的鱗甲，尾與四肢不能縮入殼內。背面棕褐色或綠褐色，腹面黃白色。幼龜背甲邊緣呈鋸齒狀，背面紅棕色。

分佈 棲於山溪中，能爬登巖石，為肉食性。分佈於廣東、廣西、福建、浙江、安徽、江西、湖南、江蘇、雲南及貴州等地。

採製 6～8 月捕捉，去掉甲及內臟，鮮用。

性能 甘，鹹，寒。滋陰清熱，補腎。

應用 用於久瀉，久痢，瘧疾，陰虛發熱，肺結核等。用量 6～10g。

文獻 《大辭典》上，1979。《中國藥用動物誌》二，286。

3990 藏蛤蚧

來源 鬣蜥科動物喜山鬣蜥 Agama himalayana (Steindachner) 除去內臟的乾燥全體。

形態 體扁平，頭體長 130mm 左右，尾長大於頭體長。吻鈍圓，鼻孔近吻端，鼓膜裸露，小於眼徑，頭部鱗大小不等。頸鱗細小，背部中央鱗大，兩側鱗小，腹鱗光滑。尾基寬扁，漸呈鞭狀，四肢較強，指、趾末端略側扁，爪發達。背面一般灰褐色，。佈滿棕黑斑點。

分佈 多棲於山坡巖石間，日出後活動頻繁。分佈於新疆、西藏及雲南西部。

採製 6～8 月捕捉。除去內臟，洗淨，鮮用或曬乾。

成分 肉含蛋白質、肽類、氨基酸、脂類。血中含脂類、膽甾醇及其酯、酸性及鹼性磷酸酶、過氧化物酶 (peroxidose) 等。

性能 甘，溫。肉：補腎壯陽；全體：行氣止痛。

應用 肉：用於久病虛損；全體：用於胃病(西藏民間方)。用量 1 隻。

文獻 《中國藥用動物誌》二，302。

3991 變色樹蜥

來源 鬣蜥科動物變色樹蜥 Calotes versicolor (Daudin) 除去內臟的全體。

形態 體長 100mm 左右，尾長約為體長的 3 倍。頭四角錐形，體軀近似三角柱形，尾略帶圓柱形，自頭後到尾基的正脊有鬣鱗。鼓膜明顯，鼓膜上方有 2 棘狀鱗，四肢很長，後肢向前伸可達顳部。生活時易變色，一般是淺棕色或帶灰色，背部有深色斑，尾有環紋。

分佈 生活於有樹林、草叢的低山坡。分佈於廣東、廣西、雲南等省區。

採製 夏、秋季捕捉。剖腹去內臟，用竹片撐開烘乾或曬乾。

成分 肌肉含蛋白質，其中包括骨膠原樣蛋白質、肽類及多種氨基酸、磷酸化酶(phosphorylase)、單胺氧化酶(monomine oxidase)、糖原、抗壞血酸。

性能 甘、鹹，溫。滋補，祛風，活血。

應用 用於風濕痛，腰腿痛，小兒疳積等症。用量 1～2 隻。或酒浸飲酒，每次 25ml。

文獻 《廣西藥用動物》，299。

3992　中國壁虎

來源　壁虎科動物壁虎 Gekko chinensis Gray 的乾燥全體。

形態　全長 120mm 左右，頭體長與尾長幾相等。頭體背面覆以細鱗，背面疣鱗小而多，胸腹部鱗片較大，呈覆瓦狀排列。指、趾膨大，趾間有蹼。第 1 指、趾無爪，其餘指、趾均具爪。雄性肛前窩 17～23 個。背面灰褐色，軀幹背面常具棕褐色橫斑。尾部具環紋。

分佈　生活於住宅牆壁間，夜間活動，捕食昆蟲。分佈於四川、雲南、福建、廣東、廣西、海南島。

採製　夏，秋季捕捉，捕後處死，烘乾。

性能　鹹，寒。祛風，定驚，散結，解毒。

應用　用於中風癱瘓，風痰驚癎，惡瘡瘰癧，神經痛等。用量 1 隻。

文獻　《大辭典》下，5604。《中國動物藥》，299。

3993　黃鏈蛇

來源　游蛇科動物黃鏈蛇 Dinodon septentrinalis (Guenther) 的全體。

形態　體較細長，全長在 900mm 左右。頭部鱗片灰黑色，體鱗光滑，體中部鱗 17 行。體背面黑色而具有黃色橫帶 63 ＋ 20 環。腹鱗雄性 213～218；雌性 210～211，尾下鱗雄性 79～85，雌性 75～86。

分佈　生活於山區森林中，以蛙、小型哺乳動物為食。分佈於雲南、貴州、安徽、浙江、江西、福建、廣東、海南島和廣西。

採製　春秋兩季捕捉，捕後放入盛水的罐內，加蓋飼養幾天，然後取出洗淨，酒浸用。

性能　甘，平。祛風濕，止痛，解毒。

應用　風濕性關節炎，周身疼痛，淋巴結結核，慢性瘻管，潰瘍，疥癬等症。適量。一般一條蛇加酒 500ml。

文獻　《中國藥用動物名錄》，55。

3994　山烙鐵頭

來源　蝰科動物山竹葉青 Trimeresurus monticola (Gunther) 的除去內臟乾燥全體。

形態　全長 500～700mm，頭三角形，有長管牙，吻端較鈍，吻鱗寬超過於高，鼻間鱗大，互相接觸，頭頂具細鱗，上唇鱗 9 或 10，背鱗光滑，鱗列 25～23～19，腹鱗雄性 137～142，雌性 137～146 行，尾下鱗雙列，肛鱗 1 枚。背面淡褐色，背部及兩側帶有紫褐色而不規則的雲彩狀斑，腹面紫紅色。

分佈　棲息於高山，以鼠類等為食。分佈於廣東、廣西、台灣、福建、湖南、浙江、貴州、雲南、四川及西藏。

採製　夏、秋季捕捉，除去內臟，曬乾。

性能　甘、鹹，溫。祛風止痛。

應用　用於風濕痹痛，惡瘡癭腫。用量 3～4.5g。

文獻　《中國藥用動物誌》二，341。

3995　鷓鴣

來源　雉科動物鷓鴣 Francolinus pintadeanus (Scopoli) 的肉。

形態　雄鳥頭頂黑褐色，羽緣綴以栗黃色。頭的兩側各具有栗黃色縱紋。眉紋及額紋均黑色，繞着白色的頰部，耳羽白色，頸黑色，雜以無數卵圓形白斑，上背與肩略同，羽端變為栗紅色。頷與喉白色，胸、腹和兩脅均黑，佈滿以白色圓斑。雌鳥與雄鳥相似，但羽色較淺。

分佈　多在灌叢草坡中活動。分佈於福建、廣東、廣西、雲南等省區。

採製　全年捕捉，取肉鮮用。

成分　肉含氨基酸、肽類、蛋白質、脂類。

性能　甘，溫。補中，開胃，安神，消痰。

應用　用於失眠，胃痛，下痢，小兒疳積，百日咳等症。用量 50～100g。

文獻　《大辭典》下，5589。《中國藥用動物誌》二，362。

3996　秧雞

來源　秧雞科動物秧雞 Rallus aquaticus Linnaeus 的肉。

形態　上體棕橄欖褐色，有明顯黑色縱條紋。前額、眼先淺棕褐色，頷、喉亦為淺棕褐色。頸側橄欖黑色。胸及上腹部灰色，下腹中央乳黃色，兩脅為黑褐及白色相間的橫斑。飛羽暗褐色，尾羽中央黑褐色，邊緣為棕褐色。嘴黑褐，下嘴基部較淡，腳棕褐色。

分佈　棲於水田或近水處的灌叢。分佈於東北、華北、華東、華中以及雲南、台灣等地。

採製　四季捕捉，去羽毛及內臟，取肉鮮用或焙乾。

成分　肉含蛋白質、肽類、氨基酸、脂類。

性能　甘，溫。殺蟲解毒，補中益氣。

應用　用於蟻瘻，脾胃虛弱等症。用量 50～100g。

文獻　《大辭典》下，3854。《中國動物藥》，372。

3997　山斑鳩

來源　鳩鴿科動物山斑鳩 Streptoperia orientalis (Latham) 的肉。

形態　額和頭頂藍灰色，後頸葡萄酒色，頸基左右兩側各具黑羽成塊斑狀，各羽緣先藍灰色，上背淡褐，羽緣微棕，下背和腰藍灰，尾上覆羽暗褐而具藍灰色羽端。兩肩以及翅上的內緣覆羽和三級飛羽黑褐，而有鮮明棕紅色羽緣，下體葡萄棕色，頷及喉的中部較淡。胸部特濃，肛周白色，眼橙黃，嘴鉛色。爪紅黑。

分佈　棲於平原和山地林間。分佈於全國各地。

採製　四季捕捉，捕後去羽毛及內臟，鮮用或焙乾研末服。

性能　苦、鹹，平。益氣，明目，強筋骨。

應用　用於久病虛損，呃逆等症。用量 5～10g；鮮肉 50～100g。

文獻　《大辭典》下，4728。《中國藥用動物誌》一，230。

3998　黃鶯

來源　黃鸝科動物黃鶯 Oriollus chinensis (Linnaeus) 的肉。

形態　體長約 250mm，嘴與頭等長，嘴峰粉紅色，稍向下彎曲，上嘴先端微具缺刻。虹膜紅色，雄鳥羽毛金黃而有光澤，頭部有通過眼週直達枕部的黑紋。尾短，尾羽除中央的一對為純黑外，其餘的黑色尾羽均具黃色尖端。腳短，呈鉛藍色，爪長而曲。

分佈　主要生活於平原地區，棲息於樹上，分佈於全國各地。

採製　四季捕捉，去羽毛及內臟，取肉鮮用或燒存性研末。

性能　甘，溫。補中益氣，疏肝解鬱。

應用　用於脾胃虛弱，食慾不振，兩脅作脹，消化不良等症。用量 1～2 隻。

文獻　《中國動物藥》，398。《大辭典》下，3722。

3999　花鼠

來源　松鼠科動物花鼠 Eutamias sibiricus Laxmann 的肉。

形態　體長 140mm 左右。尾與體等長。有頰囊，耳廓短小。前足掌裸，後足被毛。全身呈棕黃色，前半身較灰，後半身較黃。脊背有 5 條明顯的黑色縱紋，額部棕褐色，自吻部至耳基有棕褐色短紋。耳廓黑褐色，邊緣為白色，一般夏毛較冬毛色深，呈橙色。

分佈　棲於森林或丘陵地帶，以松子、豆料為食。分佈於黑龍江、吉林、遼寧、河北、山東、山西、陝西、新疆、四川及雲南。

採製　四季均可捕捉，去皮及內臟，焙乾，研末。

成分　血含凝血酶原 (prothrombin)、促凝血球蛋白原 (proaccelerin)、轉變加速因子前體 (proconvertin)、甲狀腺素 (thyroxine) 等，肉含蛋白質、肽類、氨基酸、脂類、甾類。

性能　甘，溫。理氣，調經。

應用　用於肺結核，肋膜炎，月經不調，痔瘡等症。用量 3～6g。

文獻　《中國藥用動物誌》，488。

4000　竹䶄油

來源　竹鼠科動物竹鼠 Rhizomys sinensis Gray 的脂肪。

形態　體型粗壯，成獸體長小於 380mm，頭部鈍圓，吻大，眼小。尾長 60～70mm，四肢短，有較強的爪，全身棕灰色，吻側毛色較淺，身體腹面毛較稀。幼獸毛色較深，周身均為黑灰色。尾上下均被有稀毛。

分佈　營地下生活，喜棲息於山坡竹林，或山谷的芒草叢中。分佈於福建、廣東、廣西、雲南、四川、湖北、陝西、甘肅。

採製　四季捕捉，殺死後，剝取脂肪，煉油用。

性能　甘，平。解毒排膿，生肌止痛。

應用　用於燙火傷，無名腫毒。外用適量。

文獻　《大辭典》上，1829。《中國動物藥》，437。

參考書目

一、中文

三畫

《大辭典》——《中藥大辭典》(上、下冊及附編)，江蘇新醫學院編。上海：上海人民出版社，1977。

《山東藥用動物》，紀如義、趙玉清編著。濟南：山東科學技術出版社，1979。

《川生科技》第二冊，甘孜州藥用植物，中國科學院成都生物研究所編，1975。

四畫

《中國藥用動物誌》一、二冊，《中國藥用動物誌》協作組編著。天津：天津科學技術出版社，1979；1982。

《中國動物藥》，鄧明魯、高士賢編著。長春：吉林人民出版社，1981。

《中國藥用動物名錄》，高士賢、鄧明魯編。長春中醫學院學報，第二期(長春，1987)。

《中藥誌》第四冊，中國醫學科學院藥物研究所等編著。北京：人民衛生出版社，1961。

《元江哈尼族藥》，雲南省玉溪地區藥品檢驗所、元江哈尼族彝族傣族自治縣藥品檢驗所合編，1984。

《中草藥》第二冊，國家醫藥管理局中草藥情報中心站編，1988。

五畫

《四川中藥誌》一至三冊，中國科學院四川分院中醫中藥研究所主編。成都：四川人民出版社，1960。

《甘孜州藏藥植物名錄》第一冊，甘孜州藥品檢驗所編，1984。

六畫

《曲靖專區中草藥》，雲南省曲靖專區衛生組編，1970。

《西藏常用中草藥》西藏自治區人民政府、西藏軍區後勤部衛生部合編。拉薩：西藏人民出版社，1971。

《西藏植物誌》一至五冊，吳徵鎰主編。北京：科學出版社，1983～1987。

《西藏植被》附錄：藥用植物，中國科學院植物研究所、中國科學院長春地理研究所合編。北京：科學出版社，1980。

七畫

《阿壩州藥用植物名錄》，阿壩州醫藥管理局、阿壩州醫藥公司合編，1985。

八畫

《青藏高原藥物圖鑒》第一冊——青海生物研究所等合編。西寧：青海人民出版社，1972。

《迪慶藏藥》上、下冊，楊競生、初稱江措編著。昆明：雲南民族出版社，1987～1989。

九畫

《昆明民間常用草藥》，昆明市衛生局編，1970。

《思茅中草藥選》，雲南省思茅地區衛生組編，1971。

十畫

《海藥趣談》，謝宗墉編著。北京：海洋出版社，1981。

十一畫

《常見藥用動物》，高士賢等編著。上海：上海科學技術出版社，1984。

十二畫

《植物藥有效成分手冊》，國家醫藥管理局中草藥情報中心站編。北京：人民衛生出版社，1986。

《傣藥誌》——《西雙版納傣藥誌》一至三冊，西雙版納州民族藥調研辦公室編，1979～1981。

《傣醫傳統方藥誌》，西雙版納州民族藥調研辦公室編。昆明：雲南民族出版社，1985。

《晶珠本草》，帝瑪爾·丹增彭措著。上海：上海科技出版社，1986。

《貴州草藥》，貴州省中醫研究所編。貴陽：貴州人民出版社，1988。

十三畫

《滙編》——《全國中草藥滙編》上、下冊，《全國中草藥滙編》編寫組編。北京：人民衛生出版社，1976。

《滇南本草》一至三卷，蘭茂著，《滇南本草》整理組編。昆明：雲南人民出版社，1975～1977。

《雲南省中藥資源普查名錄》一至五冊，雲南省中藥資源普查辦公室編，1988。

《雲南中草藥選》，昆明軍區後勤部衛生部編，1970。

《雲南中草藥選》續編，中國科學院昆明植物研究所編，1978。

《雲南植物誌》一至四卷，中國科學院昆明植物研究所編著。北京：科學出版社，1977～1986。

《雲南種子植物名錄》上、下冊，中國科學院昆明植物研究所編。昆明：雲南人民出版社，1984。

《雲南藥用植物名錄》，雲南省藥物研究所編，1975。

《雲南樹木圖誌》上冊，西南林學院、雲南省林業廳編著。昆明：雲南科技出版社，1988。

十四畫

《廣西藥用植物名錄》，廣西中醫藥研究所編。南寧：廣西人民出版社，1986。

《廣西植物名錄》二、三冊，廣西植物所編，1971～1973。

《廣西藥用動物》，林呂何編著。南寧：廣西人民出版社，1987。

《圖鑒》——《中國高等植物圖鑒》二、五冊，中國科學院北京植物研究所主編。北京：科學出版社，1972、1976。

《綱要》——《新華本草綱要》第一冊，江蘇植物研究所、昆明植物研究所、中國醫學科學院藥用植物資源開發研究所合編。上海：上海科技出版社，1988。

十九畫

《藥典》一——《中華人民共和國藥典》第一部（1985年版），衛生部藥典委員會編。北京：人民衛生出版社，1985。

《麗江中草藥》，雲南省麗江地區衛生組編，1971。

《麗江地區中藥資源普查名錄》，雲南省麗江地區中藥資源普查辦公室編，1987。

二、外文

Dictionary of Economic Plants, by J.C. Th. Uphof, 1959.

拉丁學名索引

3944

Solms-Laubachia eurycarpa (Maxim.)
Botsch. *3603*

Solms-Laubachia linearifolia (W.W.
Smith) O.E. Schulz *3604*

Sonchus wightianus DC. *3907*

Sophora davidii (Franch.) Kom. ex
Pavol. *3667*

Sorbaria arborea Schneid. *3641*

Soroseris gillii (S. Moore) Stebb.
3908

Soroseris hookeriana (C.B. Clarke)
Stebb. ssp. erysimoides (Hand.
-Mazz.) Stebb. *3910*

Soroseris rosularis (Diels) Stebb.
3909

Soroseris umbrella (Franch.) Stebb.
3911

Sphaeranthus indicus Linn. *3912*

Sphenoclea zeylanica Gaertn. *3847*

Spilanthes callimorpha A.H. Moore
3913

Spilanthes paniculata Wall. ex DC.
3914

Spiraea schneideriana Rehd. *3642*

Stelmatocrypton khasianum (Benth.)
Baill. *3766*

Streptoperia orientalis (Latham)
3997

Swertia angustifolia Buch. -Ham.
ex D. Don var. pulchella (Buch.
-Ham. ex D. Don) *3753*

Swertia kingii Hook. f. *3754*

Swertia marginata Schrenk *3755*

Symplocos paniculata (Thunb.) Miq.
3733

Symplocos racemosa Roxb. *3734*

Syncalathium souliei (Franch.) Ling
3915

Taraxacum brevirostre Hand. -Mazz.
3916

Taraxacum calanthodium Dahlst.
3917

Taraxacum lugubre Dahlst. *3918*

Taraxacum maurocarpum Dahlst.
3919

Taraxacum sikkimense Hand. -Mazz.
3920

Taraxacum tibeticum Hand. -Mazz.
3921

Tephrosia purpurea (L.) Pers. *3668*

Thalictrum cultratum Wall. *3572*

Thalictrum uncatum Maxim. *3573*

Thalictrum virgatum Hook. f. et
Thoms. *3574*

Tinospora sinensis (Lour.) Merr.
3582

Toddalia asiatica (L.) Lam. *3675*

Tofieldia divergens Bur. et Fr. *3945*

Trema orientalis (Linn.) Bl. *3525*

Trimeresurus monticola (Gunther)
3994

Triplostegia glandulifera Wall. ex DC.
3829

Tripterospermum fasciculatum
(Wall.) Chater *3756*

Ulmus androssowii Litw. var. virgata
(Planch.) Grudz. *3526*

Uraria picta (Jacq.) Desv. *3669*

Urtica triangularis Hand. -Mazz. ssp.
pinnatifida (Hand. -Mazz.) C.J.
Chen *3530*

Ustilago nuda (Jens.) Rostr. *3501*

Veratrilla baillonii Franch. *3757*

Veronica ciliata Fisch. ssp.
zhongdianensis Hong *3803*

Veronica linariifolia Pall. ex Link ssp.
dilatata (Nakai et Kitagawa)
Hong *3804*

Vespa mandarinia Sm. *3986*

Viola betoniciolia Smith. *3695*

Vitex microphylla (Hand. -Mazz.) Pei
3774

Vitex negundo L.f. laxipaniculata Pei
3775

Vitex quinata (Lour.) Will. var.
puberula Moldenke *3776*

Vittaria flexuosa Fee *3514*

Wendlandia uvariifolia Hance *3824*

Wikstroemia canescens (Wall.)
Meissn. *3700*

Xanthopappus subacaulis C. Winkl.
3922

中文名稱索引